佛菩薩經典系列①

阿彌陀佛經典

佛菩薩經典的出版因緣

佛菩薩經典的出版，帶給我們許多的法喜與希望。因為透過這些經典的導引，將使我們了悟佛菩薩的偉大聖德，不只能讓我們得到諸佛菩薩的慈光佑護，更能令我們吉祥願滿。最重要的是使吾等能隨學於彼，以他們作為生命的典範，學習他們偉大的生涯，成就佛智圓滿。

佛菩薩經典的集成，是秉持對諸佛菩薩的無上仰敬，祈望將他們的慈悲、智慧、聖德、本生及修證生活，完滿的呈現在真正修行的佛子之前。使皈依於他們的人，能夠擁有一本隨身指導修行的經典匯集，能時時親炙於他們的法身智慧；讓大家就宛如隨時擁有一座諸佛菩薩專屬的教化殿堂，完成「生活即佛經、佛經即生活」的希望。現在，我們將這一個成果，供養給這些偉大的佛菩薩，也將之呈獻給所有熱愛佛典的大眾。

為了讓大家能迅速的掌握經典的義理，此套佛典全部採用新式分段、標點，使讀者能事半功倍的總持佛心妙智；並在珍貴的生命旅程中，迅速掌握到幸福與光明的根源。

我們希望這一套書，能使大家很快地親見諸佛菩薩的真實面貌，將他們成為我們人生中最親切的導師。在歡樂幸福的時候，激勵大家不要放逸，精進修行，在憂鬱煩惱的時候，使大家獲得安寧喜悅；更重要的是幫助我們解脫自在，得到清淨的智慧光明。而我們更應當學習諸佛菩薩的大悲願力，成為無盡的燈明，並依止他們的威神加持，用慈悲與智慧來幫助一切眾生。

學習諸佛菩薩，使我們成為他們的使者；這個心願，是我們一直想推行的運動。或許有人會質疑：自己有什麼樣的資格，來成為佛菩薩的使者，甚至化身呢？但是，大乘佛法的根本，即是要我們發起菩提心，學習諸佛菩薩救度眾生的妙行。因此，菩薩的發心，首先是依止「眾生無邊誓願度，煩惱無盡誓願斷，法門無量誓願學，佛道無上誓願成」等共同的誓願，然後再依個別的因緣，發起不共的大願；這本來就是最根本的行持而已。而且這樣的發心，是任何人都可以也應該發起的，絕沒有條件與境界的限制。

所以，我們學習諸佛菩薩，當然初始時，根本無法如他們擁有廣大的慈悲、智慧。但是，我們可以學習成為他們的使者，成為他們百分之一、千分之一、萬分之一，乃至億萬分之一的化身；這樣還是可以立即發心，開始修習菩薩行的。只有當下立即發心開始修習，才是真正的開始啊！這是不需要任何預備動作的；開始時請立即開始，我們現在就成為無數分之一的佛菩薩，讓我們在這個充滿強而有力的科技文明，卻又十分混亂的世界中，幫助大家，也幫助自己吧！

這次佛菩薩經集編輯成十本，首先選擇與大家因緣深厚的佛菩薩，讓我們歡喜親近、體悟修習。這十本是：

一、阿彌陀佛經典

二、藥師佛．阿閦佛經典

三、普賢菩薩經典

四、文殊菩薩經典
五、觀音菩薩經典
六、地藏菩薩經典
七、彌勒菩薩・常啼菩薩經典
八、維摩詰菩薩經典
九、虛空藏菩薩經典
十、無盡意菩薩・無所有菩薩經典

我們希望透過這些經典的導引，能讓我們體悟諸佛菩薩的智慧悲心，也讓我們向彼等學習，使我們成為與阿彌陀佛、藥師佛、阿閦佛、觀音菩薩、文殊菩薩、普賢菩薩、地藏菩薩等同見同行的人。隨著自己的本願發心，抉擇一位佛菩薩學習，然後不斷增長，到最後迅速與諸佛菩薩完全相應，成為他們圓滿的化身，同一無二，成就佛智菩提，並使所有的眾生圓滿成佛。

凡例

一、關於本系列經典的選取，以能彰顯該佛或菩薩之教化精神為主，以及包含各同經異譯本，期使讀者能迅速了解諸佛菩薩之教法。

二、本系列經典選取之經文，以卷為單位；若是選取的經文為某卷中的一部分時，本系列經典仍保留卷題與譯者名，而其省略的部分，不再作說明及校勘。

三、本系列經典係以日本《大正新修大藏經》（以下簡稱《大正藏》）為底本，而以宋版《磧砂大藏經》（新文豐出版社所出版的影印本，以下簡稱《磧砂藏》）為校勘本，並輔以明版《嘉興正續大藏經》與《大正藏》本身所作之校勘，作為本系列經典之校勘依據。

四、《大正藏》有字誤或文意不順者，本系列經典校勘後，以下列符號表示之：

㈠改正單字者，在改正字的右上方，以「*」符號表示之。如《藥師琉璃光七佛本願功德經》卷上的經名：

藥師琉「瑠」光七佛本願功德經卷上《大正藏》

藥師琉「璃」光七佛本願功德經卷上《磧砂藏》

校勘改作為：

藥師琉*璃光七佛本願功德經卷上

(二)改正二字以上者，在改正之最初字的右上方，以「*」符號表示之，並在改正之最末字的右下方，以「☆」符號表示之。

如《阿閦佛國經》卷上〈阿閦佛剎善快品〉之中：

其地行足蹈其上即「滅這」，舉足便還復如故《大正藏》

其地行足蹈其上即「陷適」，舉足便還復如故《磧砂藏》

校勘改作為：

其地行足蹈其上即*陷適☆，舉足便還復如故

五、《大正藏》中有增衍者，本系列經典校勘刪除後，以「①」符號表示之，其

中圓圈內之數目，代表刪除之字數。

如《大寶積經》卷二十〈往生因緣品〉之中：

於「彼彼佛剎」隨樂受生《大正藏》

於「彼佛剎」隨樂受生《磧砂藏》

校勘改作為：

於彼①佛剎隨樂受生

六、《大正藏》中有脫落者，本系列經典校勘後，以下列符號表示之：

㈠脫落補入單字者，在補入字的右上方，以「⊙」符號表示之。

如《佛說無量清淨平等覺經》卷二之中：

如帝王雖於人中「好無比」，當令在遮迦越王邊住者《大正藏》

如帝王雖於人中「獲好無比」，當令在遮迦越王邊住者《磧砂藏》

校勘改作為：

如帝王雖於人中⊙獲好無比，當令在遮迦越王邊住者

㈡脫落補入二字以上者，在補入之最初字的右上方，以「⊙」符號表示之，並在補入之最末字的右下方，以「☆」符號表示之。

如《佛說無量壽經》卷上之中：

乃至三千大千世界「衆生緣覺」，於百千劫悉共計挍《大正藏》

乃至三千大千世界「衆生悉成緣覺」，於百千劫悉共計挍《磧砂藏》

校勘改作為：

乃至三千大千世界衆生⊙悉成☆緣覺，於百千劫悉共計挍

㈢有脫落字而無校勘者，以「□」符號表示之。

如《藥師如來念誦儀軌》之中：

令　又令須蓮臺《大正藏》

《磧砂藏》無此經，而《大正藏》之校勘中，除原藏本外，並無他本藏經之校勘，故為標示清楚，特作為：

令□又令須蓮臺

七、本系列經典依校勘之原則，而無法以前面之各種校勘符號表示清楚者，則以「㊟」表示之，並在經文之後作說明。

八、《大正藏》中，凡不影響經義之正俗字（如：恆、恒）、通用字（如：蓮「華」、蓮「花」）、音譯字（如：目「犍」連、目「乾」連）等彼此不一者，本系列經典均不作改動或校勘。

九、《大正藏》中，凡現代不慣用的古字，本系列經典則以教育部所頒行的常用字取代之（如：讃→讚），而不再詳以對照表說明。

十、凡《大正藏》經文內本有的小字夾註者，本系列經典均以小字雙行表示之。

十一、凡《大正藏》經文內之咒語，其斷句以空格來表示。若原文上有斷句序號而未空格時，則本系列經典均於序號之下，加空一格；但若作校勘而有增補空格或刪除原文之空格時，則仍以「◎」、「①」符號校勘之。又原文若無序號亦未斷句者，則維持原樣。

十二、本系列經典之經文，採用中明字體，而其中之偈頌、咒語及願文等，皆採用正楷字體。另若有序文或作註釋說明時，則採用仿宋字體。

十三、本系列經典所作之標點、分段及校勘等，以儘量順於經義為原則，來方便讀者之閱讀。

阿彌陀佛經典序

阿彌陀佛（梵名Amita-buddha，或作Amitābha或Amitāyus），意譯為無量光或無量壽佛，乃是西方極樂世界的教主。在大乘佛教中，阿彌陀佛佔有極重要的地位；他以觀世音、大勢至兩大菩薩為脇侍，在西方極樂世界中，實踐其教化衆生、接引有情的偉大悲願。

依據康僧鎧所譯《佛說無量壽經》記載，在過去久遠不可思議無央數劫之前，有世自有王佛（Lokêśvara-rāja樓夷亘羅）出世說法，那時的轉輪聖王發心出家，名為法藏（Dharmākara曇摩迦）比丘。法藏比丘發起菩提大願，修習菩薩道而成佛，他的根本大願，就是希望在十方佛土中，示現最殊勝、最莊嚴的淨土，在十方無量無數的諸佛之中，最為第一。

在支謙譯的《佛說阿彌陀經》中說：「前世宿命求道，為菩薩時所願功德，各自有大小；至其然後作佛時，各自得之，是故令光明轉不同等。諸佛威神同等爾，自在意所欲作為，不豫計。」這表示了諸佛的威神是平等齊一的；一切作為不用尋思分別，自然無功用成辦一切佛事。

但是，諸佛的身量、壽量、國土、光明，會隨著因地中願的不同，而有大小之差異。法藏比丘就在這種立場中，發願要使其淨土最勝、最妙，光明最為第一。如經上所言：「阿彌陀佛光明最尊、第一、無比，諸佛光明皆所不及也。……諸佛光明中之極明也……諸佛中之王也。」

法藏比丘發願要成就最勝妙的佛土，於是世自在王佛乃為他宣說了二百一十億個諸佛妙土，給他參考；法藏比丘就以這些佛土為資料，選擇這些佛土的勝妙之處，構築了自己淨土的藍圖。法藏比丘發此勝願，經無量無數劫修學六波羅蜜，終於圓滿成佛，稱為阿彌陀佛。

阿彌陀佛所發的願，於各經中有二十四願、三十六願及四十八願的說法。這些之所以不同的原因，是因為有的是兩個願結合在一起，有的是分開來的，所以才會產生差異；而就其內容，其實是大同小異的。現以《佛說無量壽經》來講，其中有三個大願是：

「設我得佛，十方衆生，至心信樂欲生我國，乃至十念；若不生者，不取正覺！唯除五逆、誹謗正法。」

「設我得佛，十方衆生發菩提心，修諸功德，至心發願欲生我國，臨壽終時，假令不與大衆圍遶現其人前者，不取正覺！」

「設我得佛，十方衆生聞我名號，係念我國，殖諸德本，至心迴向欲生我國；不果遂者，不取正覺！」

基於這三個弘偉的誓願；因此，在阿彌陀佛成佛之後，任何人只要具足信願行，如法念佛，一定能得到阿彌陀佛的接引，而往生真善美聖的極樂蓮邦！

阿彌陀佛成佛以來，已經十劫。國土皆為七寶所成，沒有山、海、江河，純一平坦。亦沒有三惡趣、鬼神之類；全是菩薩、羅漢，壽命亦是無量。若欲食時，飲食自然化現，意以為食，自然飽足，不會貪著。極樂世界無有婦女，女人往生的，自然化作男子。往生阿彌陀佛國者，在七寶池的蓮花中化生，面貌端嚴無比。總之，極樂世界有無邊莊嚴，無量之法喜，皆是彌陀願力之所成就。

經中也說到三輩往生彌陀淨土者。上輩人，發菩提心，修習六波羅蜜，不犯經戒；慈心精進，離諸愛欲，斷絕瞋怒，齋戒清淨而誠願往生。其現生能見阿彌陀佛、菩薩與阿羅漢，而且臨命終時，佛、菩薩等來迎，往生佛國，於七寶池蓮花中化生，得不退轉，住處與阿彌陀佛相近。

中輩人，布施持戒，供養寺塔，不愛不瞋，慈心精進，齋戒清淨而願生佛國。其能一日一夜心念不斷，專念阿彌陀佛，則臨命終時，化佛來迎，往生佛國，智慧勇猛。

下輩人，雖無法布施持戒，供養寺塔；但不愛不瞋，慈心精進，齋戒清淨而願生佛國。如此一向專念，乃至一念，則於命終時，會夢見阿彌陀佛的瑞徵，亦得往生，一樣智慧勇猛。

阿彌陀佛悲願廣大，慈心深切，而其念佛法門，又簡單易行；因此，在大乘弘傳的國家中，信仰之人極眾。中國古時有「家家阿彌陀、戶戶觀世音」的說法，正是彌陀信仰普通流傳的寫照。

為了彰顯阿彌陀佛的偉大功德，也期望深切仰信阿彌陀佛的眾生，能夠隨學於佛，並且迅速的總持阿彌陀佛的教法；所以，我們將阿彌陀佛相關的重要經典，編輯成一冊，使所有的修行人，能將這一本經集，做為隨身携帶的修證聖典。讓我們隨時隨地憶念阿彌陀佛的勝行，使我們在困頓時有所依止，在煩惱時能飲下清涼的甘露法語，在平順時惕勵精進，在修持時能有顯明的導引；使阿彌陀佛的法身隨時隨地供奉在我們的心中，加持我們悲心具足、智慧泉湧、一切願成。

最後，讓我們共同合掌稱念「南無阿彌陀佛」六字洪名，願大眾能淨業成就，往生極樂，一切吉祥；亦願往生蓮邦的菩薩們，能慈航巧渡，回駕娑婆，度一切苦厄。希望吾等所在之土，也能早成淨土宛如極樂；祈願阿彌陀佛光明普照，威神加被，使我們一切順遂，人間和平，國土安樂，遠離紛亂恐懼，「人間淨土」早日圓成。更願大家成為阿彌陀佛的使者，圓滿佛陀的悲願，早日成佛。

目錄

佛說阿彌陀經

佛說阿彌陀經

姚秦龜茲三藏鳩摩羅什譯

如是我聞：一時，佛在舍衛國祇樹給孤獨園，與大比丘僧千二百五十人俱，皆是大阿羅漢，衆所知識：長老舍利弗、摩訶目乾連、摩訶迦葉、摩訶迦栴延、摩訶拘絺羅、離婆多、周梨槃陀迦、難陀、阿難陀、羅睺羅、憍梵波提、賓頭盧頗羅墮、迦留陀夷、摩訶劫賓那、薄俱羅、阿㝹樓馱，如是等諸大弟子；并諸菩薩摩訶薩：文殊師利法王子、阿逸多菩薩、乾陀訶提菩薩、常精進菩薩，與如是等諸大菩薩，及釋提桓因等無量諸天大衆俱。

爾時，佛告長老舍利弗：「從是西方過十萬億佛土，有世界名曰極樂，其土有佛號阿彌陀，今現在說法。舍利弗！彼土何故名為極樂？其國衆生無有衆苦，但受諸樂，故名極樂。又，舍利弗！極樂國土七重欄楯、七重羅網、七重行樹，皆是四寶周匝圍繞，是故彼國名曰極樂。

「又，舍利弗！極樂國土有七寶池，八功德水充滿其中，池底純以金沙布地；四邊階道，金、銀、琉璃、頗梨合成；上有樓閣，亦以金、銀、琉璃、頗梨、車璖、赤珠、馬瑙而嚴飾之；池中蓮花大如車輪，青色青光、黃色黃光、赤色赤光、白色白光，微妙香潔。舍利弗！極樂國土成就如是功德莊嚴。

「又，舍利弗！彼佛國土常作天樂，黃金為地，晝夜六時天雨曼陀羅華。其國眾生常以清旦，各以衣祴盛眾妙華，供養他方十萬億佛，即以食時，還到本國，飯食經行。舍利弗！極樂國土成就如是功德莊嚴。

「復次，舍利弗！彼國常有種種奇妙雜色之鳥：白鵠、孔雀、鸚鵡、舍利、迦陵頻伽、共命之鳥。是諸眾鳥，晝夜六時出和雅音，其音演暢五根、五力、七菩提分、八聖道分如是等法。其土眾生聞是音已，皆悉念佛、念法、念僧。舍利弗！汝勿謂此鳥實是罪報所生。所以者何？彼佛國土無三惡趣。舍利弗！其佛國土尚無三惡道之名，何況有實！是諸眾鳥，皆是阿彌陀佛欲令法音宣流，變化所作。舍利弗！彼佛國土微風吹動，諸寶行樹及寶羅網，出微妙音，譬如百千種樂同時俱作。聞是音者，皆自然生念佛、念法、念僧之心。舍利弗！其佛國土成就如是功德莊嚴。

「舍利弗！於汝意云何，彼佛何故號阿彌陀？舍利弗！彼佛光明無量，照十方國無所障礙，是故號為阿彌陀。又，舍利弗！彼佛壽命及其人民無量無邊阿僧祇劫，故名阿彌陀。舍利弗！阿彌陀佛成佛已來，於今十劫。又，舍利弗！彼佛有無量無邊聲聞弟子，皆阿羅漢，非是算數之所能知，諸菩薩亦復如是。舍利弗！彼佛國土成就如是功德莊嚴。

「又，舍利弗！極樂國土眾生生者，皆是阿鞞跋致，其中多有一生補處，其數甚多，非是算數所能知之，但可以無量無邊阿僧祇劫說。舍利弗！眾生聞者，應當發願，願生彼國。所以者何？得與如是諸上善人俱會一處。舍利弗！不可以少善根福德因緣，得生彼國。

「舍利弗！若有善男子、善女人聞說阿彌陀佛，執持名號，若一日、若二日、若三日、若四日、若五日、若六日、若七日一心不亂，其人臨命終時，阿彌陀佛與諸聖衆，現在其前。是人終時，心不顛倒，即得往生阿彌陀佛極樂國土。舍利弗！我見是利，故說此言：若有衆生聞是說者，應當發願生彼國土。

「舍利弗！如我今者讚歎阿彌陀佛不可思議功德，東方亦有阿閦鞞佛、須彌相佛、大須彌佛、須彌光佛、妙音佛，如是等恒河沙數諸佛，各於其國出廣長舌相，遍覆三千大千世界，說誠實言：『汝等衆生，當信是稱讚不可思議功德、一切諸佛所護念經。』

「舍利弗！南方世界有日月燈佛、名聞光佛、大焰肩佛、須彌燈佛、無量精進佛，如是等恒河沙數諸佛，各於其國出廣長舌相，遍覆三千大千世界，說誠實言：『汝等衆生，當信是稱讚不可思議功德、一切諸佛所護念經。』

「舍利弗！西方世界有無量壽佛、無量相佛、無量幢佛、大光佛、大明佛、寶相佛、淨光佛，如是等恒河沙數諸佛，各於其國出廣長舌相，遍覆三千大千世界，說誠實言：『汝等眾生，當信是稱讚不可思議功德、一切諸佛所護念經。』

「舍利弗！北方世界有焰肩佛、最勝音佛、難沮佛、日生佛、網明佛，如是等恒河沙數諸佛，各於其國出廣長舌相，遍覆三千大千世界，說誠實言：『汝等眾生，當信是稱讚不可思議功德、一切諸佛所護念經。』

「舍利弗！下方世界有師子佛、名聞佛、名光佛、達摩佛、法幢佛、持法佛，如是等恒河沙數諸佛，各於其國出廣長舌相，遍覆三千大千世界，說誠實言：『汝等眾生，當信是稱讚不可思議功德、一切諸佛所護念經。』

「舍利弗！上方世界有梵音佛、宿王佛、香上佛、香光佛、大焰肩佛、雜色寶華嚴身佛、娑羅樹王佛、寶華德佛、見一切義佛、如須彌山佛，如是等恒河沙數諸佛，各於其國出廣長舌相，遍覆三千大千世界，說誠實言：『汝等眾生，當信是稱讚不可思議功德、一切諸佛所護念經。』

「舍利弗！於汝意云何，何故名為一切諸佛所護念經？舍利弗！若有善男子、善女人聞是經受持者，及聞諸佛名者，是諸善男子、善女人皆為一切諸佛共所護念，皆得不退轉於阿耨多羅三藐三菩提。是故，舍利弗！汝等皆當信受我語，及諸佛所說。

「舍利弗！若有人已發願、今發願、當發願，欲生阿彌陀佛國者，是諸人等皆得不退轉於阿耨多羅三藐三菩提，於彼國土若已生、若今生、若當生。是故，舍利弗！諸善男子、善女人若有信者，應當發願生彼國土。

「舍利弗！如我今者稱讚諸佛不可思議功德，彼諸佛等亦稱說我不可思議功德，而作是言：『釋迦牟尼佛能為甚難希有之事，能於娑婆國土、五濁惡世：劫濁、見濁、煩惱濁、眾生濁、命濁中，得阿耨多羅三藐三菩提，為諸眾生說是一切世間難信之法。』舍利弗！當知我於五濁惡世行此難事，得阿耨多羅三藐三菩提，為一切世間說此難信之法，是為甚難。」

佛說此經已，舍利弗及諸比丘，一切世間天、人、阿修羅等，聞佛所說，歡喜信受，作禮而去。

佛說阿彌陀經

稱讚淨土佛攝受經

稱讚淨土佛攝受經

大唐三藏法師玄奘奉　詔譯

如是我聞：一時，薄伽梵在室羅筏，住誓多林給孤獨園，與大苾芻眾千二百五十人俱，一切皆是尊宿聲聞，眾望所識大阿羅漢，其名曰：尊者舍利子、摩訶目犍連、摩訶迦葉、阿泥律陀，如是等諸大聲聞而為上首；復與無量菩薩摩訶薩俱，一切皆住不退轉位，無量功德眾所莊嚴，其名曰：妙吉祥菩薩、無能勝菩薩、常精進菩薩、不休息菩薩，如是等諸大菩薩而為上首；復有帝釋、大梵天王、堪忍界主、護世四王，如是上首百千俱胝那庾多數諸天子眾，及餘世間無量天人、阿素洛等，為聞法故，俱來會坐。

爾時，世尊告舍利子：「汝今知不？於是西方去此世界，過百千俱胝那庾多佛土，有佛世界名曰極樂，其中世尊名無量壽及無量光如來、應、正等覺，十號圓滿，今現在彼安隱住持，為諸有情宣說甚深微妙之法，令得殊勝利益安樂。

「又，舍利子！何因何緣，彼佛世界名為極樂？舍利子，由彼界中諸有情類，無有一切身心憂苦，唯有無量清淨喜樂，是故名為極樂世界。

「又，舍利子！極樂世界淨佛土中，處處皆有七重行列妙寶欄楯、七重行列寶多羅樹，及有七重妙寶羅網，周匝圍繞，四寶莊嚴：金寶、銀寶、吠琉璃寶、頗胝迦寶，妙飾間綺。舍利子！彼佛土中有如是等眾妙綺飾，功德莊嚴甚可愛樂，是故名為極樂世界。

「又，舍利子！極樂世界淨佛土中，處處皆有七妙寶池，八功德水彌滿其中。何等名為八功德水？一者、澄淨，二者、清冷，三者、甘美，四者、輕軟，五者、潤澤，六者、安和，七者、飲時除飢渴等無量過患，八者、飲已定能長養諸根四大，增益種種殊勝善根，多福眾生常樂受用。是諸寶池底布金沙，四面周匝有四階道，四寶莊嚴甚可愛樂。諸池周匝有妙寶樹，間飾行列，香氣芬馥，七寶莊嚴甚可愛樂。言七寶者：一、金，二、銀，三、吠琉璃，四、頗胝迦，五、赤真珠，六、阿濕摩揭拉婆寶，七、牟娑落揭拉婆寶。是諸池中，常有種種雜色蓮華，量如車輪，青形青顯青光青影、黃形黃顯黃光黃影、赤形赤顯赤光赤影、白形白顯白光白影、四形四顯四光四影。舍利子！彼佛土中有如是等眾妙綺飾，功德莊嚴甚可愛樂，是故名為極樂世界。

「又，舍利子！極樂世界淨佛土中，自然常有無量無邊眾妙伎樂，音曲和雅甚可愛樂。諸有情類聞斯妙音，諸惡煩惱悉皆消滅，無量善法漸次增長，速證無上正等菩提。舍利子！彼佛土中有如是等眾妙綺飾，功德莊嚴甚可愛樂，是故名為極樂世界。

「又，舍利子！極樂世界淨佛土中，周遍大地真金合成，其觸柔軟，香潔光明，無量無邊妙寶間飾。舍利子！彼佛土中有如是等眾妙綺飾，功德莊嚴甚可愛樂，是故名為極樂世界。

「又，舍利子！極樂世界淨佛土中，晝夜六時常雨種種上妙天華，光澤香潔，細軟雜色；雖令見者身心適悅而不貪著，增長有情無量無數不可思議殊勝功德。彼有情類，晝夜六時常持供養無量壽佛；每晨朝時持此天華，於一食頃飛至他方無量世界，供養百千俱胝諸佛，於諸佛所，各以百千俱胝樹花持散供養，還至本處，遊天住等。舍利子！彼佛土中有如是等衆妙綺飾，功德莊嚴甚可愛樂，是故名為極樂世界。

「又，舍利子！極樂世界淨佛土中，常有種種奇妙可愛雜色衆鳥，所謂：鵝、鴈、鶖鷺、鴻鶴、孔雀、鸚鵡、羯羅頻迦、命命鳥等。如是衆鳥，晝夜六時恒共集會，出和雅聲，隨其類音宣揚妙法，所謂：甚深念住、正斷、神足、根、力、覺、道支等無量妙法。彼土衆生聞是聲已，各得念佛、念法、念僧，無量功德熏修其身。汝舍利子！於意云何，彼土衆鳥豈是傍生惡趣攝耶？勿作是見。所以者何？彼佛淨土無三惡道，尚不聞有三惡趣名，何況有實罪業所招傍生衆鳥！當知皆是無量壽佛變化所作，令其宣暢無量法音，作諸有情利益安樂。舍利子！彼佛土中有如是等衆妙綺飾，功德莊嚴甚可愛樂，是故名為極樂世界。

「又，舍利子！極樂世界淨佛土中，常有妙風吹諸寶樹及寶羅網，出微妙音，譬如百千俱胝天樂同時俱作，出微妙聲甚可愛玩。如是彼土，常有妙風吹衆寶樹及寶羅網，擊出種種微妙音聲，說種種法。彼土衆生聞是聲已，起佛、法、僧念作意等無量功德。舍利子！彼佛土中有如是等衆妙綺飾，功德莊嚴甚可愛樂，是故名為極樂世界。

「又，舍利子！極樂世界淨佛土中，有如是等無量無邊不可思議甚希有事。假使經於百千俱胝那庾多劫，以其無量百千俱胝那庾多舌，一一舌上出無量聲，讚其功德亦不能盡，是故名為極樂世界。

「又，舍利子！極樂世界淨佛土中，佛有何緣名無量壽？舍利子！由彼如來及諸有情，壽命無量無數大劫；由是緣故，彼土如來名無量壽。舍利子！無量壽佛證得阿耨多羅三藐三菩提已來，經十大劫。舍利子！何緣彼佛名無量光？舍利子！由彼如來恒放無量無邊妙光，遍照一切十方佛土，施作佛事無有障礙；由是緣故，彼土如來名無量光。舍利子！彼佛淨土成就如是功德莊嚴，甚可愛樂，是故名為極樂世界。

「又，舍利子！極樂世界淨佛土中，無量壽佛常有無量聲聞弟子，一切皆是大阿羅漢，具足種種微妙功德，其量無邊不可稱數。舍利子！彼佛淨土成就如是功德莊嚴，甚可愛樂，是故名為極樂世界。

「又，舍利子！極樂世界淨佛土中，無量壽佛常有無量菩薩弟子，一切皆是一生所繫，具足種種微妙功德，其量無邊不可稱數；假使經於無數量劫，讚其功德終不能盡。舍利子！彼佛土中成就如是功德莊嚴，甚可愛樂，是故名為極樂世界。

「又，舍利子！若諸有情生彼土者，皆不退轉，必不復墮諸險惡趣、邊地、下賤蔑戾車中，常遊諸佛清淨國土，殊勝行願念念增進，決定當證阿耨多羅三藐三菩提。舍利子！彼佛土中成就如是功德莊嚴，甚可愛樂，是故名為極樂世界。

「又，舍利子！若諸有情，聞彼西方無量壽佛清淨佛土無量功德眾所莊嚴，皆應發願生彼佛土。所以者何？若生彼土，得與如是無量功德眾所莊嚴，諸大士等同一集會，受用如是無量功德、衆所莊嚴清淨佛土，大乘法樂常無退轉，無量行願念念增進，速證無上正等菩提故。舍利子！生彼佛土諸有情類，成就無量無邊功德，非少善根諸有情類，當得往生無量壽佛極樂世界清淨佛土。

「又，舍利子！若有淨信諸善男子或善女人，得聞如是無量壽佛無量無邊不可思議功德名號、極樂世界功德莊嚴，聞已思惟，若一日夜，或二、或三、或四、或五、或六、或七繫念不亂，是善男子或善女人臨命終時，無量壽佛與其無量聲聞弟子、菩薩衆俱，前後圍繞來住其前，慈悲加祐令心不亂。既捨命已，隨佛衆會，生無量壽極樂世界清淨佛土。

「又，舍利子！我觀如是利益安樂大事因緣，說誠諦語：若有淨信諸善男子或善女人，得聞如是無量壽佛不可思議功德名號、極樂世界淨佛土者，一切皆應信受發願，如說修行生彼佛土。

「又，舍利子！如我今者稱揚讚歎無量壽佛無量無邊不可思議佛土功德，如是東方亦有現在不動如來、山幢如來、大山如來、山光如來、妙幢如來，如是等佛如殑伽沙住在東方自佛淨土，各各示現廣長舌相，遍覆三千大千世界，周匝圍繞，說誠諦言：『汝等有情，皆應信受如是稱讚不可思議佛土功德、一切諸佛攝受法門。』

「又，舍利子！如是南方亦有現在日月光如來、名稱光如來、大光蘊如來、迷盧光如來、無邊精進如來，如是等佛如殑伽沙住在南方自佛淨土，各各示現廣長舌相，遍覆三千大千世界，周匝圍繞，說誠諦言：『汝等有情，皆應信受如是稱讚不可思議佛土功德、一切諸佛攝受法門。』

「又，舍利子！如是西方亦有現在無量壽如來、無量蘊如來、無量光如來、無量幢如來、大自在如來、大光如來、光焰如來、大寶幢如來、放光如來，如是等佛如殑伽沙住在西方自佛淨土，各各示現廣長舌相，遍覆三千大千世界，周匝圍繞，說誠諦言：『汝等有情，皆應信受如是稱讚不可思議佛土功德、一切諸佛攝受法門。』

「又，舍利子！如是北方亦有現在無量光嚴通達覺慧如來、無量天鼓震大妙音如來、大蘊如來、光網如來、娑羅帝王如來，如是等佛如殑伽沙住在北方自佛淨土，各各示現廣長舌相，遍覆三千大千世界，周匝圍繞，說誠諦言：『汝等有情，皆應信受如是稱讚不可思議佛土功德、一切諸佛攝受法門。』

「又，舍利子！如是下方亦有現在示現一切妙法正理常放火王勝德光明如來、師子如來、名稱如來、譽光如來、正法如來、妙法如來、法幢如來、功德友如來、功德號如來，如是等佛如殑伽沙住在下方自佛淨土，各各示現廣長舌相，遍覆三千大千世界，周匝圍繞，說誠諦言：『汝等有情，皆應信受如是稱讚不可思議佛土功德、一切諸佛攝受法門。』

「又，舍利子！如是上方亦有現在梵音如來、宿王如來、香光如來、如紅蓮華勝德如來、示現一切義利如來，如是等佛如殑伽沙住在上方自佛淨土，各各示現廣長舌相遍覆三千大千世界，周匝圍繞，說誠諦言：『汝等有情，皆應信受如是稱讚不可思議佛土功德、一切諸佛攝受法門。』

「又，舍利子！如是東南方亦有現在最上廣大雲雷音王如來，如是等佛如殑伽沙住東南方自佛淨土，各各示現廣長舌相，遍覆三千大千世界，周匝圍繞，說誠諦言：『汝等有情，皆應信受如是稱讚不可思議佛土功德、一切諸佛攝受法門。』

「又，舍利子！如是西南方亦有現在最上日光名稱功德如來，如是等佛如殑伽沙住西南方自佛淨土，各各示現廣長舌相，遍覆三千大千世界，周匝圍繞，說誠諦言：『汝等有情，皆應信受如是稱讚不可思議佛土功德、一切諸佛攝受法門。』

「又，舍利子！如是西北方亦有現在無量功德火王光明如來，如是等佛如殑伽沙住西北方自佛淨土，各各示現廣長舌相，遍覆三千大千世界，周匝圍繞，說誠諦言：『汝等有情，皆應信受如是稱讚不可思議佛土功德、一切諸佛攝受法門。』

「又，舍利子！如是東北方亦有現在無數百千俱胝廣慧如來，如是等佛如殑伽沙住東北方自佛淨土，各各示現廣長舌相，遍覆三千大千世界，周匝圍繞，說誠諦言：『汝等有情，皆應信受如是稱讚不可思議佛土功德、一切諸佛攝受法門。』

「又，舍利子！何緣此經名為稱讚不可思議佛土功德、一切諸佛攝受法門？舍利子！由此經中，稱揚讚歎無量壽佛極樂世界不可思議佛土功德，及十方面諸佛世尊，為欲方便利益安樂諸有情故，各住本土現大神變，說誠諦言，勸諸有情信受此法，是故此經名為稱讚不可思議佛土功德、一切諸佛攝受法門。

「又，舍利子！若善男子或善女子，或已得聞，或當得聞，或今得聞，聞是經已，深生信解，生信解已，必為如是住十方面十殑伽沙諸佛世尊之所攝受。如說行者，一切定於阿耨多羅三藐三菩提得不退轉，一切定生無量壽佛極樂世界清淨佛土。是故，舍利子！汝等有情，一切皆應信受領解我及十方佛世尊語，當勤精進，如說修行，勿生疑慮！

「又，舍利子！若善男子或善女人於無量壽極樂世界清淨佛土功德莊嚴，若已發願，若當發願，若今發願，必為如是住十方面十殑伽沙諸佛世尊之所攝受。如說行者，一切定於阿耨多羅三藐三菩提得不退轉，一切定生無量壽佛極樂世界清淨佛土。是故，舍利子！若有淨信諸善男子或善女人，一切皆應於無量壽極樂世界清淨佛土，深心信解，發願往生，勿行放逸！

「又，舍利子！如我今者稱揚讚歎無量壽佛極樂世界不可思議佛土功德，彼十方面諸佛世尊亦稱讚我不可思議無邊功德，皆作是言：『甚奇希有！釋迦寂靜！釋迦法王如來、應、正等覺、明行圓滿、善逝、世間解、無上丈夫、調御士、天人師、佛、世尊，乃能於堪忍世界五濁惡時，所謂：劫濁、諸有情濁、諸煩惱濁、見濁、命濁，於中證得阿耨羅三藐三菩提，為欲方便利益安樂諸有情故，說是世間極難信法。』是故，舍利子！當知我今於此雜染堪忍世界五濁惡時，證得阿耨多羅三藐三菩提，為欲方便利益安樂諸有情故，說是世間極難信法，甚為希有不可思議。

「又，舍利子！於此雜染堪忍世界五濁惡時，若有淨信諸善男子或善女人，聞說如是一切世間極難信法，能生信解，受持演說，如教修行；當知是人甚為希有，無量佛所曾種善根。是人命終，定生西方極樂世界，受用種種功德莊嚴清淨佛土大乘法樂，日夜六時親近供養無量壽佛，遊歷十方供養諸佛，於諸佛所聞法受記，福慧資糧疾得圓滿，速證無上正等菩提。」

時，薄伽梵說是經已，尊者舍利子等諸大聲聞，及諸菩薩摩訶薩眾、無量天人、阿素洛等一切大衆，聞佛所說，皆大歡喜，信受奉行。

稱讚淨土佛攝受經

佛說觀無量壽佛經

御製無量壽佛贊

西方極樂世界尊，無量壽佛世希有，能滅無始億劫業，令彼苦惱悉消除。
若人能以微妙心，嘗以極樂為觀想，廣與眾生分別說，舉目即見阿彌陀。
佛身色相顯光明，閻浮檀金無與等，其高無比由旬數，六十萬億那由他。
眉間白毫五須彌，紺眼弘澄四大海，光明演出諸毛孔，一孔遍含諸大千。
一界中有一河沙，沙有八萬四千相，一一相中復如是，作者觀者隨現前。
以觀佛身見佛心，眾生憶想見化佛，從相入得無生忍，以三昧受無邊慈。
佛身無量廣無邊，化導以彼宿願力，有憶想者得成就，神通如意滿虛空。
眾生三種具三心，精進勇猛無退轉，即得如來手接引，七寶宮殿大光明。
其身踴躍金剛臺，隨從佛後彈指頃，行大乘解第一義，即生七寶蓮池中。
阿彌陀佛大慈悲，十力威德難贊說，稱名一聲起一念，八十億劫罪皆除，

以是濟拔無有窮，是以名為無量壽。昔世尊居耆闍崛，與大眾說妙因緣，
離憂惱與閻浮提，超脫一切諸苦趣，淨妙國即極樂界，修三福發菩提心。
作是念者住堅專，故說無量壽佛觀，如是功德不可說，不可說者妙光明。
無量清淨平等施，五濁眾生咸作佛，斷彼一切顛倒想，猶如以水投海中，
濕性混合無不同，雖有聖智難分別，人人皆為無量壽，稽首瞻禮即西方。

佛說觀無量壽佛經

宋西域三藏畺良耶舍譯

如是我聞：一時，佛在王舍城耆闍崛山中，與大比丘眾千二百五十人俱，菩薩三萬二千，文殊師利法王子而為上首。

爾時，王舍大城有一太子，名阿闍世，隨順調達惡友之教，收執父王頻婆娑羅，幽閉置於七重室內，制諸群臣，一不得往。國大夫人，名韋提希，恭敬大王，澡浴清淨，以酥蜜和麨用塗其身，諸瓔珞中盛葡萄漿，密以上王。

爾時，大王食麨飲漿，求水漱口，漱口畢已，合掌恭敬，向耆闍崛山遙禮世尊，而作是言：「大目乾連是吾親友，願興慈悲，授我八戒。」時，目乾連如鷹隼飛，疾至王所，日日如是，授王八戒。世尊亦遣尊者富樓那，為王說法。如是時間經三七日，王食麨蜜，得聞法故，顏色和悅。

時，阿闍世問守門人：「父王今者猶存在耶？」時，守門者白言：「大王！國大夫人身塗麨蜜，瓔珞盛漿，持用上王。沙門目連及富樓那，從空而來，為王說法，不可禁制。」

時，阿闍世聞此語已，怒其母曰：「我母是賊，與賊為伴。沙門惡人，幻惑呪術，令此惡王，多日不死。」即執利劍欲害其母。

時，有一臣，名曰月光，聰明多智，及與耆婆，為王作禮，白言：「大王！臣聞毘陀論經說：劫初已來，有諸惡王，貪國位故，殺害其父，一萬八千，未曾聞有無道害母。王今為此殺逆之事，污剎利種，臣不忍聞。是栴陀羅，我等不宜復住於此。」時，二大臣說此語竟，以手按劍，卻行而退。

時，阿闍世驚怖惶懼，告耆婆言：「汝不為我耶？」耆婆白言：「大王！慎莫害母。」王聞此語，懺悔求救，即便捨劍，止不害母，勅語內官，閉置深宮，不令復出。

時，韋提希被幽閉已，愁憂憔悴，遙向耆闍崛山，為佛作禮，而作是言：「如來世尊在昔之時，恒遣阿難來慰問我。我今愁憂，世尊威重無由得見，願遣目連尊者、阿難，與我相見。」

作是語已，悲泣雨淚，遙向佛禮。未舉頭頃；爾時，世尊在耆闍崛山，知韋提希心之所念，即勅大目揵連及以阿難，從空而來；佛從耆闍崛山沒，於王宮出。時，韋提希禮已舉頭，見世尊釋迦牟尼佛身紫金色，坐百寶蓮華；目連侍左，阿難在右；釋、梵、護世諸天，在虛空中，普雨天華，持用供養。

時，韋提希見佛世尊，自絕瓔珞，舉身投地，號泣向佛白言：「世尊！我宿何罪，生此惡子？世尊！復有何等因緣，與提婆達多共為眷屬？唯願世尊為我廣說無憂惱處，我當往生，不樂閻浮提濁惡世也。此濁惡處，地獄、餓鬼、畜生盈滿，多不善聚。願我未來不聞惡聲，不見惡人。今向世尊五體投地，求哀懺悔，唯願佛日教我觀於清淨業處。」

爾時，世尊放眉間光，其光金色，遍照十方無量世界；還住佛頂，化為金臺，如須彌山，十方諸佛淨妙國土皆於中現。或有國土七寶合成，復有國土純是蓮花，復有國土如自在天宮，復有國土如頗梨鏡；十方國土皆於中現。有如是等無量諸佛國土，嚴顯可觀，令韋提希見。

時，韋提希白佛言：「世尊！是諸佛土雖復清淨，皆有光明，我今樂生極樂世界阿彌陀佛所。唯願世尊教我思惟，教我正受。」

爾時，世尊即便微笑，有五色光從佛口出，一一光照頻婆娑羅王頂。爾時，大王雖在幽閉，心眼無障，遙見世尊，頭面作禮，自然增進成阿那含。

爾時，世尊告韋提希：「汝今知不？阿彌陀佛去此不遠，汝當繫念諦觀彼國淨業成者。我今為汝廣說眾譬，亦令未來世一切凡夫欲修淨業者，得生西方極樂國土。欲生彼國者，當修三福：一者、孝養父母，奉事師長，慈心不殺，修十善業；二者、受持三歸，具足眾戒，不犯威儀；三者、發菩提心，深信因果，讀誦大乘，勸進行者。如此三事，名為淨業。」

佛告韋提希：「汝今知不？此三種業，乃是過去、未來、現在三世諸佛淨業正因。」

佛告阿難及韋提希：「諦聽！諦聽！善思念之。如來今者為未來世一切眾生為煩惱賊之所害者，說清淨業。善哉！韋提希快問此事。阿難！汝當受持，廣為多眾宣說佛語。如來今者教韋提希及未來世一切眾生，觀於西方極樂世界；以佛力故，當得見彼清淨國土，如執明鏡，自見面像；見彼國土極妙樂事，心歡喜故，應時即得無生法忍。」

佛告韋提希：「汝是凡夫，心想羸劣，未得天眼，不能遠觀。諸佛如來有異方便，令汝得見。」

時，韋提希白佛言：「世尊！如我今者以佛力故見彼國土；若佛滅後，諸眾生等，濁惡不善，五苦所逼，云何當見阿彌陀佛極樂世界？」

佛告韋提希：「汝及眾生應當專心，繫念一處，想於西方。云何作想？凡作想者，一切眾生自非生盲，有目之徒，皆見日沒，當起想念。正坐西向，諦觀於日，令心堅住，專想不移；見日欲沒，狀如懸鼓；既見日已，閉目開目，皆令明了。是為日想，名曰初觀。作是觀者，名為正觀；若他觀者，名為邪觀。」

佛告阿難及韋提希：「初觀成已，次作水想。想見西方一切皆是大水，見水澄清，亦令明了，無分散意；既見水已，當起冰想；見冰映徹，作琉璃想。此想成已，見琉璃地內外映徹，下有金剛七寶金幢，擎琉璃地。其幢八方八楞具足，一一方面百寶所成，一一寶珠有千光明，一一光明八萬四千色，映琉璃地，如億千日，不可具見。琉璃地上，以黃金繩雜廁間錯，以七寶界分齊分明；一一寶中有五百色光，其光如花；又似星月懸處虛空，成光明臺。樓閣千萬，百寶合成，於臺兩邊，各有百億花幢、無量樂器，以為莊嚴。八種清風，從光明出，鼓此樂器，演說苦、空、無常、無我之音。是為水想，名第二觀。此想成時，一一觀之，極令了了，閉目開目，不令散失；唯除食時，恒憶此事。作此觀者，名為正觀；若他觀者，名為邪觀。」

佛告阿難及韋提希：「水想成已，名為粗見極樂國地。若得三昧，見彼國地，了了分明，不可具說。是為地想，名第三觀。」

佛告阿難：「汝持佛語，為未來世一切大衆欲脫苦者，說是觀地法。若觀是地者，除八十億劫生死之罪，捨身他世，必生淨國，心得無疑。作是觀者，名為正觀；若他觀者，名為邪觀。」

佛告阿難及韋提希：「地想成已，次觀寶樹。觀寶樹者，一一觀之，作七重行樹想。一一樹高八千由旬，其諸寶樹七寶花葉，無不具足。一一華葉作異寶色：琉璃色中出金色光，頗梨色中出紅色光，馬腦色中出車璖光，車璖色中出綠真珠光；珊瑚、琥珀一切衆寶，以為映飾。妙真珠網彌覆樹上，一一樹上有七重網，一一網間有五百億妙華宮殿，如梵王宮，諸天童子自然在中。一一童子有五百億釋迦毘楞伽摩尼寶以為瓔珞，其摩尼光照百由旬，猶如和合百億日月，不可具名。衆寶間錯，色中上者。此諸寶樹，行行相當，葉葉相次；於衆葉間，生諸妙花，花上自然有七寶果。一一樹葉，縱廣正等二十五由旬，其葉千色有百種畫，如天瓔珞；有衆妙華作閻浮檀金色，如旋火輪，宛轉葉間，踊生諸果，如帝釋瓶。有大光明，化成幢幡無量寶蓋，是寶蓋中，映現三千大千世界一切佛事，十方佛國亦於中現。見此樹已，亦當次第一一觀之；觀見樹莖、枝、葉、華、果，皆令分明。是為樹想，名第四觀。作是觀者，名為正觀；若他觀者，名為邪觀。」

佛告阿難及韋提希：「樹想成已，次當想水。欲想水者，極樂國土有八池水，一一池水七寶所成；其寶柔軟，從如意珠王生，分為十四支，一一支作七寶色。黃金為渠，渠下皆以雜色金剛以為底沙。一一水中，有六十億七寶蓮花，一一蓮華，團圓正等十二由旬。其摩尼水，流注華間，尋樹上下；其聲微妙，演說苦、空、無常、無我、諸波羅蜜，復有讚歎諸佛相好者。從如意珠王踊出金色微妙光明，其光化為百寶色鳥，和鳴哀雅，常讚念佛、念法、念僧。是為八功德水想，名第五觀。作是觀者，名為正觀；若他觀者，名為邪觀。」

佛告阿難及韋提希：「衆寶國土一一界上，有五百億寶樓，其樓閣中，有無量諸天作天伎樂；又有樂器懸處虛空，如天寶幢，不鼓自鳴；此衆音中，皆說念佛、念法、念比丘僧。此想成已，名為粗見極樂世界寶樹、寶地、寶池。是為總觀想，名第六觀。若見此者，除無量億劫極重惡業，命終之後，必生彼國。作是觀者，名為正觀；若他觀者，名為邪觀。」

佛告阿難及韋提希：「諦聽！諦聽！善思念之。吾當為汝分別解說除苦惱法，汝等憶持，廣為大眾分別解說。」

說是語時，無量壽佛住立空中，觀世音、大勢至是二大士侍立左右，光明熾盛不可具見，百千閻浮檀金色不得為比。

時，韋提希見無量壽佛已，接足作禮，白佛言：「世尊！我今因佛力故，得見無量壽佛及二菩薩；未來眾生，當云何觀無量壽佛及二菩薩？」

佛告韋提希：「欲觀彼佛者，當起想念。於七寶地上，作蓮花想，令其蓮花一一葉作百寶色，有八萬四千脈，猶如天畫；一一脈有八萬四千光，了了分明，皆令得見。華葉小者，縱廣二百五十由旬，如是蓮華有八萬四千大葉，一一葉間，有百億摩尼珠王以為映飾；一一摩尼珠放千光明，其光如蓋，七寶合成，遍覆地上。釋迦毘楞伽摩尼寶以為其臺，此蓮花臺，八萬金剛甄叔迦寶、梵摩尼寶、妙真珠網，以為交飾；於其臺上自然而有四柱寶幢，一一寶幢如百千萬億須彌山，幢上寶縵如夜摩天宮。復有五百億微妙寶珠以為映飾，一一寶珠有八萬四千光，一一光作八萬四千異種金色，一一金色遍其寶土，處處變化，各作異相；或為金剛臺，或作真珠網，或作雜花雲；於十方面，隨意變現，施作佛事。是為花座想，名第七觀。」

佛告阿難：「如此妙花，是本法藏比丘願力所成。若欲念彼佛者，當先作此妙花座想。作此想時，不得雜觀，皆應一一觀之；一一葉、一一珠、一一光、一一臺、一一幢皆令分明，如於鏡中，自見面像。此想成者，滅除五百億劫生死之罪，必定當生極樂世界。作是觀者，名為正觀；若他觀者，名為邪觀。」

佛告阿難及韋提希：「見此事已，次當想佛。所以者何？諸佛如來是法界身，遍入一切衆生心想中。是故汝等心想佛時，是心即是三十二相、八十隨形好，是心作佛，是心是佛。諸佛正遍知海從心想生，是故應當一心繫念，諦觀彼佛、多陀阿伽度、阿羅呵、三藐三佛陀。想彼佛者，先當想像，閉目、開目見一寶像，如閻浮檀金色，坐彼華上；像既坐已，心眼得開，了了分明，見極樂國七寶莊嚴，寶地、寶池、寶樹行列，諸天寶縵彌覆樹上，衆寶羅網滿虛空中。見如此事，極令明了，如觀掌中。見此事已，復當更作一大蓮華*在佛左邊，如前蓮華，等無有異；復作一大蓮華在佛右邊。想一觀世音菩薩像坐左華座，亦放金光，如前無異；想一大勢至菩薩像坐右華座。此想成時，佛、菩薩像皆放妙光，其光金色，照諸寶樹，一一樹下，亦有三蓮華，諸蓮華上，各有一佛二菩薩像，遍滿彼國。此想成時，行者當聞水流光明及諸寶樹、鳧鴈、鴛鴦，皆說妙法，出定、入定恒聞妙法；行者所聞，出定之時憶持不捨，令與修多羅合；若不合者，名為妄想，若與合者，名為麁想見極樂世界。是為想像，名第八觀。作是觀者，除無量億劫生死之罪，於現身中得念佛三昧。作是觀者，名為正觀；若他觀者，名為邪觀。」

佛告阿難及韋提希：「此想成已，次當更觀無量壽佛身相光明。阿難！當知無量壽佛身如百千萬億夜摩天閻浮檀金色，佛身高六十萬億那由他恒河沙由旬，眉間白毫右旋宛轉，如五須彌山，佛眼清淨，如四大海水清白分明，身諸毛孔演出光明，如須彌山。彼佛圓光，如百億三千大千世界，於圓光中，有百萬億那由他恒河沙化佛，一一化佛，亦有衆多無數化菩薩以為侍者。無量壽佛有八萬四千相，一一相中，各有八萬四千隨形好，一一好中，復有八萬四千光明，一一光明遍照十方世界念佛衆生，攝取不捨。其光相好及與化佛，不可具說，但當憶想，令心明見。見此事者，即見十方一切諸佛；以見諸佛，故名念佛三昧。作是觀者，名觀一切佛身；以觀佛身故，亦見佛心。諸佛心者大慈悲是，以無緣慈攝諸衆生。作此觀者，捨身他世，生諸佛前，得無生忍。是故，智者應當繫心，諦觀無量壽佛。觀無量壽佛者，從一相好入，但觀眉間白毫，極令明了；見眉間白毫相者，八萬四千相好自然當見；見無量壽佛者，即見十方無量諸佛；得見無量諸佛故，諸佛現前受記。是為遍觀一切色想，名第九觀。作是觀者，名為正觀；若他觀者，名為邪觀。」

佛告阿難及韋提希：「見無量壽佛了了分明已，次亦應觀觀世音菩薩。此菩薩身長八十億那由他恒河沙由旬，身紫金色，頂有肉髻，項有圓光，面各百千由旬。其圓光中有五百化佛，如釋迦牟尼，一一化佛有五百菩薩、無量諸天以為侍者。舉身光中，五道衆生一切色相，皆於中現。頂上毘楞伽摩尼妙寶以為天冠，其天冠中有一立化佛，高二十五由旬。觀世音菩薩面如閻浮檀金色，眉間毫相備七寶色，流出八萬四千種光明，一一光明，有無量無數百千化佛，一一化佛，無數化菩薩以為侍者，變現自在滿十方界。臂如紅蓮花色，有八十億微妙光明以為瓔珞，其瓔珞中普現一切諸莊嚴事。手掌作五百億雜蓮華色，手十指端，一一指端有八萬四千畫，猶如印文；一一畫有八萬四千色，一一色有八萬四千光，其光柔軟普照一切，以此寶手接引衆生。舉足時，足下有千輻輪相，自然化成五百億光明臺；下足時，有金剛摩尼花，布散一切，莫不彌滿。其餘身相，衆好具足，如佛無異，唯頂上肉髻及無見頂相，不及世尊。是為觀觀世音菩薩真實色身想，名第十觀。」

佛告阿難：「若欲觀觀世音菩薩，當作是觀。作是觀者，不遇諸禍，淨除業障，除無數劫生死之罪。如此菩薩，但聞其名，獲無量福，何況諦觀！若有欲觀觀世音菩薩者，當先觀頂上肉髻，次觀天冠，其餘衆相亦次第觀之，悉令明了，如觀掌中。作是觀者，名為正觀；若他觀者，名為邪觀。」

佛告阿難及韋提希：「次觀大勢至菩薩。此菩薩身量大小亦如觀世音，圓光面各二百二十五由旬，照二百五十由旬。舉身光明照十方國，作紫金色，有緣衆生皆悉得見。但見此菩薩一毛孔光，即見十方無量諸佛淨妙光明，是故號此菩薩名無邊光；以智慧光普照一切，令離三塗得無上力，是故號此菩薩名大勢至。此菩薩天冠有五百寶蓮華，一一寶華有五百寶臺，一一臺中，十方諸佛淨妙國土廣長之相，皆於中現。頂上肉髻如鉢頭摩花，於肉髻上有一寶瓶，盛諸光明，普現佛事；餘諸身相如觀世音，等無有異。此菩薩行時，十方世界一切震動，當地動處各有五百億寶花，一一寶花莊嚴高顯，如極樂世界。此菩薩坐時，七寶國土一時動搖，從下方金光佛剎乃至上方光明王佛剎，於其中間無量塵數分身無量壽佛，分身觀世音、大勢至，皆悉雲集極樂國土，側塞空中，坐蓮華座，演說妙法，度苦衆生。作此觀者，名為觀見大勢至菩薩，是為觀大勢至色身相。觀此菩薩者，名第十一觀，除無數劫阿僧祇生死之罪。作是觀者，不處胞胎，常遊諸佛淨妙國土。此觀成已，名為具足觀觀世音及大勢至。作是觀者，名為正觀；若他觀者，名為邪觀。」

佛告阿難及韋提希：「見此事時，當起想作，心自見生於西方極樂世界，於蓮華中結跏趺坐，作蓮華合想，作蓮華開想。蓮華開時，有五百色光來照身想，眼目開想，見佛、菩薩滿虛空中，水鳥、樹林及與諸佛所出音聲，皆演妙法，與十二部經合；若出定時，憶持不失。見此事已，名見無量壽佛極樂世界。是為普觀想，名第十二觀。無量壽佛化身無數，與觀世音及大勢至常來至此行人之所。作是觀者，名為正觀；若他觀者，名為邪觀。」

佛告阿難及韋提希：「若欲至心生西方者，先當觀於一丈六像在池水上，如先所說。無量壽佛身量無邊，非是凡夫心力所及；然彼如來宿願力故，有憶想者，必得成就。但想佛像，得無量福，況復觀佛具足身相！阿彌陀佛神通如意，於十方國變現自在；或現大身，滿虛空中；或現小身，丈六八尺；所現之形，皆真金色。圓光化佛及寶蓮花，如上所說。觀世音菩薩及大勢至，於一切處身同衆生，但觀首相，知是觀世音，知是大勢至。此二菩薩助阿彌陀佛，普化一切。是為雜想觀，名第十三觀。作是觀者，名為正觀；若他觀者，名為邪觀。」

佛告阿難及韋提希：「凡生西方有九品人。上品上生者，若有衆生願生彼國者，發三種心，即便往生。何等為三？一者、至誠心，二者、深心，三者、迴向發願心。具三心者，必生彼國。復有三種衆生，當得往生。何等為三？一者、慈心不殺，具諸戒行；二者、讀誦大乘方等經典；三者、修行六念，迴向發願生彼佛國。具此功德，一日乃至七日，即得往生。

「生彼國時，此人精進勇猛故，阿彌陀如來與觀世音及大勢至，無數化佛、百千比丘、聲聞大衆、無量諸天、七寶宮殿，觀世音菩薩執金剛臺，與大勢至菩薩至行者前。阿彌陀佛放大光明，照行者身，與諸菩薩授手迎接。觀世音、大勢至與無數菩薩，讚歎行者，勸進其心。行者見已，歡喜踴躍，自見其身乘金剛臺，隨從佛後，如彈指頃，往生彼國。生彼國已，見佛色身衆相具足，見諸菩薩色相具足;光明寶林,演說妙法,聞已即悟無生法忍。經須臾間,歷事諸佛,遍十方界,於諸佛前,次第受記,還至本國,得無量百千陀羅尼門。是名上品上生者。

「上品中生者,不必受持讀誦方等經典,善解義趣,於第一義,心不驚動;深信因果,不謗大乘。以此功德,迴向願求生極樂國。行此行者,命欲終時,阿彌陀佛與觀世音及大勢至,無量大眾眷屬圍繞,持紫金臺至行者前,讚言:『法子!汝行大乘,解第一義,是故我今來迎接汝。』與千化佛,一時授手。行者自見坐紫金臺,合掌叉手,讚歎諸佛,如一念頃,即生彼國七寶池中。此紫金臺,如大寶花,經宿即開。行者身作紫磨金色,足下亦有七寶蓮華。佛及菩薩俱放光明,照行者身,目即開明。因前宿習,普聞眾聲,純說甚深第一義諦;即下金臺,禮佛合掌,讚歎世尊。經於七日,應時即於阿耨多羅三藐三菩提得不退轉;應時即能飛至十方,歷事諸佛,於諸佛所,修諸三昧。經一小劫,得無生法忍,現前受記。是名上品中生者。

「上品下生者,亦信因果,不謗大乘,但發無上道心。以此功德,迴向願求生極樂國。彼行者命欲終時，阿彌陀佛及觀世音并大勢至，與諸眷屬持金蓮華，化作五百化佛，來迎此人。五百化佛一時授手，讚言：『法子！汝今清淨，發無上道心，我來迎汝。』見此事時，即自見身坐金蓮花，坐已華合，隨世尊後，即得往生七寶池中。一日一夜，蓮花乃開；七日之中，乃得見佛。雖見佛身，於衆相好，心不明了；於三七日後，乃了了見。聞衆音聲，皆演妙法；遊歷十方，供養諸佛，於諸佛前，聞甚深法。經三小劫，得百法明門，住歡喜地。是名上品下生者。

「是名上輩生想，名第十四觀。作是觀者，名為正觀；若他觀者，名為邪觀。」

佛告阿難及韋提希：「中品上生者，若有衆生受持五戒，持八戒齋，修行諸戒，不造五逆，無衆過惡。以此善根，迴向願求生於西方極樂世界。行者臨命終時，阿彌陀佛與諸比丘眷屬圍繞，放金色光，至其人所演說苦、空、無常、無我，讚歎出家得離衆苦。行者見已，心大歡喜，自見己身坐蓮花臺，長跪合掌為佛作禮；未舉頭頃，即得往生極樂世界，蓮花尋開。當華敷時，聞衆音聲，讚歎四諦，應時即得阿羅漢道，三明六通，具八解脫。是名中品上生者。

「中品中生者，若有衆生，若一日一夜持八戒齋，若一日一夜持沙彌戒，若一日一夜持具足戒，威儀無缺。以此功德，迴向願求生極樂國。戒香薰修如此行者，命欲終時，見阿彌陀佛與諸眷屬，放金色光，持七寶蓮花至行者前。行者自聞空中有聲，讚言：『善男子！如汝善人，隨順三世諸佛教故，我來迎汝。』行者自見坐蓮花上，蓮花即合，生於西方極樂世界，在寶池中。經於七日，蓮花乃敷。花既敷已，開目合掌，讚歎世尊；聞法歡喜，得須陀洹，經半劫已，成阿羅漢。是名中品中生者。

「中品下生者，若有善男子、善女人，孝養父母，行世仁義。此人命欲終時，遇善知識，為其廣說阿彌陀佛國土樂事，亦說法藏比丘四十八大願。聞此事已，尋即命終，譬如壯士屈伸臂頃，即生西方極樂世界。生經七日，遇觀世音及大勢至，聞法歡喜，得須陀洹，過一小劫，成阿羅漢。是名中品下生者。

「是名中輩生想，名第十五觀。作是觀者，名為正觀；若他觀者，名為邪觀。」

佛告阿難及韋提希：「下品上生者，或有衆生，作衆惡業，雖不誹謗方等經典；如此愚人，多造惡法，無有慚愧。命欲終時，遇善知識，為讚大乘十二部經首題名字；以聞如是諸經名故，除卻千劫極重惡業。智者復教合掌叉手，稱南無阿彌陀佛。稱佛名故，除五十億劫生死之罪。爾時，彼佛即遣化佛、化觀世音、化大勢至至行者前，讚言：『善哉！善男子！汝稱佛名故，諸罪消滅，我來迎汝。』作是語已，行者即見化佛光明遍滿其室。見已歡喜，即便命終，乘寶蓮花，隨化佛後，生寶池中。經七七日，蓮花乃敷。當花敷時，大悲觀世音菩薩及大勢至菩薩，放大光明，住其人前，為說甚深十二部經。聞已信解，發無上道心，經十小劫，具百法明門，得入初地。是名下品上生者，得聞佛名、法名及聞僧名，聞三寶名，即得往生。」

佛告阿難及韋提希：「下品中生者，或有衆生，毀犯五戒、八戒及具足戒；如此愚人，偷僧祇物，盜現前僧物，不淨說法，無有慚愧，以諸惡法，而自莊嚴。如此罪人，以惡業故，應墮地獄。命欲終時，地獄衆火，一時俱至。遇善知識，以大慈悲，即為讚說阿彌陀佛十力威德，廣讚彼佛光明神力，亦讚戒、定、慧、解脫、解脫知見。此人聞已，除八十億劫生死之罪，地獄猛火化為涼風，吹諸天華，華上皆有化佛菩薩，迎接此人，如一念頃，即得往生七寶池中蓮花之內。經於六劫，蓮花乃敷。當華敷時，觀世音、大勢至以梵音聲安慰彼人，為說大乘甚深經典；聞此法已，應時即發無上道心。是名下品中生者。」

佛告阿難及韋提希：「下品下生者，或有衆生，作不善業，五逆十惡，具諸不善；如此愚人，以惡業故，應墮惡道，經歷多劫，受苦無窮。如此愚人，臨命終時，遇善知識，種種安慰，為說妙法，教令念佛。彼人苦逼，不遑念佛。善友告言：『汝若不能念彼佛者，應稱歸命無量壽佛。』如是至心令聲不絕，具足十念，稱南無阿彌陀佛。稱佛名故，於念念中，除八十億劫生死之罪。命終之時，見金蓮花猶如日輪，住其人前，如一念頃，即得往生極樂世界。於蓮花中，滿十二大劫，蓮花方開。當花敷時，觀世音、大勢至以大悲音聲，即為其人廣說實相，除滅罪法；聞已歡喜，應時即發菩提之心。是名下品下生者。

「是名下輩生想，名第十六觀。」

爾時，世尊說是語時，韋提希與五百侍女聞佛所說，應時即見極樂世界廣長之相，得見佛身及二菩薩，心生歡喜，歎未曾有，豁然大悟，得無生忍。五百侍女發阿耨多羅三藐三菩提心，願生彼國，世尊悉記，皆當往生，生彼國已，獲得諸佛現前三昧。無量諸天，發無上道心。

爾時，阿難即從座起，前白佛言：「世尊！當何名此經？此法之要，當云何受持？」

佛告阿難：「此經名：觀極樂國土、無量壽佛、觀世音菩薩、大勢至菩薩，亦名：淨除業障生諸佛前。汝等受持，無令忘失！行此三昧者，現身得見無量壽佛及二大士。若善男子及善女人，但聞佛名、二菩薩名，除無量劫生死之罪，何況憶念！若念佛者，當知此人即是人中芬陀利花，觀世音菩薩、大勢至菩薩為其勝友，當坐道場，生諸佛家。」

佛告阿難：「汝好持是語，持是語者，即是持無量壽佛名。」

佛說此語時，尊者目連、尊者阿難及韋提希等，聞佛所說，皆大歡喜。

爾時，世尊足步虛空，還耆闍崛山。爾時，阿難廣為大眾說如上事，無量人、天、龍、神、夜叉，聞佛所說，皆大歡喜，禮佛而退。

佛說觀無量壽佛經

大寶積經

無量壽如來會

大寶積經卷第十七

大唐三藏菩提流志奉　詔譯

無量壽如來會第五之一

如是我聞：一時，佛住王舍城耆闍崛山中，與大比丘眾萬二千人俱，皆是諸大聲聞眾所知識，其名曰：尊者阿若憍陳如、馬勝、大名有賢、無垢、須跋陀羅、善稱圓滿、憍梵鉢提、優樓頻蠡迦葉、那提迦葉、伽耶迦葉、摩訶迦葉、舍利弗、大目揵連、摩訶迦旃延、摩訶劫賓那、摩訶注那、滿慈子、阿尼樓馱、離波多、上首王、住彼岸、摩俱羅、難陀、有光、善來、羅睺羅、阿難陀等，而為上首；復有菩薩摩訶薩眾，所謂：普賢菩薩、文殊師利菩薩、彌勒菩薩及賢劫中諸菩薩摩訶薩眾，前後圍繞；又與賢護等十六丈夫眾俱，所謂：善思惟義菩薩、慧辯才菩薩、觀無住菩薩、善化神通菩薩、光幢菩薩、智上菩薩、寂根菩薩、慧願菩薩、香象菩薩、寶幢菩薩等，而為上首。

咸共遵修普賢之道，滿足菩薩一切行願，安住一切功德法中，到諸佛法究竟彼岸；願於一切世界之中成等正覺，又願生彼兜率陀天。於彼壽終，降生右脇，見行七步，放大光明，普佛世界六種震動，而自唱言：「我於一切世間最為尊貴，釋、梵諸天咸來親奉。」又見習學書計、曆數、聲明、伎巧、醫方、養生、符印及餘博戲，擅美過人。身處王宮厭諸欲境，見老病死悟世非常，捐捨國位踰城學道，解諸纓絡及迦尸迦，被服袈裟六年苦行，能於五濁剎中作斯示見。順世間故，浴尼連河，行趣道場，龍王迎讚，諸菩薩眾右繞稱揚。

菩薩爾時，受草自敷菩提樹下，結加趺坐，又見魔眾合圍將加危害，菩薩以定慧力降伏魔怨，成無上覺。梵王勸請轉於法輪，勇猛無畏佛音震吼，擊法鼓，吹法螺，建大法幢，然正法炬，攝受正法及諸禪定，雨大法雨澤潤含生，震大法雷開悟一切，諸佛刹土普照大光，世界之中地皆震動，魔宮摧毀驚怖波旬，破煩惱城墮諸見網，遠離黑法生諸白法，於佛施食能受能消。為調衆生宣揚妙理，或見微笑放百千光，昇灌頂階受菩提記，或成佛道見入涅槃，使無量有情皆得漏盡，成熟菩薩無邊善根，如是諸佛刹中皆能示見。

譬如幻師善知幻術，而能示見男女等相，於彼相中實無可得，如是如是諸菩薩等，善學無邊幻術功德，故能示見變化相應。能善了知變化之道故，示諸佛土見大慈悲，一切群生普皆饒益菩薩願行，成就無疆無量義門，通達平等一切善法，具足修成。諸佛刹中平等趣入，常為諸佛勸進加威，一切如來識知印可。為教菩薩作阿闍梨，常習相應無邊諸行，通達一切法界所行，能善了知有情及土。亦常發趣供諸如來，見種種身猶如影像。善學因陀羅網，能破魔網，壞諸見網，入有情網，能超煩惱眷屬及魔侶魔人，遠出聲聞、辟支佛地。入空、無相、無願法門，而能安住方便善巧，初不樂入二乘涅槃，得無生無滅諸三摩地，及得一切陀羅尼門廣大諸根辯才決定。

於菩薩藏法善能了知，佛華三昧隨時悟入，具一切種甚深禪定，一切諸佛皆悉見前。於一念中遍遊佛土，周旋往返不異其時。於難非難邊能了諸邊，敷演實際，差別善知，得佛辯才，住普賢行。善能分別眾生語言，超過世間一切之法；善知一切出世間法，得資具自在波羅蜜多。荷擔有情，為不請友，能持一切如來法藏，安住不斷一切佛種；哀愍有情，能開法眼，閉諸惡趣，開善趣門。普觀有情，能作父母、兄弟之想，又觀眾生如己身想。證得一切讚歎功德波羅蜜多，能善了知讚歎如來一切功德，及餘稱讚諸功德法。如是菩薩摩訶薩眾無量無邊皆來集會。

爾時，尊者阿難從坐而起，整理衣服，偏袒右肩，右膝著地，合掌向佛白言：「大德世尊！身色諸根悉皆清淨，威光赫奕如融金聚，又如明鏡凝照光暉，從昔已來初未曾見，喜得瞻仰，生希有心。世尊今者入大寂定，行如來行皆悉圓滿，善能建立大丈夫行，思惟去、來、現在諸佛。世尊何故住斯念耶？」

爾時，佛告阿難：「汝今云何能知此義？為有諸天來告汝耶？為以見我及自知耶？」

阿難白佛言：「世尊！我見如來光瑞希有，故發斯念，非因天等。」

佛告阿難：「善哉！善哉！汝今快問。善能觀察微妙辯才，能問如來如是之義；汝為一切如來、應、正等覺及安住大悲利益群生，如優曇花，希有大士出見世間，故問斯義。又為哀愍利樂諸眾生故，能問如來如是之義。阿難！如來、應、正等覺善能開示無量知見。何以故？如來知見無有障礙。阿難！如來、應、正等覺欲樂住世，能於食頃住無量無數百千億那由他劫；若復增過如上數量，而如來身及以諸根無有增減。何以故？如來得三昧自在到於彼岸，於一切法最勝自在。是故，阿難！諦聽！善思念之，吾當為汝分別解說。」

阿難白佛言：「唯然！世尊！願樂欲聞。」

爾時，佛告阿難：「往昔過阿僧祇無數大劫，有佛出現，號曰然燈。於彼佛前極過數量，有苦行佛出興于世；苦行佛前，復有如來號為月面；月面佛前過於數量，有旃檀香佛；於彼佛前，有蘇迷盧積佛；盧積佛前，復有妙高劫佛。如是展轉，有：離垢面佛、不染污佛、龍天佛、山聲王佛、蘇迷盧積佛、金藏佛、照曜光佛、光帝佛、大地種姓佛、光明熾盛琉璃金光佛、月像佛、開敷花莊嚴光佛、妙海勝覺遊戲神通佛、金剛光佛、大阿伽陀香光佛、捨離煩惱心佛、寶增長佛、勇猛積佛、勝積佛、持大功德法施神通佛、映蔽日月光佛、照曜琉璃佛、心覺花佛、月光佛、日光佛、花瓔珞色王開敷神通佛、水月光佛、破無明暗佛、真珠珊瑚蓋佛、底沙佛、勝花佛、法慧吼佛、有師子吼鵝鴈聲佛、梵音龍吼佛，如是等佛出現於世，相去劫數皆過數量。彼龍吼佛未出世前無央數劫，有世主佛；世主佛前無邊劫數，有佛出世，號：世間自在王如來、應、正等覺、明行圓滿、善逝、世間解、無上丈夫、調御士、天人師、佛、世尊。

「阿難！彼佛法中有一比丘，名曰法處，有殊勝行願及念慧力增上，其心堅固不動，福智殊勝，人相端嚴。阿難！彼法處比丘往詣世間自在王如來所，偏袒右肩，頂禮佛足，向佛合掌以頌讚曰：

如來無量無邊光，舉世無光可能喻，一切日月摩尼寶，佛之光威皆映蔽。

世尊能演一音聲，有情各各隨類解，又能現一妙色身，普使眾生隨類見。
戒定慧進及多聞，一切有情無與等，心流覺慧如大海，善能了知甚深法，
惑盡過亡應受供，如是聖德惟世尊。佛有殊勝大威光，普照十方無量剎，
我今稱讚諸功德，冀希福慧等如來，能救一切諸世間，生老病死眾苦惱。
願當安住三摩地，演說施戒諸法門，忍辱精勤及定慧，庶當成佛濟群生；
為求無上大菩提，供養十方諸妙覺，百千俱胝那由他，極彼恒沙之數量。
又願當獲大神光，倍照恒沙億佛剎，及以無邊勝進力，感得殊勝廣淨居；
如是無等佛剎中，安處群生當利益，十方最勝之大士，彼皆當往生喜心。
唯佛聖智能證知，我今希求堅固力，縱沈無間諸地獄，如是願心終不退，
一切世間無礙智，應當了知如是心。

「復次，阿難！法處比丘讚佛德已，白言：『世尊！我今發阿耨多羅三藐三菩提心，惟願如來為我演說如是等法，令於世間得無等等成大菩提，具攝清淨莊嚴佛土。』

「佛告比丘：『汝應自攝清淨佛國。』法處白佛言：『世尊！我無威力堪能攝受，唯願如來說餘佛土清淨莊嚴，我等聞已誓當圓滿。』

「爾時，世尊為其廣說二十一億清淨佛土具足莊嚴；說是法時，經于億歲。

「阿難！法處比丘於彼二十一億諸佛土中，所有嚴淨之事悉皆攝受；既攝受已，滿足五劫思惟修習。」

阿難白佛言：「世尊！彼世間自在王如來壽量幾何？」

世尊告曰：「彼佛壽量滿四十劫。阿難！彼二十一俱胝佛剎，法處比丘所攝佛國超過於彼；既攝受已，往詣世間自在王如來所，頂禮雙足，右繞七匝，卻住一面白言：『世尊！我已攝受具足功德嚴淨佛土。』佛言：『今正是時，汝應具說令衆歡喜，亦令大衆皆當攝受圓滿佛土。』

「法處白言：『唯願世尊大慈留聽，我今將說殊勝之願：

若我證得無上菩提，國中有地獄、餓鬼、畜生趣者，我終不取無上正覺！

若我成佛，國中衆生有墮三惡趣者，我終不取正覺！

若我成佛，國中有情若不皆同真金色者，不取正覺！
若我成佛，國中有情形貌差別有好醜者，不取正覺！
若我成佛，國中有情不得宿念，下至不知億那由他百千劫事者，不取正覺！
若我成佛，國中有情若無天眼，乃至不見億那由他百千佛國土者，不取正覺！
若我成佛，國中有情不獲天耳，乃至不聞億那由他百千踰繕那外佛說法者，不取正覺！
若我成佛，國中有情無他心智，乃至不知億那由他百千佛國土中有情心行者，不取正覺！
若我成佛，國中有情不獲神通自在波羅蜜多，於一念頃，不能超過億那由他百千佛剎者，不取正覺！
若我成佛，國中有情，起於少分我、我所想者，不取菩提！
若我成佛，國中有情，若不決定成等正覺證大涅槃者，不取菩提！
若我成佛，光明有限，下至不照億那由他百千及算數佛剎者，不取菩提！

若我成佛，壽量有限，乃至俱胝那由他百千及算數劫者，不取菩提！

若我成佛，國中聲聞無有知其數者，假使三千大千世界滿中有情及諸緣覺，於百千歲盡其智算亦不能知；若有知者，不取正覺！

若我成佛，國中有情壽量有限齊者，不取菩提！唯除願力而受生者。

若我成佛，國中衆生，若有不善名者，不取正覺！

若我成佛，彼無量剎中，無數諸佛不共諮嗟稱歎我國者，不取正覺！

若我證得無上覺時，餘佛剎中諸有情類聞我名已，所有善根心心迴向願生我國，乃至十念；若不生者，不取菩提！唯除造無間惡業、誹謗正法及諸聖人。

若我成佛，於他剎土有諸衆生發菩提心，及於我所起清淨念；復以善根迴向願生極樂，彼人臨命終時，我與諸比丘衆現其人前。若不爾者，不取正覺！

若我成佛，無量國中所有衆生聞說我名，以己善根迴向極樂；若不生者，不取菩提！

若我成佛，國中菩薩皆不成就三十二相者，不取菩提！

若我成佛，於彼國中所有菩薩，於大菩提咸悉位階一生補處，唯除大願諸菩薩等，為諸衆生被精進甲，勤行利益修大涅槃，遍諸佛國行菩薩行，供養一切諸佛如來，安立*恒沙衆生住無上覺，所修諸行復勝於前，行普賢道而得出離。若不爾者，不取菩提！

若我成佛，國中菩薩每於晨朝供養他方，乃至無量億那由他百千諸佛，以佛威力，即以食前還到本國。若不爾者，不取菩提！

若我成佛，於彼剎中諸菩薩衆所須種種供具，於諸佛所殖諸善根，如是色類不圓滿者，不取菩提！

若我當成佛時，國中菩薩說諸法要，不善順入一切智者，不取菩提！

若我成佛，彼國所生諸菩薩等，若無那羅延堅固力者，不取正覺！

若我成佛，周遍國中諸莊嚴具，無有衆生能總演說，乃至有天眼者，不能了知所有雜類形色光相；若有能知及總宣說者，不取菩提！

若我成佛，國中具有無量色樹，高百千由旬，諸菩薩中有善根劣者，若不能了知，不取正覺！

若我成佛，國中衆生讀誦經典，教授敷演，若不獲得勝辯才者，不取菩提！

若我成佛，國中菩薩有不成就無邊辯才者，不取菩提！

若我成佛，國土光淨遍無與等，徹照無量無數不可思議諸佛世界，如明鏡中現其面像。若不爾者，不取菩提！

若我成佛，國界之內地及虛空有無量種香，復有百千億那由他數衆寶香鑪，香氣普熏遍虛空界，其香殊勝超過人天，珍奉如來及菩薩衆。若不爾者，不取菩提！

若我成佛，周遍十方無量無數不可思議無等界衆生之輩，蒙佛威光所照觸者，身心安樂超過人天。若不爾者，不取正覺！

若我成佛，無量不可思議無等界諸佛剎中菩薩之輩，聞我名已，若不證得離生獲陀羅尼者，不取正覺！

若我成佛，周遍無數不可思議無有等量諸佛國中所有女人，聞我名已，得清淨信，發菩提心，厭患女身；若於來世不捨女人身者，不取菩提！
若我成佛，無量無數不可思議無等佛剎菩薩之衆，聞我名已，得離生法；若不修行殊勝梵行，乃至到於大菩提者，不取正覺！
若我成佛，周遍十方無有等量諸佛剎中所有菩薩，聞我名已，五體投地，以清淨心修菩薩行；若諸天人不禮敬者，不取正覺！
若我成佛，國中衆生所須衣服，隨念即至，如佛命善來比丘，法服自然在體。若不爾者，不取菩提！
若我成佛，諸衆生類纔生我國中，若不皆獲資具心淨安樂，如得漏盡諸比丘者，不取菩提！
若我成佛，國中群生隨心欲見諸佛淨國殊勝莊嚴，於寶樹間悉皆出現，猶如明鏡見其面像。若不爾者，不取菩提！
若我成佛，餘佛剎中所有衆生，聞我名已，乃至菩提，諸根有闕，德用非廣者，不取菩提！

若我成佛，餘佛剎中所有菩薩，聞我名已，若不皆善分別勝三摩地名字、語言；菩薩住彼三摩地中，於一剎那言說之頃，不能供養無量無數不可思議無等諸佛，又不現證六三摩地者，不取正覺！

若我成佛，餘佛土中有諸菩薩，聞我名已，壽終之後若不得生豪貴家者，不取正覺！

若我成佛，餘佛剎中所有菩薩聞我名已，若不應時修菩薩行，清淨歡喜得平等住具諸善根，不取正覺！

若我成佛，他方菩薩聞我名已，皆得平等三摩地門，住是定中常供無量無等諸佛，乃至菩提終不退轉；若不爾者，不取正覺！

若我成佛，國中菩薩隨其志願，所欲聞法自然得聞；若不爾者，不取正覺！

若我證得無上菩提，餘佛剎中所有菩薩聞我名已，於阿耨多羅三藐三菩提有退轉者，不取正覺！

若我成佛，餘佛國中所有菩薩若聞我名，應時不獲一二三忍，於諸佛法不能現證不退轉者，不取菩提！』」

爾時，佛告阿難：「彼法處比丘於世間自在王如來前，發此願已，承佛威神而說頌曰：

今對如來發弘誓，當證無上菩提日，若不滿足諸上願，不取十力無等尊。
心或不堪常行施，廣濟貧窮免諸苦，利益世間使安樂，不成救世之法王。
我證菩提坐道場，名聞不遍十方界，無量無邊異佛剎，不取十力世中尊。
方趣無上大菩提，出家為求於欲境，於彼念慧行無有，不作調御天人師。
願獲如來無量光，普照十方諸佛土，能滅一切貪恚癡，亦斷世間諸惡趣。
願得光開淨慧眼，於諸有中破冥暗，除滅諸難使無餘，安處天人大威者。
修習本行已清淨，獲得無量勝威光，日月諸天摩尼火，所有光暉皆映蔽。
最勝丈夫修行已，於彼貧窮為伏藏，圓滿善法無等倫，於大眾中師子吼。
往昔供養自然智，多劫勤修諸苦行，為求最勝諸慧蘊，滿足本願天人尊。
如來知見無所礙，一切有為皆能了，願我當成無與等，最勝智者真導師。

我若當證大菩提，如斯弘誓實圓滿，願動三千大千界，天眾空中皆雨花；是時大地咸震動，天花鼓樂滿虛空，并雨栴檀細末香，唱言未來當作佛。」

佛告阿難：「彼法處比丘於世間自在王如來及諸天人、魔梵、沙門婆羅門等前，廣發如是大弘誓願，皆已成就世間希有。發是願已，如實安住種種功德，具足莊嚴威德廣大清淨佛土。修習如是菩薩行時，經於無量無數不可思議無有等等億那由他百千劫內，初未曾起貪、瞋及癡，欲、害、恚想，不起色、聲、香、味、觸想，於諸眾生常樂愛敬，猶如親屬。其性溫和易可同處，有來求者不逆其意，善言勸諭無不從心，資養所須趣支身命，少欲知足常樂虛閑，稟識聰明而無矯妄。其性調順無有暴惡，於諸有情常懷慈忍，心不詐諂亦無懈怠，善言策進求諸白法，普為群生勇猛無退，利益世間大願圓滿。奉事師長，敬佛法僧，於菩薩行常被甲冑，志樂寂靜，離諸染著。為令眾生常修白法，於善法中而為上首，住空、無相、無願，無作無生，不起不滅，無有憍慢。

「而彼正士行菩薩道時，常護語言，不以語言害他及己，常以語業利己及人。若入王城及諸村落，雖見諸色，心無所染，以清淨心不愛不恚。菩薩爾時於檀波羅蜜起自行已，又能令他行於惠施，於尸波羅蜜乃至般若波羅蜜，起前二行皆悉圓滿。由成如是諸善根故，所生之處有無量億那由他百千伏藏，自然涌出。復令無量無數不可思議無等無邊諸衆生類，安住阿耨多羅三藐三菩提；如是無邊諸菩薩衆起諸妙行，供養奉事於諸世尊乃至成佛，皆不可以語言分別之所能知。或作輪王、帝釋、蘇焰摩天、兜率陀天、善化天、他化自在天、大梵天王，皆能奉事供養諸佛，及能請佛轉於法輪；若作閻浮提王及諸長者、宰官、婆羅門、剎帝利等諸種姓中，皆能尊重供養諸佛，又能演說無量法門，從此永棄世間，成無上覺。

「然彼菩薩能以上妙衣服、臥具、飲食、醫藥，盡形供養一切如來，得安樂住；如是種種圓滿善根，非以語言能盡邊際。口中常出栴檀妙香，其香普熏無量無數乃至億那由他百千世界；復從一切毛孔出過人天優鉢羅花上妙香氣，隨所生處，相好端嚴殊勝圓滿。又得諸資具自在波羅蜜多，一切服用周遍無乏，所謂：

諸寶香花、幢幡、繒蓋、上妙衣服、飲食、湯藥及諸伏藏珍玩所須，皆從菩薩掌中自然流出。身諸毛孔流出一切人天音樂，由是因緣，能令無量無數不可思議諸衆生等，安住阿耨多羅三藐三菩提。阿難！我今已說法處菩薩本所修行。」

爾時，阿難白佛言：「世尊！彼法處菩薩成菩提者，為過去耶？為未來耶？為今現在他方世界耶？」

佛告阿難：「西方去此十萬億佛剎，彼有世界名曰極樂，法處比丘在彼成佛，號無量壽，今現在說法，無量菩薩及聲聞衆恭敬圍繞。

「阿難！彼佛光明普照佛剎無量無數不可思議。我今略說，光照東方如恒河沙等國土，南西北方、四維上下，亦復如是；唯除諸佛本願威神所加，悉皆照燭。是諸佛光，或有加一尋者，或有加一由旬乃至億那由他百千由旬光者，或普照佛剎者。

「阿難！以是義故，無量壽佛復有異名，謂：無量光、無邊光、無著光、無礙光、光照王端嚴光、愛光、喜光、可觀光、不思議光、無等光、不可稱量光、映蔽日光、映蔽月光、掩奪日月光。彼之光明清淨廣大，普令眾生身心悅樂，復令一切餘佛刹中天、龍、夜叉、阿修羅等，皆得歡悅。阿難！我今開示彼佛光明，滿足一劫說不能盡。

「復次，阿難！彼無量壽如來諸聲聞眾，不可稱量知其邊際。假使比丘滿億那由他百千數量，皆如大目揵連神通自在，於晨朝時周歷大千世界，須臾之頃還至本處；彼經億那由他百千歲數，欲共計算無量壽佛初會之中諸聲聞眾，盡其神力乃至滅度，於百分中不知其一，於千分百千分乃至鄔波尼殺曇分中，亦不知其一。

「阿難！譬如大海，深八萬四千由旬，以目極觀，不知邊際。若有丈夫析一毛端為五十分，以其一分於大海中霑取一滴。阿難！彼之水滴比於大海，何者為多？」

阿難白言：「假使取千由旬水，猶以為少，況以毛端一分而可方之？」

佛告阿難：「假使比丘滿億那由他百千數量，皆如大目揵連，經百千億那由他歲，皆共算數彼無量壽如來初會聲聞，所知數量如彼毛端一滴之水，餘不測者，猶如大海；諸菩薩摩訶薩眾亦復如是，非以算計之所能知。阿難！彼佛壽命無量無邊，不可知其劫數多少？聲聞、菩薩及諸天人，壽量亦爾。」

阿難白佛言：「世尊！彼佛出世于今幾時，能得如是無量壽命？」

佛告阿難：「彼佛受生經今十劫。復次，阿難！彼極樂界無量功德具足莊嚴，國土豐稔，天人熾盛，志意和適常得安隱，無有地獄、畜生及琰魔王界。有種種香周遍芬馥，種種妙花亦皆充滿；有七寶幢周布行列，其寶幢上懸諸幡蓋及眾寶鈴，具足百千諸妙雜色。

「阿難！彼如來國多諸寶樹，或純黃金、白銀、琉璃、頗梨、赤珠、馬瑙、玉樹，唯一寶成，不雜餘寶。或以二寶乃至七寶莊嚴。

「阿難！彼金為樹者，以金為根莖，白銀為葉及以花果；白銀之樹，銀為根莖，黃金為葉及以花果；馬瑙之樹，馬瑙根莖，美玉為葉及以花果；美玉樹者，玉為根莖，七寶為葉及諸花果。或有金樹，黃金為根，白銀為莖，琉璃為枝，頗梨為條，赤珠為葉，馬瑙為花，美玉為果；或有銀樹，以銀為根，黃金為莖，餘枝果等，飾同金樹；琉璃樹者，琉璃為根，黃金為莖，白銀為枝，頗梨為條，赤珠為葉，馬瑙為花，美玉為果；頗梨、真珠、馬瑙等樹，諸寶轉飾，皆若琉璃；復有玉樹，玉為其根，黃金為莖，白銀為枝，琉璃為條，頗梨為葉，赤珠為花，馬瑙為果。復有無量摩尼珠等寶莊嚴樹，周遍其國，是諸寶樹光輝赫奕，世無能比；以七寶羅網而覆其上，其網柔軟如兜羅綿。

「復次，阿難！無量壽佛有菩提樹，高十六億由旬，枝葉垂布八億由旬，樹本隆起高五千由旬，周圓亦爾；其條葉花果常有無量百千種種妙色，及諸珍寶殊勝莊嚴，謂：月光摩尼寶、釋迦毘楞伽寶、心王摩尼寶、海乘流注摩尼寶，光輝遍照，超過人天。於其樹上有諸金鎖、垂寶、瓔珞，周遍莊嚴，謂：盧遮迦寶、末瑳寶及赤白青色真珠等寶，以為瓔珞；有師子雲聚寶等以為其鎖，飾諸寶柱；又以純金、真珠、雜寶、鈴鐸以為其網，莊嚴寶鎖彌覆其上；以頗梨萬字、半月寶等互相映飾，微風吹動，出種種聲，令千世界諸眾生等隨樂差別，於甚深法證無生忍。

「阿難！彼千世界諸有情等聞此音已，住不退轉無上菩提，及無量無數有情得無生法忍。

「復次，阿難！若有衆生見菩提樹，聞聲嗅香，嘗其果味，觸其光影，念樹功德；由此因緣乃至涅槃，五根無患，心無散亂，皆於阿耨多羅三藐三菩提得不退轉。復由見彼菩提樹故，獲三種忍。何等為三？一者、隨聲忍，二者、隨順忍，三者、無生法忍。此皆無量壽佛本願威神見所加，及往修靜慮無比喻故、無缺減故、善修習故、善攝受故、善成就故。」

大寶積經卷第十七

大寶積經卷第十八

大唐三藏菩提流志奉　詔譯

無量壽會第五之二

「復次，阿難！彼極樂界無諸黑山、鐵圍山、大鐵圍山、妙高山等。」

阿難白佛言：「世尊！其四天王天、三十三天，既無諸山，依何而住？」

佛告阿難：「於汝意云何？妙高已上有夜摩天，乃至他化自在天及色界諸天等，依何而住？」

阿難白佛言：「世尊！不可思議業力所致。」

佛語阿難：「不思議業，汝可知耶？」

答言：「不也。」

佛告阿難：「諸佛及衆生善根業力，汝可知耶？」

答言：「不也。世尊！我今於此法中實無所惑，為破未來疑網故發斯問。」

佛告阿難：「彼極樂界，其地無海而有諸河；河之狹者滿十由旬，水之淺者十二由旬；如是諸河深廣之量，或二十、三十乃至百數，或有極深廣者至千由旬。其水清冷，具八功德，濬流恒激出微妙音，譬若諸天百千伎樂，安樂世界其聲普聞。有諸名花沿流而下，和風微動出種種香；居兩岸邊多栴檀樹，修條密葉交覆於河，結實開花芳輝可玩。群生遊樂隨意往來，或有涉河濯流嬉戲，感諸天水善順物宜，深淺寒溫，曲從人好。

「阿難！大河之下，地布金砂，有諸天香世無能喻，隨風散馥，雜水流芬，天曼陀羅花、優鉢羅花、波頭摩花、拘物頭華、芬陀利花，彌覆其上。

「復次，阿難！彼國人衆或時遊覽同萃河濱，有不願聞激流之響，雖獲天耳，終竟不聞；或有願聞，即時領悟百千萬種喜愛之聲，所謂：佛法僧聲、止息之聲、無性聲、波羅蜜聲、十力四無所畏聲、神通聲、無作聲、無生無滅聲、寂靜聲、邊寂靜聲、極寂靜聲、大慈大悲聲、無生法忍聲、灌頂受位聲。得聞如是種種聲已，獲得廣大愛樂歡悅，而與觀察相應、厭離相應、滅壞相應、寂靜相應、邊寂靜相應、極寂靜相應、義味相應、佛法僧相應、力無畏相應、神通相應、止息相應、菩提相應、聲聞相應、涅槃相應。

「復次，阿難！彼極樂世界，不聞諸惡趣名，邊無障礙煩惱覆蔽名；無有地獄琰摩畜生名，邊無八難名；亦無苦受、不苦不樂受名。尚無假設，何況實苦！是故彼國名為極樂。阿難！我今略說極樂因緣，若廣說者，窮劫不盡。

「復次，阿難！彼極樂世界所有眾生，或已生、或現生、或當生，皆得如是諸妙色身，形貌端正，神通自在，福力具足，受用種種宮殿、園林、衣服、飲食、香華、瓔珞，隨意所須，悉皆如念，譬如他化自在諸天。

「復次，阿難！彼佛國中有微細食，諸有情類嘗無噉者，如第六天隨所思念，如是飲食即同食已，色力增長而無便穢。復有無量如意妙香、塗香、末香，其香普熏彼佛國界，及散花、幢幡亦皆遍滿；其有欲聞香者，隨願即聞，或不樂者，終無所受。復有無量上妙衣服、寶冠、環釧、耳璫、瓔珞、花鬘、帶鎖，諸寶莊嚴，無量光明百千妙色，悉皆具足，自然在身。復有金銀、真珠、妙寶之網，懸諸寶鈴周遍嚴飾。若諸有情所須宮殿、樓閣等，隨所樂欲高下、長短、廣狹、方圓，及諸床座妙衣敷上，以種種寶而嚴飾之，於眾生前自然出現，人皆自謂各處其宮。

「復次，阿難！極樂國土所有眾生無差別相，順餘方俗，有天人名。阿難！譬如下賤半托迦人對於輪王，則無可諭，威光德望悉皆無有；又如帝釋方第六天，威光等類，皆所不及。園苑、宮殿、衣服、雜飾、尊貴自在、階位神通及以變化，不可為比，唯受法樂則無差別。阿難！應知彼國有情，猶如他化自在天王。

「阿難！彼極樂界於晨朝時，周遍四方和風微動，不逆不亂，吹諸雜花種種香氣，其香普熏周遍國界；一切有情為風觸身，安和調適，猶如比丘得滅盡定。其風吹動七寶樹林，華飄成聚，高七人量，種種色光照曜佛土；譬如有人以花布地，手按令平，隨雜色花間錯分布，彼諸花聚，亦復如是。其花微妙，廣大柔軟如兜羅綿，若諸有情足蹈彼花，沒深四指，隨其舉足，還復如初。過晨朝已，其花自然沒入於地，舊花既沒，大地清淨，更雨新花，還復周遍。如是中時、晡時，初、中、後夜，飄花成聚，亦復如是。

「阿難！一切廣大珍奇之寶，無有不生極樂界者。阿難！彼佛國中有七寶蓮花，一一蓮花有無量百千億葉，其葉有無量百千珍奇異色，以百千摩尼妙寶莊嚴，覆以寶網，轉相映飾。

「阿難！彼蓮花量或半由旬，或一、二、三、四乃至百千由旬者，是一一花出三十六億那由他百千光明，一一光中出三十六億那由他百千諸佛，身如金色，具三十二大丈夫相，八十隨好殊勝莊嚴，放百千光普照世界。是諸佛等，現往東方為眾說法，皆為安立無量有情於佛法中，南西北方、四維上下，亦復如是。

「復次，阿難！極樂世界無有昏闇，亦無火光；涌泉陂湖，彼皆非有；亦無住著家室林苑之名，及表示之像幼童色類；亦無日月晝夜之像，於一切處標式既無，亦無名號，唯除如來所加威者。阿難！彼國衆生若當生者，皆悉究竟無上菩提到涅槃處。何以故？若邪定聚及不定聚，不能了知建立彼因故。

「阿難！東方如恒沙界，一一界中如恒沙佛，彼諸佛等各各稱歎阿彌陀佛無量功德，南西北方、四維上下諸佛稱讚，亦復如是。何以故？他方佛國所有衆生聞無量壽如來名號，乃至能發一念淨信，歡喜愛樂，所有善根迴向願生無量壽國者，隨願皆生得不退轉，乃至無上正等菩提；除五無間、誹毀正法及謗聖者。

「阿難！若有衆生於他佛剎發菩提心，專念無量壽佛，及恒種殖衆多善根，發心迴向願生彼國。是人臨命終時，無量壽佛與比丘衆前後圍繞，現其人前，即隨如來往生彼國，得不退轉，當證無上正等菩提。

「是故，阿難！若有善男子、善女人，願生極樂世界、欲見無量壽佛者，應發無上菩提心，復當專念極樂國土，積集善根，應持迴向。由此見佛，生彼國中得不退轉，乃至無上菩提。

「阿難！若他國衆生發菩提心，雖不專念無量壽佛，亦非恒種衆多善根，隨已修行諸善功德，迴向彼佛願欲往生。此人臨命終時，無量壽佛即遣化身，與比丘眾前後圍繞，其所化佛光明相好，與真無異，現其人前攝受導引，即隨化佛往生其國，得不退轉無上菩提。

「阿難！若有眾生住大乘者，以清淨心向無量壽如來，乃至十念念無量壽佛，願生其國，聞甚深法即生信解，心無疑惑，乃至獲得一念淨心，發一念心念無量壽佛。此人臨命終時，如在夢中見無量壽佛，定生彼國，得不退轉無上菩提。

「阿難！以此義利故，無量無數不可思議無有等等無邊世界諸佛如來，皆共稱讚無量壽佛所有功德。」

佛告阿難：「東方如恒河沙界，一一界中有如恒沙菩薩，為欲瞻禮供養無量壽佛及諸聖眾，來詣佛所，南西北方、四維上下，亦復如是。」

爾時，世尊而說頌曰：

東方諸佛剎，　數如恒河沙，　如是佛土中，　恒沙菩薩眾，
皆現神通來，　禮無量壽佛。　三方諸聖眾，　禮覲亦同歸，

彼於沙界中，　道光諸辯論，　住深禪定樂，　四無所畏心。
各齎衆妙花，　名香皆可悅，　并奏諸天樂，　百千和雅音，
以獻天人師，　名聞十方者。　究竟威神力，　善學諸法門，
種種供養中，　勤修無懈倦。　功德智慧景，　能破諸幽冥，
咸以尊重心，　奉諸珍妙供。
彼觀殊勝剎，　菩薩衆無邊，　願速成菩提，　淨界如安樂。
世尊知欲樂，　廣大不思議，　微笑現金容，　告成如所願。
了諸法如幻，　佛國猶夢響，　恒發誓莊嚴，　當成微妙土。
菩薩以願力，　修勝菩提行，　知土如影像，　發諸弘誓心。
若求遍清淨，　殊勝無邊剎，　聞佛聖德名，　願生安樂國。
若有諸菩薩，　志求清淨土，　了知法無我，　願生安樂國。

「復次，阿難！極樂世界所有菩薩，於無上菩提皆悉安住一生補處；唯除大願能師子吼、擐大甲冑摩訶薩衆，為度群生修大涅槃者。

「復次，阿難！彼佛剎中諸聲聞衆，皆有身光能照一尋，菩薩光照極百千尋；除二菩薩，光明常照三千大千世界。」

阿難白佛言：「世尊！彼二菩薩名為何等？」

佛告阿難：「汝今諦聽！彼二菩薩，一名觀自在，二名大勢至。阿難！此二菩薩從娑婆世界捨壽量，已往生彼國。阿難！彼極樂界所生菩薩，皆具三十二相，膚體柔軟，諸根聰利，智慧善巧，於差別法無不了知；禪定神通，善能遊戲，皆非薄德鈍根之流。彼菩薩中，有得初忍或第二忍者，無量無邊，或有證得無生法忍。

「阿難！彼國菩薩乃至菩提，不墮惡趣，生生之處能了宿命；唯除五濁剎中，出現於世。

「阿難！彼國菩薩皆於晨朝，供養他方無量百千諸佛，隨所希求，種種花鬘、塗香、末香、幢幡、繒蓋及諸音樂，以佛神力皆現手中，供養諸佛；如是供具廣大甚多，無數無邊不可思議。若復樂求種種名花，花有無量百千光色，皆現手中，奉散諸佛。

「阿難！其所散花，即於空中變成花蓋，蓋之小者滿十由旬；若不更以新花重散，前所散花終不墮落。阿難！或有花蓋滿二十由旬，如是三十、四十乃至千由旬，或等四洲，或遍小千、中千，乃至三千大千世界。此諸菩薩生希有心，得大喜愛，於晨朝時，奉事供養、尊重讚歎無量百千億那由他佛；及種諸善根已，即於晨朝還到本國。此皆由無量壽佛本願加威，及曾供養如來善根相續無缺減故、善修習故、善攝取故、善成就故。

「復次，阿難！彼極樂界諸菩薩眾所說語言，與一切智相應，於所受用皆無攝取，遍遊佛剎無愛、無厭亦無希求，不希求想，無自想，無煩惱想，無我想，無鬪諍、相違、怨瞋之想。何以故？彼諸菩薩於一切眾生，有大慈悲利益心故，有柔軟無障礙心、不濁心、無忿恨心，有平等調伏寂靜之心、忍心、忍調伏心，有等引澄淨無散亂心、無覆蔽心、淨心、極淨心、照曜心、無塵心、大威德心、善心、廣大心、無比心、甚深心、愛法心、喜法心、善意心、捨離一切執著心、斷一切衆生煩惱心、閉一切惡趣心故，行智慧行已，成就無量功德。

「於禪定、覺分善能演說，而常遊戲無上菩提，勤修敷演。肉眼發生，能有簡擇；天眼出現，鑒諸佛土；法眼清淨，能離諸著；慧眼通達，到於彼岸；佛眼成就，覺悟開示。生無礙慧，為他廣說，於三界中，平等勤修；既自調伏，亦能調伏一切有情，能令獲得勝奢摩他，於一切法證無所得，善能說法言辭巧妙，勤修供養一切諸佛，摧伏有情一切煩惱。為諸如來之所悅可，而能如是如是思惟；作是思惟時，能集能見一切諸法，皆無所得。以方便智修行滅法，善知取捨理、非理趣，於理趣、非理趣中皆得善巧。於世語言心不愛樂，出世經典誠信勤修，善巧尋求一切諸法，求一切法增長了知，知法本無，實不可得。於所行處亦無取捨，解脫老病，住諸功德，從本已來，安住神通，勤修深法。於甚深法而無退轉，於難解法悉能通達，得一乘道無有疑惑，於佛教法不由他悟。

「其智宏深譬之巨海，菩提高廣喻若須彌，自身威光超於日月，凡所思擇與慧相應。猶如雪山其心潔白，光明普照無邊功德，燒煩惱薪方之於火，不為善惡之所動搖。心靜常安猶如大地，洗滌煩惑如清淨水，心無所主猶如火，不著世間猶如風，養諸有情猶如地，觀諸世界如虛空。荷載衆生猶如良乘，不染世法譬之蓮花，遠暢法音猶如雷震，雨一切法方之大雨，光蔽賢聖猶彼大仙，善能調伏如大龍象，勇猛無畏如師子王，覆護衆生如尼拘陀樹，他論不動如鐵圍山，修慈無量如彼恒河。諸善法王能為前導如大梵天，無所聚積猶如飛鳥，摧伏他論如金翅王，難遇希有如優曇花。最勝丈夫，其心正直，無有懈怠，能善修行。於諸見中善巧決定，柔和忍辱，無嫉妬心。論法無厭，求法不倦，常勤演說利益衆生。戒若琉璃，內外明潔。善聞諸法而為勝寶，其所說言令衆悅伏。

「以智慧力建大法幢，吹大法螺，擊大法鼓，常樂勤修，建諸法表。由智慧光心無迷惑，遠衆過失，亦無損害。以淳淨心，離諸穢染，常行惠施，永捨慳貪，稟性溫和，常懷慚恥，其心寂定，智慧明察。作世間燈破衆生闇，堪受利養殊勝福田，為大導師周濟群物，遠離憎愛心淨無憂，勇進無怖為大法將。了知地獄，調伏自他，利益有情，拔諸毒箭，為世間解，為世間師，引導群生，捨諸愛著，永離三垢，遊戲神通。因力、緣力、願力、發起力、世俗力、出生力、善根力、三摩地力、聞力、捨力、戒力、忍力、精進力、定力、慧力、奢摩他力、毘鉢舍那力、神通力、念力、覺力、摧伏一切大魔軍力、并他論法力、能破一切煩惱怨力及殊勝大力，威福具足，相好端嚴。智慧辯才，善根圓滿；目淨脩廣，人所愛樂。

「其身清潔，遠離貢高，以尊重心奉事諸佛，於諸佛所植眾善本，拔除憍慢，離貪瞋癡，殊勝吉祥，應供中最。住勝智境赫奕慧光，心生歡喜，雄猛無畏，福智具足無有滯限；但說所聞，開示群物，隨所聞法，皆能解了。於菩提分法勇猛勤修，空無相願而常安住，及不生不滅諸三摩地，行遍道場，遠二乘境。

「阿難！我今略說彼極樂界所生菩薩摩訶薩眾真實功德，悉皆如是。阿難！假令我身住壽百千億那由他劫，以無礙辯欲具稱揚彼諸菩薩摩訶薩等真實功德，不可窮盡。阿難！彼諸菩薩摩訶薩等，盡其壽量亦不能知。」

爾時，世尊告阿難言：「此是無量壽佛極樂世界，汝應從坐而起，合掌恭敬，五體投地，為佛作禮：彼佛名稱遍滿十方，彼一一方恒沙諸佛，皆共稱讚無礙無斷。」

是時，阿難即從坐起，偏袒右肩，西面合掌，五體投地，白佛言：「世尊！我今欲見極樂世界無量壽如來，并供養奉事無量百千億那由他佛及菩薩眾，種諸善根。」

時，無量壽佛即於掌中放大光明，遍照百千俱胝那由他剎，彼諸佛剎所有大小諸山：黑山、寶山、須彌盧山、迷盧山、大迷盧山、目真隣陀山、摩訶目真隣陀山、鐵圍山、大鐵圍山，叢薄園林及諸宮殿、天人等物，以佛光明皆悉照見；譬如有人以淨天眼觀一尋地，見諸所有，又如日光出現，萬物斯覩。彼諸國中比丘、比丘尼、優婆塞、優婆夷，悉見無量壽如來如須彌山王，照諸佛剎時，諸佛國皆悉明現，如處一尋。以無量壽如來殊勝光明極清淨故，見彼高座及諸聲聞、菩薩等眾；譬如大地，洪水盈滿，樹林、山河皆沒不現，唯有大水。

「如是，阿難！彼佛剎中無有他論及異形類，唯除一切大聲聞眾一尋光明，及彼菩薩摩訶薩踰繕那等百千尋光。彼無量壽如來、應、正等覺光明，映蔽一切聲聞及諸菩薩，令諸有情悉皆得見。彼極樂界菩薩、聲聞、人天衆等，一切皆覩娑婆世界釋迦如來及比丘衆圍繞說法。

爾時，佛告彌勒菩薩言：「汝頗見具足清淨威德莊嚴佛剎，及見空中樹林、園苑、涌泉、池沼不耶？汝見大地乃至色究竟天，於虛空中散花樹林以為莊嚴？復有衆鳥住虛空界，出種種音，猶如佛聲普聞世界，是諸衆鳥皆是化作，非實畜生，汝見是耶？」

彌勒白佛言：「唯然！已見。」

佛復告彌勒菩薩言：「汝見此諸衆生，入踰繕那百千宮殿已，遊行虛空，無著無礙，遍諸剎土，供養諸佛；及見彼有情於晝夜分，念佛相續不耶？」

彌勒白言：「唯然！盡見。」

佛復告言：「汝見他化自在天與極樂諸人，受用資具有差別不？」

彌勒白言：「我不見彼有少差別。」

佛告彌勒：「汝見極樂世界人住胎不？」

彌勒白言：「世尊！譬如三十三天夜摩天等入百由旬，若五百由旬宮殿之內遊戲歡樂，我見極樂世界人住胎者，如夜摩天處於宮殿；又見眾生於蓮華內結加趺坐，自然化生。」

時，彌勒菩薩復白佛言：「世尊！何因緣故，彼國眾生有胎生者、化生者？」

佛告彌勒：「若有眾生墮於疑悔，積集善根，希求佛智、普遍智、不思議智、無等智、威德智、廣大智，於自善根不能生信；以此因緣，於五百歲住宮殿中，不見佛，不聞法，不見菩薩及聲聞眾。若有眾生斷除疑悔，積集善根，希求佛智，乃至廣大智，信己善根；此人於蓮華內結加趺坐，忽然化生，瞬息而出。譬如他國有人來至，而此菩薩亦復如是；餘國發心來生極樂，見無量壽佛奉事供養，及諸菩薩、聲聞之眾。

「阿逸多！汝觀殊勝智者，彼因廣慧力故，受彼化生，於蓮花中結加趺坐；汝觀下劣之輩，於五百歲中不見佛、不聞法，不見菩薩及聲聞眾，不知菩薩威儀法則，不能修習諸功德故，無因奉事無量壽佛；是諸人等皆為昔緣疑悔所致。譬如剎帝利王其子犯法，幽之內宮，處以花觀，層樓綺殿，妙飾奇珍、寶帳、金床，重敷茵褥，名花布地，燒大寶香，服御所資，悉皆豐備，而以閻浮金鎖繫其兩足。」

佛告彌勒：「於意云何，彼王子心寧樂此不？」

答言：「不也，世尊！彼幽縶時，常思解脫，求諸親識、居士、宰官、長者、近臣。王之太子雖希出離，終不從心，乃至剎帝利王心生歡喜，方得解脫。」

佛告彌勒：「如是！如是！若有墮於疑悔，種諸善根，希求佛智乃至廣大智，於自善根不能生信，由聞佛名起信心故，雖生彼國，於蓮花中不得出現。彼等眾生處花胎中，猶如園苑宮殿之想。何以故？彼中清淨無諸穢惡，一切無有不可樂者；然彼眾生於五百歲，不見佛，不聞法，不見菩薩及聲聞眾，不得供養奉事諸佛，不得問於菩薩法藏，遠離一切殊勝善根。彼等於中不生欣樂，不能出現修習善法，往昔世中過失盡已，然後乃出。彼於出時，心迷上下四方之所；若五百歲無疑惑者，即當供養無量百千俱胝那由他佛，并種無量無邊善根。汝阿逸多，當知疑惑與諸菩薩為大損害！」

爾時，彌勒菩薩白佛言：「世尊！於此國界不退菩薩當生極樂國者，其數幾何？」

佛告彌勒：「此佛土中有七十二億菩薩，彼於無量億那由他百千佛所，種諸善根，成不退轉，當生彼國。況餘菩薩由少善根生彼國者，不可稱計！「阿逸多！從難忍如來佛國，有十八億不退菩薩，當生極樂世界。東北方寶藏佛國中，有九十億不退菩薩，當生彼土。從無量聲如來國中，有二十二億不退菩薩，當生彼土。從光明如來國中，有三十二億不退菩薩，當生彼土。從龍天如來國中，有十四億不退菩薩，當生彼土。從勝天力如來國中，有十二千不退菩薩，當生彼土。從師子如來國中，有五百不退菩薩，當生彼土。從離塵如來國中，有八十一億不退菩薩，當生彼土。從世天如來國中，有六十億不退菩薩，當生彼土。從勝積如來國中，有六十億不退菩薩，當生彼土。從人王如來國中，有十俱胝不退菩薩，當生彼土。從勝花如來國中，有五百菩薩，具大精進發趣一乘，於七日中，能令衆生離百千億那由他劫生死流轉，彼等亦當生極樂界。從發起精進如來國中，有六十九億不退菩薩，當生彼土，到彼國已，供養禮拜無量壽如來及菩薩衆。

「阿逸多！我若具說諸方菩薩生極樂界，若已到、今到、當到，為供養、禮拜、瞻仰無量壽佛等者，但說其名，窮劫不盡。

「阿逸多！汝觀彼諸菩薩摩訶薩善獲利益，若有聞彼佛名，能生一念喜愛之心，當獲如上所說功德；心無下劣，亦不貢高，成就善根，悉皆增上。

「阿逸多！是故告汝及天人世間、阿修羅等，今此法門付囑於汝，應當愛樂修習，乃至經一晝夜，受持讀誦，生希望心；於大衆中為他開示，當令書寫執持經卷，於此經中生導師想。

「阿逸多！是故菩薩摩訶薩欲令無量諸衆生等，速疾安住不退轉於阿耨多羅三藐三菩提，及欲見彼廣大莊嚴，攝受殊勝佛刹圓滿功德者，應當起精進力，聽此法門。假使經過大千世界滿中猛火，為求法故，不生退屈諂偽之心，讀誦、受持、書寫經卷，乃至於須臾頃為他開示，勸令聽聞不生憂惱，設入大火，不應疑悔。何以故？彼無量億諸菩薩等皆悉求此微妙法門，尊重聽聞，不生違背；是故汝等應求此法。

「阿逸多！彼諸衆生獲大善利，若於來世乃至正法滅時，當有衆生，殖諸善本，已曾供養無量諸佛；由彼如來加威力故，能得如是廣大法門，一切如來稱讚悅可。若於彼法攝取受持，當獲廣大一切智智，隨意所樂種諸善根。若善男子、善女人等，於彼法中廣大勝解之者，當能聽聞，獲大歡喜，受持讀誦，廣為他說，常樂修行。

「阿逸多！無量億數諸菩薩等求請此法，不曾厭背；是故汝等諸善男子及善女人，於今、來世能於是法若已求、現求、當求者，皆獲善利。

「阿逸多！如來所應作者，皆已作之，汝等應當安住無疑，種諸善本，應常修學，使無疑滯，不入一切種類珍寶成就牢獄。

「阿逸多！如是等類大威德者，能生廣大佛法異門；由於此法不聽聞故，有一億菩薩退轉阿耨多羅三藐三菩提。

「阿逸多！佛出世難，離八難身亦為難得；諸佛如來無上之法，十力、無畏、無礙、無著甚深之法及波羅蜜等菩薩之法，能說法人亦難開示。阿逸多！善說法人非易可遇，堅固深信時亦難遭，是故我今如理宣說，汝等修習應如教住。

「汝阿逸多！我以此法門及諸佛法囑累於汝，汝當修行，無令滅沒。如是廣大微妙法門，一切諸佛之所稱讚；勿違佛教而棄捨之，當令汝等獲不善利，淪沒長夜，備衆危苦。是故我今為大囑累，當令是法久住不滅，應勤修行隨順我教。」

爾時，世尊而說頌曰：

若於福德初未修，終不聞斯微妙法，勇猛能成諸善利，當聞如是甚深經。
彼人曾見諸世尊，能作大光極濁世，多聞總持如巨海，彼獲聖賢喜愛心。
懈怠邪見下劣人，不信如來斯正法，若曾於佛殖衆善，救世之行彼能修。
譬如盲人恒處闇，不能開導於他路，聲聞於佛智亦然，況餘有情而悟解！

如來功德佛自知，唯有世尊能開示，天龍夜叉所不及，二乘自絕於名言。

若諸有情當作佛，行超普賢登彼岸，敷演一佛之功德，時逾多劫不思議，

於是中間身滅度，佛之勝慧莫能量。

是故具足於信聞，及諸善友之攝受，得聞如是深妙法，當獲愛重諸聖尊。

如來勝智遍虛空，所說義言唯佛悟，是故博聞諸智士，應信我教如實言。

人趣之身得甚難，如來出世遇亦難，信慧多時方乃獲，是故修者應精進。

如是妙法已聽聞，常念諸佛而生喜，彼人往昔真吾友，善能樂欲佛菩提。

爾時，世尊說是經已，天人世間有萬二千那由他億眾生，遠塵離垢，得法眼淨；二十億眾生，得阿那含果；六千八百比丘，諸漏已盡，心得解脫；四十億菩薩，於無上菩提住不退轉，被大甲冑，當成正覺；有二十五億眾生，得不退忍。有四萬億那由他百千眾生，於無上菩提未曾發意，今始初發種諸善根，願生極樂世界見阿彌陀佛；皆當往生彼如來土，各於異方，次第成佛，同名妙音。有八萬億那由他眾生，得授記法忍，成無上菩提。彼無量壽佛昔行菩薩道時成熟有情，

悉皆當生極樂世界，憶念疇昔所發思願，皆得成滿。

爾時，三千大千世界六種震動，并現種種希有神變，放大光明普照世界，無量億那由他百千天人，同時音樂不鼓自鳴，雨天曼陀羅花，沒至于膝，乃至阿迦膩吒天，皆作種種殊妙供養。

佛說經已，彌勒菩薩等及尊者阿難、一切大眾，聞佛所說，皆大歡喜。

大寶積經卷第十八

佛說無量壽經

佛說無量壽經卷上

曹魏天竺三藏康僧鎧譯

我聞如是：一時，佛住王舍城耆闍崛山中，與大比丘衆萬二千人俱，一切大聖神通已達，其名曰：尊者了本際、尊者正願、尊者正語、尊者大號、尊者仁賢、尊者離垢、尊者名聞、尊者善實、尊者具足、尊者牛王、尊者優樓頻蠡迦葉、尊者伽耶迦葉、尊者那提迦葉、尊者摩訶迦葉、尊者舍利弗、尊者大目揵連、尊者劫賓那、尊者大住、尊者大淨志、尊者摩訶周那、尊者滿願子、尊者離障閡、尊者流灌、尊者堅伏、尊者面王、尊者果乘、尊者仁性、尊者喜樂、尊者善來、尊者羅云、尊者阿難，皆如斯等上首者也。又與大乘衆菩薩俱：普賢菩薩、妙德菩薩、慈氏菩薩等，此賢劫中一切菩薩；又賢護等十六正士：善思議菩薩、信慧菩薩、空無菩薩、神通華菩薩、光英菩薩、慧上菩薩、智幢菩薩、寂根菩薩、願慧菩薩、香象菩薩、寶英菩薩、中住菩薩、制行菩薩、解脫菩薩，皆遵普賢大士之德，具諸菩薩無量行願，安住一切功德之法，遊步十方，行權方便，入佛法藏究竟彼岸，於無量世界現成等覺。

處兜率天弘宣正法，捨彼天宮降神母胎，從右脇生，現行七步，光明顯曜，普照十方無量佛土，六種振動，擧聲自稱：「吾當於世為無上尊，釋、梵奉侍，天、人歸仰！」示現算計、文藝、射御，博綜道術，貫練群籍，遊於後園，講武試藝。現處宮中色味之間，見老病死，悟世非常，棄國財位，入山學道。服乘白馬，寶冠、瓔珞遣之令還，捨珍妙衣而著法服，剃除鬚髮，端坐樹下勤苦六年。行如所應，現五濁剎，隨順群生，示有塵垢，沐浴金流，天按樹枝得攀出池，靈禽翼從往詣道場，吉祥感徵，表章功祚，哀受施草敷佛樹下，加趺而坐。

奮大光明使魔知之，魔率官屬而來逼試，制以智力，皆令降伏，得微妙法，成最正覺。釋、梵祈勸，請轉法輪，以佛遊步，佛吼而吼。扣法鼓，吹法螺，執法劍，建法幢，震法雷，曜法電，澍法雨，演法施，常以法音覺諸世間，光明普照無量佛土，一切世界六種震動，總攝魔界，動魔宮殿，衆魔懾怖，莫不歸伏。摑裂邪網，消滅諸見，散諸塵勞，壞諸欲塹，嚴護法城，開闡法門。洗濯垢汚，顯明清白，光融佛法，宣流正化。入國分衛，護諸豐饍，貯功德，示福田，欲宣法，現欣笑。以諸法藥救療三苦，顯現道意無量功德，授菩薩記成等正覺，示現滅度拯濟無極。

消除諸漏，殖衆德本，具足功德微妙難量，遊諸佛國，普現道教，其所修行清淨無穢。譬如幻師現衆異像，為男為女無所不變；本學明了，在意所為。此諸菩薩亦復如是，學一切法，貫綜縷練，所住安諦，靡不感化，無數佛土皆悉普現，未曾慢恣愍傷衆生；如是之法，一切具足。

菩薩經典究暢要妙，名稱普至導御十方，無量諸佛咸共護念。佛所住者皆已得住，大聖所立而皆已立，如來導化各能宣布，為諸菩薩而作大師，以甚深禪慧開導衆人，通諸法性達衆生相。明了諸國，供養諸佛，化現其身，猶如電光。善學無畏，曉了幻法，壞裂魔網，解諸纏縛，超越聲聞、緣覺之地，得空、無相、無願三昧。善立方便，顯示三乘，於此中下而現滅度，亦無所作，亦無所有，不起不滅，得平等法，具足成就無量總持百千三昧。

諸根智慧廣普寂定，深入菩薩法藏，得佛華嚴三昧。宣揚演說一切經典，住深定門，悉覩現在無量諸佛，一念之頃，無不周遍。濟諸劇難，諸閑不閑，分別顯示真實之際。得諸如來辯才之智，入衆言音，開化一切，超過世間諸所有法。心常諦住度世之道，於一切萬物隨意自在，為衆生類作不請之友，荷負群生，為之重任。受持如來甚深法藏，護佛種性常使不絕，興大悲，愍衆生，演慈辯，授法眼，杜三趣，開善門。以不請之法，施諸黎庶，猶如孝子愛敬父母，於諸衆生視之若己，一切善本皆度彼岸，悉獲諸佛無量功德，智慧聖明，不可思議。如是菩薩無量大士，不可稱計，一時來會。

爾時，世尊諸根悅豫，姿色清淨，光顏巍巍。尊者阿難承佛聖旨，即從座起，偏袒右肩，長跪合掌而白佛言：「今日世尊諸根悅豫，姿色清淨，光顏巍巍，如明鏡淨，影暢表裏，威容顯耀，超絕無量，未曾瞻覩殊妙如今。唯然！大聖！我心念言：『今日世尊住奇特法，今日世雄住佛所住，今日世眼住導師行，今日世英住最勝道，今日天尊行如來德：去、來、現在，佛佛相念，得無今佛念諸佛耶？何故威神光光乃爾？』」

於是，世尊告阿難曰：「云何？阿難！諸天教汝來問佛耶？自以慧見問威顏乎？」

阿難白佛：「無有諸天來教我者，自以所見問斯義耳。」

佛言：「善哉！阿難！所問甚快，發深智慧真妙辯才，愍念眾生，問斯慧義。如來以無盡大悲，矜哀三界，所以出興於世，光闡道教，普令群萌獲真法利，無量億劫難值難見，猶靈瑞華，時時乃出。今所問者，多所饒益，開化一切諸天人民。阿難！當知如來正覺，其智難量，多所導御，慧見無礙，無能遏絕。以一喰之力，能住壽命億百千劫，無數無量，復過於此；諸根悅豫，不以毀損，姿色不變，光顏無異。所以者何？如來定慧究暢無極，於一切法而得自在。阿難！諦聽！今為汝說。」

對曰：「唯然！願樂欲聞。」

佛告阿難：「乃往過去久遠無量不可思議無央數劫，錠光如來興出於世，教化度脫無量衆生，皆令得道，乃取滅度。次有如來名曰光遠，次名月光，次名栴檀香，次名善山王，次名須彌天冠，次名須彌等曜，次名月色，次名正念，次名離垢，次名無著，次名龍天，次名夜光，次名安明頂，次名不動地，次名琉璃妙華，次名琉璃金色，次名金藏，次名炎光，次名炎根，次名地種，次名月像，次名日音，次名解脫華，次名莊嚴光明，次名海覺神通，次名水光，次名大香，次名離塵垢，次名捨厭意，次名寶炎，次名妙頂，次名勇立，次名功德持慧，次名蔽日月光，次名日月琉璃光，次名無上琉璃光，次名最上首，次名菩提華，次名月明，次名日光，次名華色王，次名水月光，次名除癡冥，次名度蓋行，次名淨信，次名善宿，次名威神，次名法慧，次名鸞音，次名師子音，次名龍音，次名處世；如此諸佛，皆悉已過。

「爾時，次有佛，名世自在王如來、應供、等正覺、明行足、善逝、世間解、無上士、調御丈夫、天人師、佛、世尊。時，有國王聞佛說法，心懷悅豫，尋發無上正真道意，棄國捐王，行作沙門，號曰法藏；高才勇哲，與世超異。詣世自在王如來所，稽首佛足，右遶三匝，長跪合掌以頌讚曰：

光顏巍巍，威神無極，如是炎明，無與等者。
日月摩尼，珠光炎耀，皆悉隱蔽，猶如聚墨。
如來容顏，超世無倫，正覺大音，響流十方。
戒聞精進，三昧智慧，威德無侶，殊勝希有。
深諦善念，諸佛法海，窮深盡奧，究其崖底。
無明欲怒，世尊永無，人雄師子，神德無量。
功德廣大，智慧深妙，光明威相，震動大千。
願我作佛，齊聖法王，過度生死，靡不解脫。
布施調意，戒忍精進，如是三昧，智慧為上。

吾誓得佛，　普行此願，　一切恐懼，　為作大安。
假令有佛，　百千億萬，　無量大聖，　數如恒沙；
供養一切，　斯等諸佛，　不如求道，　堅正不卻。
譬如恒沙，　諸佛世界，　復不可計，　無數剎土，
光明悉照，　遍此諸國，　如是精進，　威神難量。
令我作佛，　國土第一，　其眾奇妙，　道場超絕，
國如泥洹，　而無等雙。　我當愍哀，　度脫一切，
十方來生，　心悅清淨，　已到我國，　快樂安隱。
幸佛信明，　是我真證，　發願於彼，　力精所欲。
十方世尊，　智慧無礙，　常令此尊，　知我心行。
假令身止，　諸苦毒中，　我行精進，　忍終不悔。」

佛告阿難：「法藏比丘說此頌已，而白佛言：『唯然！世尊！我發無上正覺之心，願佛為我廣宣經法，我當修行攝取佛國清淨莊嚴無量妙土，令我於世速成

正覺，拔諸生死勤苦之本。』」

佛語阿難：「時，世自在王佛告法藏比丘：『如所修行莊嚴佛土，汝自當知。』比丘白佛：『斯義弘深，非我境界。唯願世尊廣為敷演諸佛如來淨土之行，我聞此已，當如說修行，成滿所願。』

「爾時，世自在王佛知其高明，志願深廣，即為法藏比丘而說經言：『譬如大海，一人斗量，經歷劫數，尚可窮底得其妙寶；人有至心，精進求道不止，會當剋果，何願不得？』於是，世自在王佛即為廣說二百一十億諸佛剎土天人之善惡、國土之粗妙，應其心願，悉現與之。

「時，彼比丘聞佛所說嚴淨國土，皆悉覩見，超發無上殊勝之願；其心寂靜，志無所著，一切世間無能及者。具足五劫，思惟攝取莊嚴佛國清淨之行。」

阿難白佛：「彼佛國土，壽量幾何？」

佛言：「其佛壽命四十二劫。時，法藏比丘攝取二百一十億諸佛妙土清淨之行，如是修已，詣彼佛所，稽首禮足，遶佛三匝，合掌而住，白言：『世尊！我已攝取莊嚴佛土清淨之行。』佛告比丘：『汝今可說，宜知是時，發起悅可一切大眾；菩薩聞已，修行此法，緣致滿足無量大願。』

「比丘白佛：『唯垂聽察！如我所願，當具說之：

設我得佛，國有地獄、餓鬼、畜生者，不取正覺！

設我得佛，國中人天壽終之後，復更三惡道者，不取正覺！

設我得佛，國中人天不悉真金色者，不取正覺！

設我得佛，國中人天形色不同有好醜者，不取正覺！

設我得佛，國中人天不悉識宿命，下至知百千億那由他諸劫事者，不取正覺！

設我得佛，國中人天不得天眼，下至見百千億那由他諸佛國者，不取正覺！

設我得佛，國中人天不得天耳，下至聞百千億那由他諸佛所說，不悉受持者，不取正覺！

設我得佛，國中人天不得見他心智，下至知百千億那由他諸佛國中衆生心念者，不取正覺！

設我得佛，國中人天不得神足，於一念頃，下至不能超過百千億那由他諸佛國者，不取正覺！

設我得佛，國中人天若起想念貪計身者，不取正覺！

設我得佛，國中人天不住定聚必至滅度者，不取正覺！

設我得佛，光明有能限量，下至不照百千億那由他諸佛國者，不取正覺！

設我得佛，壽命有能限量，下至百千億那由他劫者，不取正覺！

設我得佛，國中聲聞有能計量，乃至三千大千世界衆生⊙悉成☆緣覺，於百千劫悉共計挍知其數者，不取正覺！

設我得佛，國中人天壽命無能限量；除其本願脩短自在。若不爾者，不取正覺！

設我得佛，國中人天，乃至聞有不善名者，不取正覺！

設我得佛，十方世界無量諸佛，不悉諮嗟稱我名者，不取正覺！

設我得佛，十方衆生，至心信樂欲生我國，乃至十念；若不生者，不取正覺！唯除五逆、誹謗正法。

設我得佛，十方衆生發菩提心，修諸功德，至心發願欲生我國，臨壽終時，假令不與大衆圍遶現其人前者，不取正覺！

設我得佛，十方衆生聞我名號，係念我國，殖諸德本，至心迴向欲生我國；不果遂者，不取正覺！

設我得佛，國中人天，不悉成滿三十二大人相者，不取正覺！

設我得佛，他方佛土諸菩薩衆，來生我國，究竟必至一生補處；除其本願自在所化，為衆生故，被弘誓鎧，積累德本，度脫一切，遊諸佛國，修菩薩行，供養十方諸佛如來，開化恒沙無量衆生，使立無上正真之道，超出常倫諸地之行，現前修習普賢之德。若不爾者，不取正覺！

設我得佛，國中菩薩，承佛神力供養諸佛，一食之頃，不能遍至無量無數億那由他諸佛國者，不取正覺！

設我得佛，國中菩薩，在諸佛前現其德本，諸所求欲供養之具，若不如意者，不取正覺！

設我得佛，國中菩薩不能演說一切智者，不取正覺！

設我得佛，國中菩薩不得金剛那羅延身者，不取正覺！

設我得佛，國中人天、一切萬物，嚴淨光麗，形色殊特，窮微極妙，無能稱量；其諸衆生，乃至逮得天眼，有能明了辨其名數者，不取正覺！

設我得佛，國中菩薩，乃至少功德者，不能知見其道場樹無量光色，高四百萬里者，不取正覺！

設我得佛，國中菩薩，若受讀經法，諷誦持說，而不得辯才智慧者，不取正覺！

設我得佛，國中菩薩智慧辯才若可限量者，不取正覺！

設我得佛，國土清淨，皆悉照見十方一切無量無數不可思議諸佛世界，猶如明鏡，覩其面像。若不爾者，不取正覺！

設我得佛，自地以上至于虛空，宮殿、樓觀、池流、華樹，國土所有一切萬物，皆以無量雜寶、百千種香而共合成；嚴飾奇妙超諸人天，其香普薰十方世界，菩薩聞者皆修佛行。若不爾者，不取正覺！

設我得佛，十方無量不可思議諸佛世界衆生之類，蒙我光明觸其體者，身心柔軟超過人天。若不爾者，不取正覺！

設我得佛，十方無量不可思議諸佛世界衆生之類，聞我名字，不得菩薩無生法忍諸深總持者，不取正覺！

設我得佛，十方無量不可思議諸佛世界，其有女人聞我名字，歡喜信樂，發菩提心，厭惡女身，壽終之後，復為女像者，不取正覺！

設我得佛，十方無量不可思議諸佛世界諸菩薩衆，聞我名字，壽終之後，常修梵行至成佛道。若不爾者，不取正覺！

設我得佛，十方無量不可思議諸佛世界諸天人民，聞我名字，五體投地，稽首作禮，歡喜信樂，修菩薩行，諸天世人莫不致敬。若不爾者，不取正覺！

設我得佛，國中人天欲得衣服，隨念即至，如佛所讚，應法妙服自然在身；

若有裁縫、染治、浣濯者，不取正覺！

設我得佛，國中人天所受快樂，不如漏盡比丘者，不取正覺！

設我得佛，國中菩薩，隨意欲見十方無量嚴淨佛土，應時如願，於寶樹中皆悉照見，猶如明鏡，覩其面像。若不爾者，不取正覺！

設我得佛，他方國土諸菩薩衆，聞我名字，至于得佛，諸根缺陋不具足者，不取正覺！

設我得佛，他方國土諸菩薩衆，聞我名字，皆悉逮得清淨解脫三昧；住是三昧，一發意頃，供養無量不可思議諸佛世尊，而不失定意。若不爾者，不取正覺！

設我得佛，他方國土諸菩薩衆，聞我名字，壽終之後，生尊貴家。若不爾者，不取正覺！

設我得佛，他方國土諸菩薩衆，聞我名字，歡喜踊躍，修菩薩行，具足德本。若不爾者，不取正覺！

設我得佛，他方國土諸菩薩衆，聞我名字，皆悉逮得普等三昧；住是三昧至于成佛，常見無量不可思議一切如來。若不爾者，不取正覺！

設我得佛，國中菩薩，隨其志願所欲聞法，自然得聞。若不爾者，不取正覺！

設我得佛，他方國土諸菩薩眾，聞我名字，不即得至不退轉者，不取正覺！

設我得佛，他方國土諸菩薩眾，聞我名字，不即得至第一、第二、第三法忍，於諸佛法不能即得不退轉者，不取正覺！』」

佛告阿難：「爾時，法藏比丘說此願已，而說頌曰：

我建超世願，必至無上道，斯願不滿足，誓不成等覺。
我於無量劫，不為大施主，普濟諸貧苦，誓不成等覺。
我至成佛道，名聲超十方，究竟靡不聞，誓不成等覺。
離欲深正念，淨慧修梵行，志求無上道，為諸天人師。
神力演大光，普照無際土，消除三垢冥，明濟眾厄難。
開彼智慧眼，滅此昏盲闇，閉塞諸惡道，通達善趣門。
功祚成滿足，威曜朗十方，日月戢重暉，天光隱不現。

為衆開法藏，　廣施功德寶，　常於大衆中，　說法師子吼。
供養一切佛，　具足衆德本，　願慧悉成滿，　得為三界雄。
如佛無量智，　通達靡不遍，　願我功德力，　等此最勝尊。
斯願若剋果，　大千應感動，　虛空諸天人，　當雨珍妙華。」

佛語阿難：「法藏比丘說此頌已，應時普地六種震動，天雨妙華以散其上，自然音樂空中讚言：『決定必成無上正覺！』於是，法藏比丘具足修滿如是大願，誠諦不虛，超出世間，深樂寂滅。

「阿難！法藏比丘於彼佛所，諸天、魔、梵、龍、神八部大衆之中，發斯弘誓，建此願已，一向專志莊嚴妙土。所修佛國開廓廣大，超勝獨妙，建立常然，無衰無變。於不可思議兆載永劫，積殖菩薩無量德行，不生欲覺、瞋覺、害覺，不起欲想、瞋想、害想，不著色、聲、香、味、觸之法；忍力成就不計衆苦，少欲知足無染恚癡，三昧常寂智慧無礙，無有虛偽諂曲之心，和顏軟語先意承問；勇猛精進志願無惓，專求清白之法，以慧利群生；恭敬三寶，奉事師長；以大莊嚴具足衆行，令諸衆生功德成就。

「住空、無相、無願之法，無作無起觀法如化。遠離麁言，自害害彼，彼此俱害；修習善語，自利利人，彼我兼利。棄國捐王，絕去財色，自行六波羅蜜，教人令行。無央數劫積功累德，隨其生處，在意所欲，無量寶藏自然發應。教化安立無數衆生，住於無上正真之道。或為長者、居士、豪姓、尊貴，或為刹利國君、轉輪聖帝，或為六欲天主乃至梵王，常以四事供養恭敬一切諸佛，如是功德不可稱說。口氣香潔如優鉢羅華，身諸毛孔出栴檀香，其香普熏無量世界。容色端正，相好殊妙，其手常出無盡之寶：衣服、飲食、珍妙華香、諸蓋幢幡莊嚴之具；如是等事，超諸人天，於一切法而得自在。」

阿難白佛：「法藏菩薩為已成佛而取滅度？為未成佛？為今現在？」

佛告阿難：「法藏菩薩今已成佛，現在西方，去此十萬億刹，其佛世界名曰安樂。」

阿難又問：「其佛成道已來，為經幾時？」

佛言：「成佛已來，凡歷十劫。其佛國土，自然七寶金、銀、琉璃、珊瑚、琥珀、車渠、瑪瑙，合成為地，恢廓曠蕩，不可限極；悉相雜厠，轉相入間，光赫焜耀，微妙奇麗，清淨莊嚴，超踰十方一切世界；衆寶中精，其寶猶如第六天寶。又其國土無須彌山及金剛圍一切諸山，亦無大海、小海、溪渠、井谷，佛神力故，欲見則見。亦無地獄、餓鬼、畜生諸難之趣，亦無四時春秋冬夏，不寒不熱，常和調適。」

爾時，阿難白佛言：「世尊！若彼國土無須彌山，其四天王及忉利天，依何而住？」

佛語阿難：「第三炎天，乃至色究竟天，皆依何住？」

阿難白佛：「行業果報，不可思議。」

佛語阿難：「行業果報不可思議，諸佛世界亦不可思議，其諸衆生功德善力，住行業之地，故能爾耳。」

阿難白佛：「我不疑此法，但為將來衆生，欲除其疑惑，故問斯義。」

佛告阿難：「無量壽佛威神光明最尊第一，諸佛光明所不能及。或有佛光照百佛世界，或千佛世界，取要言之，乃照東方恒沙佛剎，南西北方、四維上下，亦復如是；或有佛光照于七尺，或照一由旬、二、三、四、五由旬，如是轉倍乃至照一佛剎。是故，無量壽佛號無量光佛、無邊光佛、無礙光佛、無對光佛、炎王光佛、清淨光佛、歡喜光佛、智慧光佛、不斷光佛、難思光佛、無稱光佛、超日月光佛。其有眾生遇斯光者，三垢消滅，身意柔軟，歡喜踊躍，善心生焉。若在三塗勤苦之處，見此光明，皆得休息，無復苦惱，壽終之後，皆蒙解脫。無量壽佛，光明顯赫，照曜十方諸佛國土，莫不聞知。不但我今稱其光明，一切諸佛、聲聞、緣覺、諸菩薩眾咸共歎譽，亦復如是。若有眾生，聞其光明威神功德，日夜稱說，至心不斷，隨意所願，得生其國，為諸菩薩、聲聞大眾所共歎譽，稱其功德；至其然後得佛道時，普為十方諸佛菩薩歎其光明，亦如今也。」

佛言：「我說無量壽佛光明威神，巍巍殊妙，晝夜一劫，尚不能盡！」

佛語阿難：「無量壽佛壽命長久不可稱計，汝寧知乎？假使十方世界無量眾生皆得人身，悉令成就聲聞、緣覺，都共集會禪思一心，竭其智力，於百千萬劫悉共推算，計其壽命長遠劫數，不能窮盡知其限極。聲聞、菩薩、天人之衆，壽命長短亦復如是，非算數譬喻所能知也。又聲聞、菩薩其數難量，不可稱說，神智洞達，威力自在，能於掌中持一切世界。」

佛語阿難：「彼佛初會，聲聞衆數不可稱計，菩薩亦然，能如大目揵連，百千萬億無量無數，於阿僧祇那由他劫，乃至滅度，悉共計挍，不能究了多少之數。譬如大海深廣無量，假使有人析其一毛以為百分，以一分毛沾取一渧，於意云何？其所渧者，於彼大海，何所為多？」

阿難白佛：「彼所渧水，比於大海，多少之量，非巧歷算數言辭譬類所能知也。」

佛語阿難：「如目連等，於百千萬億那由他劫，計彼初會聲聞、菩薩，所知數者，猶如一渧，其所不知，如大海水。

「又其國土，七寶諸樹周滿世界，金樹、銀樹、琉璃樹、頗梨樹、珊瑚樹、瑪瑙樹、車渠樹；或有二寶、三寶乃至七寶，轉共合成。或有金樹，銀葉華果；或有銀樹，金葉華果；或琉璃樹，玻梨為葉，華果亦然；或水精樹，琉璃為葉，華果亦然；或珊瑚樹，瑪瑙為葉，華果亦然；或瑪瑙樹，琉璃為葉，華果亦然；或車渠樹，衆寶為葉，華果亦然。

「或有寶樹，紫金為本，白銀為莖，琉璃為枝，水精為條，珊瑚為葉，瑪瑙為華，車渠為實。或有寶樹，白銀為本，琉璃為莖，水精為枝，珊瑚為條，瑪瑙為葉，車渠為華，紫金為實。或有寶樹，琉璃為本，水精為莖，珊瑚為枝，瑪瑙為條，車渠為葉，紫金為華，白銀為實。或有寶樹，水精為本，珊瑚為莖，瑪瑙為枝，車渠為條，紫金為葉，白銀為華，琉璃為實。或有寶樹，珊瑚為本，瑪瑙為莖，車渠為枝，紫金為條，白銀為葉，琉璃為華，水精為實。或有寶樹，瑪瑙為本，車渠為莖，紫金為枝，白銀為條，琉璃為葉，水精為華，珊瑚為實。或有寶樹，車渠為本，紫金為莖，白銀為枝，琉璃為條，水精為葉，珊瑚為華，瑪瑙為實。行行相值，莖莖相望，枝枝相準，葉葉相向，華華相順，實實相當，榮色光曜不可勝視。清風時發出五音聲，微妙宮商自然相和。

「又無量壽佛其道場樹，高四百萬里，其本周圍五千由旬，枝葉四布二十萬里，一切衆寶自然合成，以月光摩尼持海輪寶，衆寶之王而莊嚴之；周匝條間，垂寶瓔珞，百千萬色，種種異變，無量光炎，照曜無極。珍妙寶網羅覆其上，一切莊嚴隨應而現。微風徐動，出妙法音，普流十方一切佛國。其聞音者，得深法忍，住不退轉至成佛道，不遭苦患。目覩其色，耳聞其音，鼻知其香，口嘗其味，身觸其光，心以法緣，一切皆得甚深法忍，住不退轉至成佛道，六根清徹，無諸惱患。阿難！若彼國人天，見此樹者，得三法忍：一者、音響忍，二者、柔順忍，三者、無生法忍。此皆無量壽佛威神力故、本願力故、滿足願故、明了願故、堅固願故、究竟願故。」

佛告阿難：「世間帝王有百千音樂，自轉輪聖王乃至第六天上伎樂音聲，展轉相勝，千億萬倍。第六天上萬種樂音，不如無量壽國諸七寶樹一種音聲千億倍也！亦有自然萬種伎樂，又其樂聲無非法音，清暢哀亮，微妙和雅，十方世界音聲之中，最為第一。

「又講堂、精舍、宮殿、樓觀皆七寶莊嚴，自然化成，復以真珠、明月、摩尼眾寶以為交露，覆蓋其上。內外左右有諸浴池，或十由旬，或二十、三十，乃至百千由旬；縱廣深淺，各皆一等；八功德水，湛然盈滿，清淨香潔，味如甘露。黃金池者，底白銀沙；白銀池者，底黃金沙；水精池者，底琉璃沙；琉璃池者，底水精沙；珊瑚池者，底琥珀沙；琥珀池者，底珊瑚沙；車渠池者，底瑪瑙沙；瑪瑙池者，底車渠沙；白玉池者，底紫金沙；紫金池者，底白玉沙；或二寶、三寶，乃至七寶轉共合成。其池岸上有栴檀樹，華葉垂布，香氣普熏。天優鉢羅華、鉢曇摩華、拘物頭華、分陀利華，雜色光茂，彌覆水上。

「彼諸菩薩及聲聞眾，若入寶池，意欲令水沒足，水即沒足；欲令至膝，即至于膝；欲令至腰，水即至腰；欲令至頸，水即至頸；欲令灌身，自然灌身；欲令還復，水輒還復。調和冷煖，自然隨意，開神悅體，蕩除心垢，清明澄潔，淨若無形。寶沙映徹，無深不照，微瀾迴流，轉相灌注，安詳徐逝，不遲不疾。波揚無量自然妙聲，隨其所應，莫不聞者；或聞佛聲，或聞法聲，或聞僧聲，或寂靜聲、空無我聲、大慈悲聲、波羅蜜聲，或十力、無畏、不共法聲、諸通慧聲、無所作聲、不起滅聲、無生忍聲，乃至甘露灌頂眾妙法聲；如是等聲，稱其所聞，歡喜無量。

「隨順清淨、離欲、寂滅真實之義，隨順三寶力、無所畏、不共之法，隨順通慧菩薩、聲聞所行之道，無有三塗苦難之名，但有自然快樂之音，是故其國名曰極樂。

「阿難！彼佛國土諸往生者，具足如是清淨色身，諸妙音聲神通功德，所處宮殿衣服飲食，眾妙華香莊嚴之具，猶第六天自然之物。若欲食時，七寶應器自然在前。金、銀、琉璃、車渠、瑪瑙、珊瑚、虎珀、明月、真珠，如是眾鉢隨意而至，百味飲食，自然盈滿。雖有此食，實無食者，但見色聞香，意以為食，自然飽足，身心柔軟，無所味著；事已化去，時至復現。

「彼佛國土清淨安隱，微妙快樂，次於無為泥洹之道。其諸聲聞、菩薩、人天，智慧高明，神通洞達，咸同一類，形無異狀，但因順餘方故有人天之名。顏貌端正超世希有，容色微妙，非天非人，皆受自然虛無之身、無極之體。」

佛告阿難：「譬如世間貧窮乞人，在帝王邊，形貌容狀，寧可類乎？」

阿難白佛：「假令此人在帝王邊，羸陋醜惡，無以為喻，百千萬億不可計倍。所以然者，貧窮乞人底極厮下，衣不蔽形，食趣支命，飢寒困苦，人理殆盡；皆坐前世不殖德本，積財不施，富有益慳，但欲唐得，貪求無厭，不信修善，犯惡山積。如是壽終，財寶消散，苦身積聚，為之憂惱，於己無益，徒為他有，無善可怙，無德可恃，是故死墮惡趣，受此長苦；罪畢得出，生為下賤，愚鄙斯極，示同人類。所以世間帝王，人中獨尊，皆由宿世積德所致，慈惠博施，仁愛兼濟，履信修善，無所違諍；是以壽終福應，得昇善道，上生天上，享茲福樂；積善餘慶，今得為人，遇生王家，自然尊貴，儀容端正，衆所敬事，妙衣珍膳，隨心服御，宿福所追，故能致此。」

佛告阿難：「汝言是也。計如帝王雖人中尊貴，形色端正，比之轉輪聖王，甚為鄙陋，猶彼乞人在帝王邊。轉輪聖王威相殊妙，天下第一，比忉利天王，又復醜惡，不得相喻萬億倍也。假令天帝比第六天王，百千億倍不相類也。設第六天王，比無量壽佛國菩薩、聲聞，光顏容色不相及逮，百千萬億不可計倍。」

佛告阿難：「無量壽國其諸天人，衣服、飲食、華香、瓔珞、諸蓋幢幡、微妙音聲、所居舍宅宮殿樓閣，稱其形色、高下、大小，或一寶、二寶，乃至無量衆寶，隨意所欲，應念即至。又以衆寶妙衣遍布其地，一切人天踐之而行，無量寶網彌覆佛*土，皆以金縷、真珠百千雜寶奇妙珍異，莊嚴絞飾；周匝四面垂以寶鈴，光色晃曜，盡極嚴麗。自然德風徐起微動，其風調和，不寒不暑，溫涼柔軟，不遲不疾；吹諸羅網及衆寶樹，演發無量微妙法音，流布萬種溫雅德香。其有聞者，塵勞垢習自然不起，風觸其身皆得快樂，譬如比丘得滅盡三昧。

「又風吹散華，遍滿佛土，隨色次第而不雜亂，柔軟光澤，馨香芬烈。足履其上，陷下四寸，隨擧足已，還復如故，華用已訖，地輒開裂，以次化沒清淨無遺。隨其時節，風吹散華，如是六反。又衆寶蓮華周滿世界，一一寶華百千億葉，其華光明無量種色，青色青光、白色白光，玄、黃、朱、紫光色亦然，煒燁煥爛明曜日月。一一華中出三十六百千億光，一一光中出三十六百千億佛，身色紫金，相好殊特；一一諸佛又放百千光明，普為十方說微妙法。如是諸佛，各各安立無量衆生於佛正道。」

無量壽經卷上

佛說無量壽經卷下

曹魏天竺三藏康僧鎧譯

佛告阿難：「其有眾生生彼國者，皆悉住於正定之聚。所以者何？彼佛國中，無諸邪聚及不定之聚，十方恒沙諸佛如來，皆共讚歎無量壽佛威神功德不可思議，諸有眾生聞其名號，信心歡喜，乃至一念至心迴向，願生彼國，即得往生，住不退轉。唯除五逆、誹謗正法。」

佛告阿難：「十方世界諸天人民，其有至心願生彼國，凡有三輩。其上輩者，捨家棄欲而作沙門，發菩提心，一向專念無量壽佛，修諸功德，願生彼國。此等眾生臨壽終時，無量壽佛與諸大眾，現其人前，即隨彼佛往生其國，便於七寶華中，自然化生；住不退轉，智慧勇猛，神通自在。是故，阿難！其有眾生，欲於今世見無量壽佛，應發無上菩提之心，修行功德，願生彼國。」

佛語阿難：「其中輩者，十方世界諸天人民，其有至心願生彼國，雖不能行作沙門，大修功德，當發無上菩提之心；一向專念無量壽佛，多少修善，奉持齋戒，起立塔像，飯食沙門，懸繒然燈，散華燒香；以此迴向，願生彼國。其人臨終，無量壽佛化現其身，光明相好具如真佛，與諸大衆現其人前，即隨化佛往生其國；住不退轉，功德智慧，次如上輩者也。」

佛語阿難：「其下輩者，十方世界諸天人民，其有至心欲生彼國，假使不能作諸功德，當發無上菩提之心；一向專意，乃至十念念無量壽佛，願生其國，若聞深法，歡喜信樂不生疑惑；乃至一念念於彼佛，以至誠心，願生其國。此人臨終，夢見彼佛，亦得往生；功德智慧，次如中輩者也。」

佛告阿難：「無量壽佛威神無極，十方世界無量無邊不可思議諸佛如來，莫不稱歎於彼。東方恒沙佛國無量無數諸菩薩衆，皆悉往詣無量壽佛所，恭敬供養及諸菩薩、聲聞大衆，聽受經法，宣布道化。南西北方、四維上下，亦復如是。」

爾時，世尊而說頌曰：

東方諸佛國，其數如恒沙，彼土諸菩薩，往覲無量覺。
南西北四維，上下亦復然，彼土菩薩衆，往覲無量覺。
一切諸菩薩，各齎天妙華，寶香無價衣，供養無量覺。
咸然奏天樂，暢發和雅音，歌歎最勝尊，供養無量覺。
究達神通慧，遊入深法門，具足功德藏，妙智無等倫。
慧日照世間，消除生死雲，恭敬遶三匝，稽首無上尊。
見彼嚴淨土，微妙難思議，因發無量心，願我國亦然。
應時無量尊，動容發欣笑，口出無數光，遍照十方國。
迴光圍遶身，三匝從頂入，一切天人衆，踊躍皆歡喜。
大士觀世音，整服稽首問，白佛何緣笑？唯然願說意。
梵聲猶雷震，八音暢妙響，當授菩薩記，今說仁諦聽！
十方來正士，吾悉知彼願，志求嚴淨土，受決當作佛。

覺了一切法，猶如夢幻響，滿足諸妙願，必成如是剎。
知法如電影，究竟菩薩道，具諸功德本，受決當作佛。
通達諸法門，一切空無我，專求淨佛土，必成如是剎。
諸佛告菩薩：令覲安養佛，聞法樂受行，疾得清淨處，
至彼嚴淨土，便速得神通，必於無量尊，受記成等覺。
其佛本願力，聞名欲往生，皆悉到彼國，自致不退轉。
菩薩興志願，願己國無異，普念度一切，名顯達十方。
奉事億如來，飛化遍諸剎，恭敬歡喜去，還到安養國。
若人無善本，不得聞此經，清淨有戒者，乃獲聞正法。
曾更見世尊，則能信此事，謙敬聞奉行，踊躍大歡喜。
憍慢弊懈怠，難以信此法，宿世見諸佛，樂聽如是教。
聲聞或菩薩，莫能究聖心，譬如從生盲，欲行開導人。
如來智慧海，深廣無崖底，二乘非所測，唯佛獨明了。

假使一切人，具足皆得道，淨慧如本空，億劫思佛智，
窮力極講說，盡壽猶不知，佛慧無邊際，如是致清淨。
壽命甚難得，佛世亦難值，人有信慧難，若聞精進求，
聞法能不忘，見敬得大慶，則我善親友，是故當發意。
設滿世界火，必過要聞法，會當成佛道，廣濟生死流。

佛告阿難：「彼國菩薩，皆當究竟一生補處；除其本願為眾生故，以弘誓功德而自莊嚴，普欲度脫一切眾生。阿難！彼佛國中，諸聲聞眾身光一尋，菩薩光明照百由旬。有二菩薩，最尊第一，威神光明，普照三千大千世界。」

阿難白佛：「彼二菩薩，其號云何？」

佛言：「一名觀世音，二名大勢至。是二菩薩，於此國土修菩薩行，命終轉化生彼佛國。阿難！其有眾生生彼國者，皆悉具足三十二相，智慧成滿，深入諸法，究暢要妙，神通無礙，諸根明利。其鈍根者，成就二忍，其利根者，得阿僧祇無生法忍。又彼菩薩，乃至成佛，不更惡趣，神通自在，常識宿命；除生他方

五濁惡世，示現同彼，如我國也。」

佛語阿難：「彼國菩薩承佛威神，一食之頃，往詣十方無量世界，恭敬供養諸佛世尊。隨心所念，華香、伎樂、繒蓋、幢幡，無數無量供養之具自然化生，應念即至，珍妙殊特非世所有；轉以奉散諸佛菩薩、聲聞大眾，在虛空中化成華蓋，光色晃耀，香氣普熏，其華周圓四百里者，如是轉倍，乃覆三千大千世界，隨其前後，以次化沒。其諸菩薩僉然欣悅，於虛空中共奏天樂，以微妙音歌歎佛德，聽受經法，歡喜無量。供養佛已，未食之前，忽然輕舉，還其本國。」

佛語阿難：「無量壽佛為諸聲聞、菩薩大眾頒宣法時，都悉集會七寶講堂，廣宣道教，演暢妙法，莫不歡喜，心解得道。即時四方自然風起，普吹寶樹，出五音聲。雨無量妙華，隨風周遍，自然供養，如是不絕。一切諸天皆齎天上百千華香、萬種伎樂，供養其佛及諸菩薩、聲聞大眾，普散華香，奏諸音樂，前後來往，更相開避。當斯之時，熙然快樂，不可勝言。」

佛告阿難：「生彼佛國諸菩薩等，所可講說常宣正法，隨順智慧，無違無失。於其國土所有萬物，無我所心，無染著心，去來進止，情無所係，隨意自在無所適莫，無彼無我，無競無訟。於諸衆生，得大慈悲饒益之心，柔軟調伏，無忿恨心，離蓋清淨，無厭怠心、等心、勝心、深心、定心、愛法、樂法、喜法之心，滅諸煩惱，離惡趣心，究竟一切菩薩所行，具足成就無量功德。

「得深禪定，諸通明慧，遊志七覺，修心佛法。肉眼清徹，靡不分了；天眼通達，無量無限；法眼觀察，究竟諸道；慧眼見真，能度彼岸；佛眼具足，覺了法性。以無礙智為人演說，等觀三界空無所有，志求佛法具諸辯才，除滅衆生煩惱之患。從如來生解法如如，善知習滅音聲方便，不欣世語，樂在正論，修諸善本，志崇佛道。知一切法皆悉寂滅，生身煩惱二餘俱盡，聞甚深法心不疑懼，常能修行其大悲者，深遠微妙靡不覆載，究竟一乘至于彼岸，決斷疑網慧由心出。

「於佛教法該羅無外，智慧如大海，三昧如山王。慧光明淨超踰日月，清白之法具足圓滿。猶如雪山，照諸功德等一淨故；猶如大地，淨穢好惡無異心故；猶如淨水，洗除塵勞諸垢染故；猶如火王，燒滅一切煩惱薪故；猶如大風，行諸世界無障閡故；猶如虛空，於一切有無所著故；猶如蓮華，於諸世間無染污故；猶如大乘，運載群萌出生死故；猶如重雲，震大法雷覺未覺故；猶如大雨，雨甘露法潤眾生故；如金剛山，眾魔外道不能動故；如梵天王，於諸善法最上首故；如尼拘類樹，普覆一切故；如優曇鉢華，希有難遇故；如金翅鳥，威伏外道故；如眾遊禽，無所藏積故；猶如牛王，無能勝故；猶如象王，善調伏故；如師子王，無所畏故；曠若虛空，大慈等故；摧滅嫉心，不望勝故。

「專樂求法，心無厭足，常欲廣說，志無疲倦。擊法鼓，建法幢，曜慧日，除癡闇。修六和敬，常行法施，志勇精進，心不退弱，為世燈明最勝福田。常為師導等無憎愛，唯樂正道無餘欣慼。拔諸欲刺以安群生，功德殊勝莫不尊敬，滅三垢障，遊諸神通。因力、緣力、意力、願力、方便之力，常力、善力、定力、慧力、多聞之力，施、戒、忍辱、精進、禪定、智慧之力，正念止觀諸通明力，如法調伏諸眾生力；如是等力，一切具足。身色相好，功德辯才，具足莊嚴無與等者。恭敬供養無量諸佛，常為諸佛所共稱歎，究竟菩薩諸波羅蜜，修空、無相、無願三昧，不生不滅諸三昧門，遠離聲聞、緣覺之地。阿難！彼諸菩薩成就如是無量功德，我但為汝略言之耳。若廣說者，百千萬劫不能窮盡。」

佛告彌勒菩薩諸天人等：「無量壽國聲聞、菩薩，功德智慧不可稱說。又其國土微妙安樂，清淨若此，何不力為善？念道之自然，著於無上下，洞達無邊際，宜各勤精進，努力自求之，必得超絕去。往生安養國，橫截五惡趣，惡趣自然閉，昇道無窮極。易往而無人，其國不逆違，自然之所牽，何不棄世事？勤行求道德，可獲極長生，壽樂無有極。

「然世人薄俗，共諍不急之事，於此劇惡極苦之中，勤身營務以自給濟。無尊無卑，無貧無富，少長男女共憂錢財，有無同然，憂思適等。屏營愁苦，累念積慮，為心走使，無有安時。有田憂田，有宅憂宅，牛馬、六畜、奴婢、錢財、衣食什物，復共憂之。重思累息，憂念愁怖，橫為非常水火、盜賊、怨家、債主，焚漂劫奪消散磨滅，憂毒忪忪無有解時。結憤心中不離憂惱，心堅意固適無縱捨，或坐摧碎身亡命終，棄捐之去莫誰隨者？

「尊貴豪富亦有斯患，憂懼萬端勤苦若此，結衆寒熱與痛共俱。貧窮下劣，困乏常無：無田亦憂，欲有田；無宅亦憂，欲有宅；無牛馬、六畜、奴婢、錢財、衣食什物亦憂，欲有之。適有一復少一，有是少是，思有齊等，適欲具有，便復糜散。如是憂苦，當復求索，不能時得，思想無益。身心俱勞，坐起不安，憂念相隨，勤苦若此，亦結衆寒熱與痛共俱，或時坐之，終身夭命，不肯為善行道進德。壽終身死，當獨遠去，有所趣向善惡之道，莫能知者。

「世間人民、父子、兄弟、夫婦、家室、中外親屬，當相敬愛，無相憎嫉，有無相通，無得貪惜，言色常和，莫相違戾。或時心諍有所恚怒，今世恨意微相憎嫉，後世轉劇至成大怨。所以者何？世間之事，更相患害，雖不即時，應急相破。然含毒畜怒，結憤精神，自然剋識，不得相離，皆當對生，更相報復。人在世間愛欲之中，獨生獨死，獨去獨來，當行至趣苦樂之地，身自當之，無有代者。善惡變化，殃福異處，宿豫嚴待，當獨趣入，遠到他所，莫能見者。善惡自然追行所生，窈窈冥冥別離久長，道路不同，會見無期。

「甚難！甚難！復得相值。何不棄衆事，各*遇強健時，努力勤修善？精進願度世，可得極長生。如何不求道，安所須待欲何樂乎？如是世人，不信作善得善，為道得道；不信人死更生，惠施得福；善惡之事，都不信之，謂之不然，終無有是。但坐此故，且自見之，更相瞻視，先後同然，轉相承受，父餘教令。先人祖父素不為善，不識道德，身愚神闇，心塞意閉。死生之趣，善惡之道，自不能見，無有語者，吉凶禍福，競各作之，無一怪也。

「生死常道，轉相嗣立，或父哭子，或子哭父，兄弟、夫婦，更相哭泣，顛倒上下，無常根本，皆當過去，不可常保。教語開導，信之者少，是以生死流轉，無有休止。如此之人，矇冥抵突，不信經法，心無遠慮，各欲快意。癡惑於愛欲，不達於道德，迷沒於瞋怒，貪狼於財色。坐之不得道，當更惡趣苦，生死無窮已，哀哉甚可傷！

「或時室家、父子、兄弟、夫婦，一死一生更相哀愍，恩愛思慕，憂念結縛，心意痛著，迭相顧戀，窮日卒歲，無有解已。教語道德，心不開明，思想恩好，不離情欲。惛曚閉塞，愚惑所覆，不能深思熟計，心自端政專精行道，決斷世事，便旋至竟，年壽終盡，不能得道，無可奈何。總猥憒擾，皆貪愛欲，惑道者衆，悟之者寡。

「世間怱怱，無可聊賴，尊卑上下，貧富貴賤，勤苦怱務，各懷殺毒。惡氣窈冥，為妄興事，違逆天地，不從人心。自然非惡，先隨與之，恣聽所為，待其罪極。其壽未盡，便頓奪之，下入惡道，累世懃苦，展轉其中數千億劫，無有出期，痛不可言，甚可哀愍！」

佛告彌勒菩薩諸天人等：「我今語汝世間之事，人用是故，坐不得道。當熟思計，遠離衆惡，擇其善者，勤而行之。愛欲榮華，不可常保，皆當別離，無可樂者。*遇佛在世，當勤精進，其有至願生安樂國者，可得智慧明達功德殊勝，勿得隨心所欲，虧負經戒在人後也。儻有疑意不解經者，可具問佛，當為說之。」

彌勒菩薩長跪白言：「佛威神尊重，所說快善。聽佛經者貫心思之，世人實爾，如佛所言。今佛慈愍，顯示大道，耳目開明，長得度脫，聞佛所說，莫不歡喜。諸天人民、蠕動之類，皆蒙慈恩，解脫憂苦。佛語教誡，甚深甚善，智慧明見，八方上下去來今事，莫不究暢。今我衆等所以蒙得度脫，皆佛前世求道之時，謙苦所致。恩德普覆，福祿巍巍，光明徹照，達空無極。開入泥洹，教授典攬，威制消化，感動十方無窮無極。佛為法王，尊超衆聖，普為一切天人之師，隨心所願，皆令得道。今得值佛，復聞無量壽聲，靡不歡喜，心得開明。」

佛告彌勒：「汝言是也。若有慈敬於佛者，實為大善。天下久久，乃復有佛，今我於此世作佛，演說經法，宣布道教，斷諸疑網，拔愛欲之本，杜衆惡之源。遊步三界，無所拘閡。典攬智慧衆道之要，執持綱維昭然分明。開示五趣，度未度者，決正生死泥洹之道。

「彌勒！當知汝從無數劫來，修菩薩行，欲度衆生，其已久遠。從汝得道至于泥洹，不可稱數。汝及十方諸天人民、一切四衆，永劫已來展轉五道，憂畏勤苦不可具言，乃至今世生死不絕；與佛相值，聽受經法，又復得聞無量壽佛，快哉甚善！吾助爾喜。

「汝今亦可自厭生死老病痛苦，惡露不淨，無可樂者。宜自決斷端身正行，益作諸善，修己潔體洗除心垢，言行忠信表裏相應。人能自度，轉相拯濟，精明求願，積累善本。雖一世勤苦，須臾之間，後生無量壽佛國，快樂無極。長與道德合明，永拔生死根本，無復貪恚、愚癡、苦惱之患，欲壽一劫、百劫、千億萬劫，自在隨意皆可得之。無為自然，次於泥洹之道。汝等宜各精進，求心所願，無得疑惑中悔，自為過咎，生彼邊地七寶宮殿，五百歲中，受諸厄也。」

彌勒白佛：「受佛重誨，專精修學，如教奉行，不敢有疑。」

佛告彌勒：「汝等能於此世，端心正意，不作眾惡，甚為至德，十方世界最無倫匹。所以者何？諸佛國土天人之類，自然作善，不大為惡，易可開化。今我於此世間作佛，處於五惡、五痛、五燒之中，為最劇苦。教化群生，令捨五惡，令去五痛，令離五燒，降化其意，令持五善，獲其福德，度世、長壽、泥洹之道。」

佛言：「何等為五惡？何等五痛？何等五燒？何等消化五惡，令持五善，獲其福德，度世、長壽、泥洹之道？

「其一惡者：諸天人民、蠕動之類，欲為衆惡，莫不皆然。強者伏弱，轉相剋賊，殘害殺戮，迭相呑噬；不知修善，惡逆無道，後受殃罰，自然趣向。神明記識，犯者不赦，故有貧窮、下賤、乞匃、孤獨、聾盲、瘖啞、愚癡、憋惡，至有尫狂不逮之屬。又有尊貴豪富，高才明達，皆由宿世慈孝修善，積德所致。世有常道、王法、牢獄，不肯畏慎，為惡入罪，受其殃罰，求望解脫，難得免出。

「世間有此目前現事，壽終後世，尤深尤劇；入其幽冥，轉生受身，譬如王法，痛苦極刑。故有自然三塗無量苦惱，轉貿其身，改形易道，所受壽命或長或短，魂神精識自然趣之。當獨值向，相從共生，更相報復，無有止已，殃惡未盡，不得相離，展轉其中，無有出期，難得解脫，痛不可言。天地之間，自然有是，雖不即時，卒暴應至，善惡之道，會當歸之。是為一大惡、一痛、一燒，勤苦如是。譬如大火焚燒人身，人能於中一心制意，端身正行，獨作諸善，不為衆惡者，身獨度脫，獲其福德，度世、上天、泥洹之道，是為一大善也。」

佛言：「其二惡者：世間人民、父子、兄弟、室家、夫婦，都無義理，不順法度，奢婬憍縱，各欲快意，任心自恣，更相欺惑，心口各異，言念無實，佞諂不忠，巧言諛媚，嫉賢謗善，陷入怨枉。主上不明，任用臣下，臣下自在，機偽多端，踐度能行，知其形勢，在位不正，為其所欺，妄損忠良，不當天心。臣欺其君，子欺其父，兄弟、夫婦、中外知識，更相欺誑。各懷貪欲，瞋恚愚癡，欲自厚己，欲貪多有。尊卑上下，心俱同然，破家亡身，不顧前後，親屬內外，坐之滅族。或時室家、知識、鄉黨、市里、愚民、野人，轉共從事，更相剝害，忿成怨結。富有慳惜，不肯施與，愛保貪重，心勞身苦。如是至竟，無所恃怙，獨來獨去，無一隨者。善惡禍福，追命所生，或在樂處，或入苦毒，然後乃悔，當復何及！

「世間人民心愚少智，見善憎謗，不思慕及，但欲為惡，妄作非法。常懷盜心，悕望他利，消散磨盡，而復求索。邪心不正，懼人有色，不豫思計，事至乃悔。今世現有王法、牢獄，隨罪趣向，受其殃罰。因其前世不信道德，不修善本，今復為惡，天神剋識，別其名籍，壽終神逝，下入惡道。故有自然三塗無量苦惱，展轉其中，世世累劫，無有出期，難得解脫，痛不可言。是為二大惡、二痛、二燒，勤苦如是。譬如大火焚燒人身，人能於中一心制意，端身正行，獨作諸善，不為衆惡者，身獨度脫，獲其福德，度世、上天、泥洹之道，是為二大善也。」

佛言：「其三惡者：世間人民相因寄生，共居天地之間，處年壽命，無能幾何？上有賢明長者、尊貴豪富，下有貧窮廝賤、尪劣愚夫，中有不善之人。常懷邪惡，但念婬妷，煩滿胸中，愛欲交亂，坐起不安。貪意守惜，但欲唐得。眄睞細色，邪態外逸，自妻厭憎，私妄出入。費損家財，事為非法。交結聚會，興師相伐，攻劫殺戮，強奪不道。惡心在外，不自修業，盜竊趣得，欲擊成事。恐勢迫脅，歸給妻子，恣心快意，極身作樂。或於親屬不避尊卑，家室中外患而苦之，亦復不畏王法禁令。

「如是之惡，著於人鬼，日月照見，神明記識。故有自然三塗無量苦惱，展轉其中，世世累劫，無有出期，難得解脫，痛不可言。是為三大惡、三痛、三燒，勤苦如是。譬如大火焚燒人身，人能於中一心制意，端身正行，獨作諸善，不為衆惡者，身獨度脫，獲其福德，度世、上天、泥洹之道，是為三大善也。」

佛言：「其四惡者：世間人民不念修善，轉相教令，共為衆惡。兩舌、惡口、妄言、綺語，讒賊鬪亂，憎嫉善人，敗壞賢明，於傍快喜。不孝二親，輕慢師長，朋友無信，難得誠實。尊貴自大，謂己有道，橫行威勢，侵易於人，不能自知，為惡無恥。自以強健，欲人敬難，不畏天地、神明、日月，不肯作善，難可降化。自用偃蹇，謂可常爾，無所憂懼，常懷憍慢。如是衆惡，天神記識，賴其前世頗作福德，小善扶接，營護助之。今世為惡，福德盡滅，諸善神鬼，各去離之，身獨空立，無所復依。壽命終盡，諸惡所歸，自然迫促，共趣奪之。

「又其名籍記在神明，殃咎牽引，當往趣向。罪報自然，無從捨離，但得前行，入於火鑊，身心摧碎，精神痛苦。當斯之時，悔復何及！天道自然，不得蹉跌。故有自然三塗無量苦惱，展轉其中，世世累劫，無有出期，難得解脫，痛不可言。是為四大惡、四痛、四燒，勤苦如是。譬如大火焚燒人身，人能於中一心制意，端身正行，獨作諸善，不為衆惡，身獨度脫，獲其福德，度世、上天、泥洹之道，是為四大善也。」

佛言：「其五惡者：世間人民徙倚懈惰，不肯作善，治身修業，家室眷屬，飢寒困苦。父母教誨，瞋目怒譍，言令不和，違戾反逆，譬如怨家，不如無子。取與無節，衆共患厭，負恩違義，無有報償之心，貧窮困乏不能復得。辜較縱奪，放恣遊散，串數唐得，用自賑給。耽酒嗜美，飲食無度，肆心蕩逸，魯扈抵突。不識人情，強欲抑制，見人有善，憎嫉惡之。無義無禮，無所顧錄，自用職當，不可諫曉。六親眷屬，所資有無，不能憂念。不惟父母之恩，不存師友之義，心常念惡，口常言惡，身常行惡，曾無一善。不信先聖諸佛經法，不信行道可得度世，不信死後神明更生，不信作善得善、為惡得惡。欲殺真人，鬭亂衆僧，欲害父母、兄弟、眷屬，六親憎惡，願令其死。如是世人，心意俱然，愚癡矇昧，而自以智慧。不知生所從來，死所趣向，不仁不順，逆惡天地。而於其中悕望僥倖，欲求長生，會當歸死。慈心教誨，令其念善，開示生死善惡之趣，自然有是，而不信之。苦心與語，無益其人，心中閉塞，意不開解，大命將終，悔懼交至。不豫修善，臨窮方悔，悔之於後，將何及乎！

「天地之間，五道分明，恢廓窈冥，浩浩茫茫，善惡報應，禍福相承，身自當之，無誰代者！數之自然，應其所行，殃咎追命，無得縱捨。善人行善，從樂入樂，從明入明；惡人行惡，從苦入苦，從冥入冥。誰能知者？獨佛知耳！教語開示，信用者少，生死不休，惡道不絕；如是世人，難可具盡。故有自然三塗無量苦惱，展轉其中，世世累劫，無有出期，難得解脫，痛不可言。是為五大惡、五痛、五燒，勤苦如是。譬如大火焚燒人身，人能於中一心制意，端身正念，言行相副，所作至誠，所語如語，心口不轉，獨作諸善，不為衆惡者，身獨度脫，獲其福德，度世、上天、泥洹之道，是為五大善也。」

佛告彌勒：「吾語汝等，是世五惡，勤苦若此，五痛、五燒展轉相生。但作衆惡，不修善本，皆悉自然，入諸惡趣。或其今世先被殃病，求死不得，求生不得，罪惡所招，示衆見之。身死隨行，入三惡道，苦毒無量，自相燋然。至其久後，共作怨結，從小微起，遂成大惡，皆由貪著財色，不能施慧。癡欲所迫，隨心思想，煩惱結縛，無有解已。厚己諍利，無所省錄，富貴榮華，當時快意。不能忍辱，不務修善，威勢無幾，隨以磨滅，身生勞苦，久後大劇。天道施張，自然糺舉，綱紀羅網，上下相應，煢煢忪忪，當入其中，古今有是，痛哉可傷！」

佛語彌勒：「世間如是，佛皆哀之。以威神力摧滅眾惡，悉令就善，棄捐所思，奉持經戒，受行道法，無所違失，終得度世、泥洹之道。」

佛言：「汝今諸天人民及後世人，得佛經語，當熟思之，能於其中端心正行。主上為善，率化其下，轉相勅令，各自端守，尊聖敬善，仁慈博愛。佛語教誨，無敢虧負，當求度世，拔斷生死眾惡之本，永離三塗無量憂畏苦痛之道。

「汝等於是廣殖德本，布恩施慧，勿犯道禁。忍辱精進，一心智慧，轉相教化，為德立善，正心正意，齋戒清淨一日一夜，勝在無量壽國為善百歲。所以者何？彼佛國土，無為自然，皆積眾善，無毛髮之惡。於此修善十日十夜，勝於他方諸佛國中為善千歲。所以者何？他方佛國，為善者多，為惡者少，福德自然，無造惡之地。唯此間多惡，無有自然，勤苦求欲，轉相欺殆，心勞形困，飲苦食毒，如是忽務，未嘗寧息。

「吾哀汝等天人之類，苦心誨喻，教令修善。隨器開導，授與經法，莫不承用，在意所願，皆令得道。佛所遊履，國邑丘聚，靡不蒙化，天下和順，日月清明，風雨以時，災厲不起，國豐民安，兵戈無用，崇德興仁，務修禮讓。」

佛言：「我哀愍汝等諸天人民，甚於父母念子。今吾於此世作佛，降化五惡，消除五痛，絕滅五燒，以善攻惡，拔生死之苦，令獲五德，昇無為之安。吾去世後，經道漸滅，人民諂偽，復為衆惡，五燒、五痛還如前法。久後轉劇，不可悉說，我但為汝略言之耳。」

佛告彌勒：「汝等各善思之，轉相教誡，如佛經法，無得犯也。」

於是，彌勒菩薩合掌白言：「佛所說甚善，世人實爾。如來普慈哀愍，悉令度脫，受佛重誨，不敢違失。」

佛告阿難：「汝起更整衣服，合掌恭敬，禮無量壽佛。十方國土諸佛如來，常共稱揚讚歎彼佛無著無閡。」

於是，阿難起整衣服，正身西向，恭敬合掌，五體投地，禮無量壽佛，白言：「世尊！願見彼佛安樂國土，及諸菩薩聲聞大眾。」

說是語已，即時無量壽佛放大光明，普照一切諸佛世界，金剛圍山、須彌山王、大小諸山一切所有，皆同一色。譬如劫水彌滿世界，其中萬物沈沒不現，滉瀁浩汗，唯見大水；彼佛光明，亦復如是。聲聞、菩薩一切光明，皆悉隱蔽，唯見佛光明耀顯赫。爾時，阿難即見無量壽佛，威德巍巍，如須彌山王，高出一切諸世界上，相好光明，靡不照耀。此會四眾，一時悉見；彼見此土，亦復如是。

爾時，佛告阿難及慈氏菩薩：「汝見彼國，從地已上至淨居天，其中所有微妙嚴淨，自然之物，為悉見不？」

阿難對曰：「唯然！已見。」

「汝寧復聞無量壽佛大音宣布一切世界，化眾生不？」

阿難對曰：「唯然！已聞。」

「彼國人民乘百千由旬，七寶宮殿無所障閡，遍至十方，供養諸佛，汝復見不？」

對曰：「已見。」

「彼國人民有胎生者，汝復見不？」

對曰：「已見。其胎生者所處宮殿，或百由旬，或五百由旬，各在其中受諸快樂，如忉利天，亦皆自然。」

爾時，慈氏菩薩白佛言：「世尊！何因何緣，彼國人民胎生、化生？」

佛告慈氏：「若有衆生，以疑惑心修諸功德，願生彼國，不了佛智、不思議智、不可稱智、大乘廣智、無等無倫最上勝智，於此諸智疑惑不信；然猶信罪福，修習善本，願生其國。此諸衆生生彼宮殿，壽五百歲，常不見佛，不聞經法，不見菩薩、聲聞聖衆，是故於彼國土，謂之胎生。若有衆生，明信佛智乃至勝智，作諸功德，信心迴向。此諸衆生於七寶華中，自然化生，加趺而坐，須臾之頃，身相光明，智慧功德，如諸菩薩，具足成就。

「復次，慈氏！他方諸大菩薩發心欲見無量壽佛，恭敬供養及諸菩薩、聲聞之衆，彼菩薩等，命終得生無量壽國，於七寶華中，自然化生。彌勒！當知彼化生者，智慧勝故。其胎生者，皆無智慧，於五百歲中，常不見佛，不聞經法，不見菩薩、諸聲聞衆；無由供養於佛，不知菩薩法式，不得修習功德。當知此人宿世之時，無有智慧，疑惑所致。」

佛告彌勒：「譬如轉輪聖王，別有宮室七寶莊飾，張設床帳，懸諸繒幡。若有諸小王子，得罪於王，輒內彼宮中，繫以金鎖，供給飲食、衣服、床蓐、華香、伎樂，如轉輪王無所乏少。於意云何，此諸王子寧樂彼處不？」

對曰：「不也！但種種方便求諸大力，欲自勉出。」

佛告彌勒：「此諸衆生，亦復如是。以疑惑佛智生彼宮殿，無有*刑罰乃至一念惡事，但於五百歲中，不見三寶，不得供養，修諸善本，以此為苦。雖有餘樂，猶不樂彼處。若此衆生識其本罪，深自悔責，求離彼處，即得如意，往詣無量壽佛所，恭敬供養，亦得遍至無量無數諸如來所，修諸功德。彌勒！當知其有菩薩生疑惑者，為失大利，是故應當明信諸佛無上智慧。」

彌勒菩薩白佛言：「世尊！於此世界，有幾所不退菩薩生彼佛國？」

佛告彌勒：「於此世界，有六十七億不退菩薩往生彼國，一一菩薩已曾供養無數諸佛，次如彌勒者也。諸小行菩薩及修習少功德者，不可稱計，皆當往生。」

佛告彌勒：「不但我剎諸菩薩等往生彼國，他方佛土，亦復如是。其第一佛名曰遠照，彼有百八十億菩薩，皆當往生。其第二佛名曰寶藏，彼有九十億菩薩，皆當往生。其第三佛名曰無量音，彼有二百二十億菩薩，皆當往生。其第四佛名曰甘露味，彼有二百五十億菩薩，皆當往生。其第五佛名曰龍勝，彼有十四億菩薩，皆當往生。其第六佛名曰勝力，彼有萬四千菩薩，皆當往生。其第七佛名曰師子，彼有五百億菩薩，皆當往生。其第八佛名曰離垢光，彼有八十億菩薩，皆當往生。其第九佛名曰德首，彼有六十億菩薩，皆當往生。其第十佛名曰妙德山，彼有六十億菩薩，皆當往生。其第十一佛名曰人王，彼有十億菩薩，皆當往生。其第十二佛名曰無上華，彼有無數不可稱計諸菩薩眾，皆不退轉，智慧勇猛，已曾供養無量諸佛，於七日中，即能攝取百千億劫大士所修堅固之法，斯等菩薩，皆當往生。其第十三佛名曰無畏，彼有七百九十億大菩薩衆，諸小菩薩及比丘等不可稱計，皆當往生。」

佛語彌勒：「不但此十四佛國中諸菩薩等當往生也，十方世界，無量佛國其往生者，亦復如是，甚多無數。我但說十方諸佛名號及菩薩、比丘生彼國者，晝夜一劫尚未能竟，我今為汝略說之耳。」

佛語彌勒：「其有得聞彼佛名號，歡喜踴躍，乃至一念，當知此人，為得大利，則是具足無上功德。是故，彌勒！設有大火充滿三千大千世界，要當過此，聞是經法，歡喜信樂，受持讀誦，如說修行。所以者何？多有菩薩，欲聞此經而不能得。若有衆生聞此經者，於無上道，終不退轉。是故，應當專心信受，持誦說行。吾今為諸衆生說此經法，令見無量壽佛及其國土一切所有；所當為者，皆可求之，無得以我滅度之後，復生疑惑。當來之世，經道滅盡，我以慈悲哀愍，特留此經，止住百歲。其有衆生值斯經者，隨意所願，皆可得度。」

佛語彌勒：「如來興世，難值難見；諸佛經道，難得難聞；菩薩勝法諸波羅蜜，得聞亦難；遇善知識，聞法能行，此亦為難。若聞斯經，信樂受持，難中之難，無過此難。是故我法如是作，如是說，如是教，應當信順，如法修行。」

爾時，世尊說此經法，無量衆生皆發無上正覺之心，萬二千那由他人得清淨法眼，二十二億諸天人民得阿那含，八十萬比丘漏盡意解，四十億菩薩得不退轉，以弘誓功德而自莊嚴，於將來世，當成正覺。爾時，三千大千世界六種震動，大光普照十方國土；百千音樂，自然而作，無量妙華，芬芬而降。

佛說經已，彌勒菩薩及十方來諸菩薩衆、長老阿難諸大聲聞，一切大衆聞佛所說，靡不歡喜。

無量壽經卷下

佛說無量清淨平等覺經

佛說無量清淨平等覺經卷第一

後漢月支國三藏支婁迦讖譯

佛在王舍國靈鷲山中，與大弟子衆千二百五十人，菩薩七十二那術，比丘尼五百人，清信士七千人，清信女五百人，欲天子八十萬，色天子七十萬，遍淨天子六十那術，梵天一億，皆隨佛住。神通飛化弟子，名曰：知本際賢者、馬師賢者、大力賢者、安詳賢者、能讚賢者、滿願臂賢者、無塵賢者、氏聚迦葉賢者、牛呞賢者、上時迦葉賢者、治恒迦葉賢者、金杵坦迦葉賢者、舍利弗賢者、大目揵連賢者、大迦葉賢者、大迦旃延賢者、多睡賢者、大賈師賢者、大瘦短賢者、盈辨了賢者、不爭有無賢者、知宿命賢者、了深定賢者、善來賢者、離越賢者、癡王賢者、氏戒聚賢者、類親賢者、氏梵經賢者、多欲賢者、王宮生賢者、告來賢者、氏黑山賢者、經刹利賢者、博聞賢者。其女弟子，名曰：大欽姓比丘尼、幻者比丘尼、蓮華色比丘尼、生地動比丘尼、生地擔比丘尼、生則侍者頭痛比丘尼、安豐殖比丘尼、體柔軟比丘尼、勇生行比丘尼、自淨比丘尼。清信士名曰：給飯孤獨長者、安念衆長者、快臂長者、火英長者、善容長者、具足寶長者、名遠聞長者、香辟疫長者、安吉長者、施寶盈長者、欣讚長者、胎施殷長者、供異道長者、勇降怨長者、寶珥長者、寶結長者。清信女名曰生僂、名曰黑哲、名曰信法、名曰軟善、名曰樂涼、名曰忍苦樂、名曰樂愛優婆夷。如此之人皆一種類，消盡諸垢，勇淨者也。無數之衆悉共大會。於時佛坐思念正道，面有九色光數千百變，光甚大明。

賢者阿難即從座起，更正衣服，稽首佛足，長跪叉手，前白佛言：「今佛面目光色，何以時時更變，明乃爾乎？今佛面目光精數百千色，上下明徹好乃如是。我侍佛已來，未曾見佛身體光曜，巍巍重明乃爾！我未曾見至真等正覺光明威神，有如今日明好不妄。會當念諸過去、當來、若他方佛國今現在佛？」

佛告阿難：「有諸天來教汝，諸佛教汝令問我耶？若自從智出乎？」

阿難白佛言：「亦無諸天、無諸佛教，我今問佛者，自從意出來白佛耳。每佛坐起，若行出入、有所至到、所當作為、所當教勅，我輒知佛意。今佛獨當展轉相思，故使面色光明乃如此耳。」

佛言：「善哉！阿難！若所問者，甚深快善多所度脫。若問佛者，勝於供養一天下阿羅漢、辟支佛，布施諸天人民及蜎飛蠕動之類累劫百千萬億倍矣！」

佛言阿難：「今諸天、帝王、人民及蜎飛蠕動之類，汝皆度脫之。」

佛言：「佛威神甚重難當，若所問者大深。汝乃慈心，於佛所哀諸天人民，若比丘、比丘尼、優婆塞、優婆夷，大善當爾爾，皆過度之。」

佛語阿難：「如世間有優曇鉢樹，但有實無有華；天下有佛，乃有華出耳。世間有佛，甚難得值！今我作佛出於天下，若有大德聰明善心，豫知佛意，若不忘在佛邊侍佛也，若今所問，善聽！諦聽！」

佛語阿難：「前已過去劫，大眾多不可計，無邊幅不可議。及爾時，有過去佛，名定光如來；復次有佛，名曰曜光；復次有佛，名日月香；復次有佛，名安明山；復次有佛，名日月面；復次有佛，名無塵垢；復次有佛，名無沾污；復次有佛，名曰如龍無所不伏；復次有佛，名曰日光；復次有佛，名大音王；復次有佛，名寶潔明；復次有佛，名曰金藏；復次有佛，名焰寶光；復次有佛，名曰有學地；復次有佛，名曰琉璃光；復次有佛，名日月光；復次有佛，名曰日音聲；復次有佛，名光明華；復次有佛，名神通遊持意如海；復次有佛，名嗟歎光；復次有佛，名具足寶潔；復次有佛，名光開化；復次有佛，名曰大香聞；復次有佛，名曰降棄恚嫉；復次有佛，名妙琉璃紫磨金焰；復次有佛，名心持道華無能過者；復次有佛，名積衆華；復次有佛，名水月光；復次有佛，名除衆冥；復次有佛，名日光蓋；復次有佛，名溫和如來；復次有佛，名曰法意；復次有佛，名師子威象王步；復次有佛，名曰世豪；復次有佛，名曰淨音；復次有佛，名不可勝。復次有佛，名樓夷亘羅，在中教授四十二劫，皆已過去；乃爾劫時作佛，天上天下人中之雄，經道法中勇猛之將。

「佛為諸天及世人民說經講道，莫能過者；世饒王聞經道，歡喜開解，便棄國位行作比丘，名曇摩迦留，發菩薩意；為人高才，智慧勇猛，無能踰者，與世絕異；到世饒王佛所，稽首為禮，長跪叉手，稱讚佛言：

無量之光曜，威神無有極，如是之焰明，無能與等者。
若以日摩尼，火月水之形，其景不可及，其色亦難比。
顏色難稱量，一切世之最，如是大音聲，遍諸無數剎。
或以三昧定，精進及智慧，威德無有輩，殊勝亦希有。
深微諦善念，從是得佛法，持覺若如海，其限無有底。
瞋恚及愚癡，世尊之所無，嗟歎佛世雄，終始無厭足。
佛如好花樹，莫不愛樂者，處處人民見，一切皆歡喜。
令我作佛時，願使如法王，過度於生死，無不解脫者。
檀施調伏意，戒忍及精進，如是三昧定，智慧為上最。
吾誓得佛者，普逮得此事，一切諸恐懼，我為獲大安。

假令有百千，　億萬那術佛，　如是佛之數，　使如恒水沙，
計以沙等佛，　一切皆供養，　不如求正道，　堅勇而不怯。
譬如恒水中，　流沙之世界，　復倍不可計，　無數之剎土，
光焰一切炤，　遍此諸數國，　如是精進力，　威神難可量。
令我為世雄，　國土最第一，　其衆殊妙好，　道場踰諸剎。
國如泥洹界，　而無有等雙，　我當常愍哀，　度脫一切人。
十方往生者，　其心悅清淨，　已來到我國，　快樂喜安隱。
幸佛見信明，　是我第一證，　發願在於彼，　精進力所欲。
十方諸世尊，　皆有無礙慧，　常念此尊雄，　知我心所行，
令我身止住，　於諸苦毒中，　我行精進力，　忍之終不悔。

「法寶藏比丘說此唱讚世饒王如來、至真、等正覺已，發意欲求無上正真道最正覺：『我立是願，如多陀竭佛所有者，願悉得之。拔人勤苦生死根本，悉令如佛。唯為說經，所可施行，令疾得決。我作佛時，令無及者。願佛為我說諸佛

國功德，我當奉持，當那中住，取願作佛國亦如是。』」

佛語阿難：「其世饒王佛知其高明所願快善，即為法寶藏菩薩說經言：『譬如大海水，一人升量之，一劫不止，尚可枯盡，令海空竭得其底泥。人至心求道，何而當不可得乎？求索精進不休止者，會得心中所欲願耳。』法寶藏菩薩聞世饒王佛說經如是，則大歡喜踊躍。其佛則為選擇二百一十億佛國中諸天、人民善惡，國土之好醜，為選心中所願用與之。

「世饒王佛說經竟，法寶藏菩薩便壹其心，則得天眼徹視，悉自見二百一十億諸佛國中，諸天人民之善惡、國土之好醜，則選心所欲願，便結得是二十四願經，則奉行之，精進勇猛勤苦求索。如是無央數劫，所師事供養諸佛已，過去佛亦無央數，其法寶藏菩薩，至其然後，自致得作佛，名無量清淨覺最尊，智慧勇猛，光明無比。今現在所居國甚快善，在他方異佛國教授八方上下無央數諸天人民及蜎飛蠕動之類，莫不得過度解脫憂苦者。無量清淨佛為菩薩時，常奉行是二十四願，珍寶愛重，保持恭順，精進禪行之，與衆超絕，卓然有異，皆無有能及者。」

佛言：「何等為二十四願者？

一、我作佛時，令我國中無有地獄、禽獸、餓鬼、蜎飛蠕動之類。得是願乃作佛，不得從是願終不作佛！

二、我作佛時，令我國中人民有來生我國者，從我國去，不復更地獄、餓鬼、禽獸蠕動。有生其中者，我不作佛！

三、我作佛時，人民有來生我國者，不一色類金色者，我不作佛！

四、我作佛時，人民有來生我國者，天人、世間人有異者，我不作佛！

五、我作佛時，人民有來生我國者，皆自推所從來生本末所從來十億劫宿命。不悉知念所從來生，我不作佛！

六、我作佛時，人民有來生我國者，不悉徹視，我不作佛！

七、我作佛時，人民有來生我國者，不悉知他人心中所念者，我不作佛！

八、我作佛時，我國中人民不悉飛者，我不作佛！

九、我作佛時，我國中人民不悉徹聽者，我不作佛！

十、我作佛時，我國中人民有愛欲者，我不作佛！

十一、我作佛時，我國中人民住止盡般泥洹。不爾者，我不作佛！

十二、我作佛時，我國諸弟子，令八方上下各千億佛國中諸天人民、蠕動之類，作緣一覺、大弟子皆禪一心，共數我國中諸弟子，住至百億劫無能數者。不爾者，我不作佛！

十三、我作佛時，令我光明勝於日月、諸佛之明百億萬倍，炤無數天下窈冥之處皆常大明。諸天人民、蠕動之類見我光明，莫不慈心作善，來生我國。不爾者，我不作佛！

十四、我作佛時，令八方上下無數佛國諸天人民、蠕動之類，令得緣一覺、果證弟子坐禪一心，欲共計知我年壽幾千萬億劫，令無能知壽涯底者。不爾者，我不作佛！

十五、我作佛時，人民有來生我國者，除我國中人民所願，餘人民壽命無有能計者。不爾者，我不作佛！

十六、我作佛時，國中人民皆使莫有惡心。不爾者，我不作佛！

十七、我作佛時，令我名聞八方上下無數佛國，諸佛各於弟子衆中，歎我功德國土之善。諸天人民、蠕動之類聞我名字，皆悉踊躍來生我國。不爾者，我不作佛！

十八、我作佛時，諸佛國人民有作菩薩道者，常念我淨潔心，壽終時我與不可計比丘衆飛行迎之，共在前立，即還生我國作阿惟越致。不爾者，我不作佛！

十九、我作佛時，他方佛國人民前世為惡，聞我名字及正為道，欲來生我國，壽終皆令不復更三惡道，則生我國，在心所願。不爾者，我不作佛！

二十、我作佛時，我國諸菩薩不一生等，置是餘願功德。不爾者，我不作佛！

二十一、我作佛時，我國諸菩薩不悉三十二相者，我不作佛！

二十二、我作佛時，我國諸菩薩欲共供養八方上下無數諸佛，皆令飛行。欲得萬種自然之物，則皆在前，持用供養諸佛。悉遍已後，日未中則還我國。不爾者，我不作佛！

二十三、我作佛時，我國諸菩薩欲飯時，則七寶鉢中生自然百味飲食在前；食已，鉢皆自然去。不爾者，我不作佛！

二十四、我作佛時，我國諸菩薩說經行道不如佛者，我不作佛！」

佛告阿難：「無量清淨佛為菩薩時，常奉行是二十四願。分檀布施，不犯道禁，忍辱、精進、一心、智慧，志願常勇猛，不毀經法，求索不懈。每獨棄國捐王，絕去財色，精明求願，無所適莫，積功累德無央數劫，自致作佛悉皆得之，不忘其功也。」

佛言：「無量清淨佛光明最尊第一無比，諸佛光明皆所不及也。八方上下無央數諸佛，中有佛項中光照七丈，中有佛項中光照一里，中有佛項中光明照五里，中有佛項中光明照二十里，中有佛項中光明照四十里，中有佛項中光明照八十里，中有佛項中光明照百六十里，中有佛項中光明照三百二十里，中有佛項中光明照六百四十里，中有佛項中光明照千三百里，中有佛項中光明照二千六百里，中有佛項中光明照五千二百里，中有佛項中光明照萬四百里，中有佛項中光明照二萬一千里，中有佛項中光明照四萬二千里，中有佛項中光明照八萬四千里，中有佛項中光明照十七萬里，中有佛項中光明照三十五萬里，中有佛項中光明照七十萬里，中有佛項中光明照百五十萬里，中有佛項中光明照三百萬里，中有佛項中光明照六百萬里，中有佛項中光明照千二百萬里，中有佛項中光明照一佛國，中有佛項中光明照兩佛國，中有佛項中光明照四佛國，中有佛項中光明照八佛國，中有佛項中光明照十五佛國，中有佛項中光明照三十佛國，中有佛項中光明照六十佛國，中有佛項中光明照百二十佛國，中有佛項中光明照五百佛國，中有佛項中光明照千佛國，中有佛項中光明照二千佛國，中有佛項中光明照四千佛國，中有佛項中光明照八千佛國，中有佛項中光明照萬六千佛國，中有佛項中光明照三萬二千佛國，中有佛項中光明照六萬四千佛國，中有佛項中光明照十三萬佛國，中有佛項中光明照二十六萬佛國，中有佛項中光明照五十萬佛國，中有佛項中光明照百萬佛國，中有佛項中光明照二百萬佛國。」

佛言：「八方上下無央數諸佛，其項中光明所照，皆如是也。無量清淨佛項中光明，焰照千萬佛國。所以諸佛光明所照有遠近者何？本前世宿命求道為菩薩時，所願功德各自有大小，至其然後作佛時，悉各自得之，是故令光明轉不同等；諸佛威神同等耳，自在意所欲作為，不豫計。無量清淨佛光明所照最大，諸佛光明，皆所不能及也！」

佛稱譽無量清淨佛光明：「無量清淨佛光明極善，善中明好甚快無比，絕殊無極也。無量清淨佛光明殊好，勝於日月之明百億萬倍也。無量清淨佛光明，諸佛光明中之極明也。無量清淨佛光明，諸佛光明中之極好也。無量清淨佛光明，諸佛光明中之極雄傑也。無量清淨佛光明，諸佛光明中之快善也。無量清淨佛光明，諸佛光明中之王也。無量清淨佛光明，諸佛光明中之最極尊也。無量清淨佛光明，諸佛光明中之壽明無極。無量清淨佛光明，焰照諸無央數天下幽冥之處皆常明，諸有人民、蜎飛蠕動之類，莫不見無量清淨佛光明。見無量清淨佛光明，莫不慈心歡喜者；世間諸有婬*泆、瞋怒、愚癡，見無量清淨佛光明，莫不作善者，諸泥犁、禽獸、*薜荔考掠勤苦之處，見無量清淨佛光明至，皆休止不得復治，死後莫不得解脫憂苦者也。無量清淨佛光明，名聞八方上下無窮無極無央數佛國，諸天人民莫不聞知，聞知者莫不得過度者。

佛言：「我不獨稱譽無量清淨佛光明也，八方上下無央數諸佛、辟支佛、菩薩、阿羅漢所稱譽皆如是。」

佛言：「其有人民善男子、善女人聞無量清淨佛聲，稱譽光明，如是朝暮常稱譽其光明明好，至心不斷絕，在心所欲願往生無量清淨佛國，可得為諸菩薩、阿羅漢所尊敬，智慧勇猛。若其然後作佛者，亦當復為八方上下無央數辟支佛、菩薩、阿羅漢所稱譽光明，亦當復如是，則眾比丘僧諸菩薩、阿羅漢、諸天、帝王、人民聞之皆歡喜踊躍，莫不讚歎者。」

佛言：「我道無量清淨佛光明姝好巍巍，稱譽快善，晝夜一劫尚未竟也，我但為若曹小說之耳。」

佛說無量清淨為菩薩求索，得是二十四願。時，阿闍世王太子與五百大長者迦羅越子各持一金華蓋，前上佛已，悉卻坐一面聽經。阿闍世王太子及五百長者子聞無量清淨佛二十四願，皆大歡喜踊躍，心中俱願言：「令我等後作佛時，皆如無量清淨佛。」

佛則知之，告諸比丘僧：「是阿闍世王太子及五百長者子卻後無央數劫，皆當作佛如無量清淨佛。」

佛言：「是阿闍世王太子、五百長者子作菩薩道已來，無央數劫皆各供養四百億佛已，今復來供養我。是阿闍世王太子及五百人等，皆前世迦葉佛時，為我作弟子，今皆復會是共相值也。」則諸比丘僧聞佛言，皆心踊躍，莫不歡喜者。

佛告阿難：「無量清淨佛作佛已來凡十八劫，所居國名須摩提，正在西方，去是閻浮利地界千億萬須彌山佛國。其國地皆自然七寶：其一寶者名白銀，二寶者名黃金，三寶者水精，四寶者琉璃，五寶者珊瑚，六寶者虎珀，七寶者車𤦲。是七寶皆以自共為地，曠蕩甚大無極；皆自相參轉相入中，各自焜煌參光極明；自然軟甚，姝好無比。如其七寶地，諸八方上下衆寶中精，都自然之合會共化生耳。其寶比如第六天上之七寶也。其國中無有須彌山，其日月星辰、第一四天王、第二忉利天皆在虛空中。其國土無有大海水，亦無小海水，無江河洹水也；亦無山林溪谷，無有幽冥之處。其國七寶地皆平正，無有泥犁、禽獸、餓鬼、蜎飛蠕動之類也，無阿須倫、諸龍、鬼、神也。終無有大雨時，亦無春夏秋冬也，亦無有大寒，亦不大熱，常和調中適，甚快善無比。皆有萬種自然之物。百味飲食，意欲有所得，則自然在前；意不用者，則自然化去，比如第六天上自然之物，恣若自然則皆隨意。

「其國中悉諸菩薩、阿羅漢，無有婦女；壽命極壽，壽亦無央數劫。女人往生者，則化生皆作男子。但有菩薩、阿羅漢無央數，悉皆洞視徹聽，悉遙相見，遙相瞻望，遙相聞語聲；悉皆求道善者，同一種類無有異人也。其諸菩薩、阿羅漢面目皆端正，清潔絕好，悉同一色，無有偏醜惡者。諸菩薩、阿羅漢皆才猛黠慧。其所衣服，皆衣自然之衣。都心中所念，常念道德；其所欲語言，便皆豫相知意；其所念言道，常說五事。其國中諸菩薩、阿羅漢自共相與語言，輒說經道，終不說他餘之惡；其語言音響如三百鍾聲。皆相敬愛，無有相憎者。皆自以長幼上下先後言之。都共往會以義而禮，轉相敬事如兄如弟，以仁履義，不妄動作；言語而誠，轉相教令，不相違戾，轉相承受。皆心潔淨，無所貪慕，終無有婬泆，瞋怒之心、愚癡之態也，無有邪心、念婦女意也。悉智慧勇猛，和心歡樂，好喜經道。皆自知其前世所從來生，億萬劫世時宿命善惡存亡，現在卻知無極。

「無量清淨佛所可教授講堂精舍，皆復自然七寶：金、銀、水精、琉璃、白玉、虎珀、車渠自共轉相成也，甚姝明好，絕姝無比；亦無有作者，亦不知所從來，亦無有持來者，亦無所從去；無量清淨佛所願德重其人作善故，論經語義、說經行道講會其中，自然化生耳。其講堂精舍皆復有七寶樓觀欄楯，復以金、銀、水精、琉璃、白玉、虎珀、車渠為瓔珞，復以白珠、明月珠、摩尼珠為交絡，覆蓋其上，皆自作五音聲，音聲甚姝無比。無量清淨佛國諸菩薩、阿羅漢所居舍宅，皆復以七寶：金、銀、水精、琉璃、珊瑚、虎珀、車渠、馬瑙化生轉共相成也，其舍宅皆悉各有七寶樓觀欄楯，復以金、銀、水精、琉璃、白玉、虎珀、車渠為瓔珞，復以白珠、明月珠、摩尼珠為交絡，覆蓋其上，皆各復自作五音聲。

「無量清淨佛講堂精舍及諸菩薩、阿羅漢所居七寶舍宅中外內處處，皆復自然流泉水浴池。其浴池者，皆復以自然七寶，七寶俱生金、銀、水精、琉璃、珊瑚、虎珀、車渠轉共相成也。水底沙皆復以七寶：金、銀、水精、琉璃、珊瑚、虎珀、*硨渠也。有純白銀池者，其底沙皆黃金也；中有純黃金池者，其水底沙皆白銀也；中有純水精池者，其水底沙皆琉璃也；中有純琉璃池者，其水底沙皆水精也；中有純珊瑚池者，其水底沙皆虎珀也；中有純虎珀池者，其水底沙皆珊瑚也；中有純車渠池者，其水底沙皆馬瑙也；中有純馬瑙池者，其水底沙者皆車渠也；中有純白玉池者，其水底沙者皆紫磨金也；中有純紫磨金池者，其水底沙者皆白玉也。中復有二寶共作一池者，其水底沙者皆金、銀也。中復有三寶共作一池者，其水底沙者皆金、銀、水精也。中復有四寶共作一池者，其水底沙金、銀、水精、琉璃也。中復有五寶共作一池者，其水底沙皆金、銀、水精、琉璃、珊瑚、虎珀也。中復有六寶共作一池者，其水底沙皆金、銀、水精、琉璃、珊瑚、虎珀、車璖也。中復有七寶共作一池者，其水底沙皆金、銀、水精、琉璃、珊瑚、虎珀、車璖、馬碯也。

「其浴池中有長四十里者，中有池長八十里者，中有池長百六十里者，中有池長三百二十里者，中有池長六百四十里者，中有池長千二百八十里者，中有浴池長二千五百六十里者，中有浴池長五千一百二十里者，中有浴池長萬二百四十里者，中有浴池長二萬四百八十里者，其縱廣各適等。是浴池者，皆諸菩薩、阿羅漢常所可浴池。」

佛言：「無量清淨佛浴池長四萬八千里，廣亦四萬八千里；其浴池皆七寶轉自共相成，其池水底沙皆復以七寶、白珠、明月珠、摩尼珠也。無量清淨佛及諸菩薩、阿羅漢浴池中水皆清淨香潔，中皆有香華，悉自然生百種華；種種異色異香，華皆千葉；諸華甚香無比，香不可言也，其華香者亦復非世間之華，復勝天上之華。是華香者，八方上下衆華香中精自然生耳。池中水流行，轉相灌注。池中水流亦不遲亦不駃，皆復自作五音聲。」

佛言：「八方上下無央數佛國諸天、人民及蜎飛蠕動之類，諸生無量清淨佛國者，都皆於是七寶水池蓮華中化生，便則自然長大，亦無乳養之者，皆食自然之飲食。其身體者，亦非世間人之身體也，亦非天上人之身體也，皆積眾善之德，悉受自然虛無之身體，甚姝好無比。」

佛語阿難：「如世間貧窮乞丐人，今在帝王邊住者，其人面目形貌何等類乎？寧類帝王面目形貌顏色不？」

阿難言：「假令使子在帝王邊住者，其面目形狀甚醜惡不好，不如帝王面目形類姝好百千億萬倍也。所以者何？見乞人貧窮困極，飲食未曾有美食時也；既惡食不能得飽食，食*䰀支命，骨節相撐拄；無所用自給，常乏無有儲，飢餓寒凍，怔忪愁苦。但坐其前世宿命為人時，愚癡無智富益慳，有財不肯慈哀、仁賢為善、博愛施與，但欲唐得；貪惜飲食獨食嗜美，不信施貸後得償報也，復不信作善後世得其福，蒙籠項佷益作眾惡。如是壽終財物盡索，素無恩德，無所恃怙，入惡道中坐之適苦，然後得出解脫。今生為人，作於下賤貧家作子；強像人形，狀貌甚醜，衣被弊壞，單空獨立，不蔽形體，乞匃生活耳。飢寒*困苦，面目羸劣，不類人色，坐其前世身之所作，受其殃罰，示衆見之莫誰哀者，棄捐市道，暴露痟瘦，黑醜惡極不及人耳。

「所以帝王人中獨尊最好者何？皆其前世宿命為人時作善，信愛經道，布施恩德；博愛順義，慈仁喜與；不貪飲食，與衆共之，無所遺惜，都無違諍，得其福德，壽終德隨，不更惡道。今生為人得生王家，自然尊貴，獨王典主，攬制人民，為人雄傑；面目潔白和顏好色，身體端正衆共敬事；美食好衣隨心恣意，在樂所欲，自然在前，都無違諍，於人中姝好，無憂快樂面色光澤，故乃爾耳！」

佛說無量清淨平等覺經卷第一

佛說無量清淨平等覺經卷第二

後漢月支國三藏支婁迦讖譯

佛告阿難：「若言是也。如帝王雖於人中⊙獲好無比，當令在遮迦越王邊住者，其面目形貌甚醜惡，其狀不好，比如乞人在帝王邊住耳；帝王面醜，尚復不如遮迦越王面色姝好百千億萬倍也。如遮迦越王於天下絕好無比，當令在第二忉利天帝釋邊住者，其面甚醜不好，尚復不如天帝釋面貌端正姝好百千億萬倍也。如天帝釋，令在第六天王邊住者，其面貌甚醜不好，尚復不如第六天王面貌端正姝好百千億倍也。如第六天王，令在無量清淨佛國中諸菩薩、阿羅漢邊住者，其面甚醜，尚復不如無量清淨佛國中諸菩薩、阿羅漢面貌端正姝好百千億萬倍也。」

佛言：「無量清淨佛諸菩薩、阿羅漢面貌，悉皆端正，絕好無比，次於泥洹之道也。」

佛告阿難：「無量清淨佛及諸菩薩、阿羅漢，講堂精舍、所居處舍宅中外浴池上，皆有七寶樹。中有純銀樹，中有純金樹，中有純水精樹，中有純琉璃樹，中有純白玉樹，中有純珊瑚樹，中有純虎珀樹，中有純車渠樹，種種各自異行。

「中復有兩寶共作一樹者：銀樹，銀根、金莖、銀枝、金葉、銀華、金實；金樹者，金根、銀莖、金枝、銀葉、金華、銀實，是兩寶樹轉共相成，各自異行。

「中復有三寶共作一樹者：銀樹，銀根、金莖、水精枝、銀葉、金華、水精實；金樹者，金根、銀莖、水精枝、金葉、銀華、水精實；水精樹者，水精根、銀莖、金枝、水精葉、銀華、金實，是三寶樹轉共相成，各自異行。

「中復有四寶共作一樹者：銀樹，銀根、金莖、水精枝、琉璃葉、銀華、金實；金樹者，金根、銀莖、水精枝、琉璃葉、金華、銀實；水精樹者，水精根、琉璃莖、銀枝、金葉、水精華、琉璃實；琉璃樹者，琉璃根、水精莖、金枝、銀葉、琉璃華、水精實，是四寶樹轉共相成，各自異行。

「中復有五寶共作一樹者：銀樹，銀根、金莖、水精枝、琉璃葉、珊瑚華、金實；金樹者，金根、銀莖、水精枝、琉璃葉、珊瑚華、銀實；水精樹者，水精根、琉璃莖、珊瑚枝、銀葉、金華、琉璃實；琉璃樹者，琉璃根、珊瑚莖、水精枝、金葉、銀華、珊瑚實；珊瑚樹者，珊瑚根、琉璃莖、水精枝、金葉、銀華、琉璃實，是五寶樹轉共相成，各自異行。

「中復有六寶共作一樹者：銀樹，銀根、金莖、水精枝、琉璃葉、珊瑚華、虎珀實；金樹者，金根、銀莖、水精枝、琉璃葉、虎珀華、珊瑚實；水精樹者，水精根、琉璃莖、珊瑚枝、銀葉、虎珀華、金實；琉璃樹者，琉璃根、珊瑚莖、虎珀枝、水精葉、金華、銀實；珊瑚樹者，珊瑚根、虎珀莖、銀枝、金葉、水精華、琉璃實；虎珀樹者，虎珀根、珊瑚莖、金枝、銀葉、琉璃華、水精實，是六寶樹轉共相成，各自異行。

「中復有七寶共作一樹者：銀樹，銀根、金莖、水精節、琉璃枝、珊瑚葉、虎珀華、車渠實；金樹者，金根、水精莖、琉璃節、珊瑚枝、虎珀葉、車渠華、銀實；水精樹者，水精根、琉璃莖、珊瑚節、虎珀枝、車琹葉、白玉華、金實；琉璃樹者，琉璃根、珊瑚莖、虎珀節、白玉枝、車琹葉、水精華、銀實；珊瑚樹者，珊瑚根、虎珀莖、白玉節、銀枝、明月珠葉、金華、水精實；虎珀樹者，虎珀根、白玉莖、珊瑚節、琉璃枝、車琹葉、水精華、金實；白玉樹者，白玉根、車琹莖、琉璃節、珊瑚枝、虎珀葉、金華、摩尼珠寶，是七寶樹轉共相成，種種各自異行。行行自相值，莖莖自相准，枝枝自相值，葉葉自相向，華華自相望，極自軟好，實實自相當。」

佛言：「無量清淨佛講堂精舍中，外內七寶浴池，繞邊上諸七寶樹，及諸菩薩、阿羅漢七寶舍宅中，外七寶浴池，繞池邊七寶樹，數千百重行，皆各各如是，行行自作五音，聲甚好無比。」

佛語阿難：「如世間帝王萬種伎樂音聲，不如遮迦越王諸伎樂一音聲好百千億萬倍也。如遮迦越王萬種伎樂音聲，尚復不如第二忉利天上諸伎樂一音聲好百千億萬倍也。如忉利天上萬種伎樂之聲，尚復不如第六天上諸伎樂一音聲好百千億萬倍也。如第六天上萬種音樂之聲，尚復不如無量清靜佛國中七寶樹一音聲好百千億萬倍也。無量清淨佛國亦有萬種自然之伎樂無極也。

「無量清淨佛及諸菩薩、阿羅漢欲浴時，便各自入其七寶池中浴。諸菩薩、阿羅漢意欲令水沒足，水則沒足；意欲令水至膝，水則至膝；意欲令水至腰，水則至腰；意欲令水至腋，水則至腋；意欲令水至頸，水則至頸；意欲令水自灌身上，水則灌身上；意欲令水轉復還如故，水則轉還復如故，恣若隨意所欲好憙。」

佛言：「無量清淨佛及諸菩薩、阿羅漢皆浴已，悉自於一蓮華上坐，則四方自然亂風起。其亂風者，亦非世間之風也，亦復非天上之風也。是亂風者，都為八方上下眾風中之自然，都相合會共化生耳。其亂風亦不大寒，亦不大溫，常和調中適，其涼好無比。亂風徐起，亦不遲亦不疾，適得中宜。吹國中七寶樹，七寶樹皆復自作五音聲。亂風吹華，悉覆蓋其國中；華皆自散無量清淨佛及諸菩薩、阿羅漢上。華適墮地，華皆厚四寸，極自軟好無比。華小萎，則自然亂風吹萎華，悉自然去；則復四方，復自然亂風起，吹七寶樹，七寶樹皆復自作五音聲；

亂風吹華，悉復自然，散無量清淨佛及諸菩薩、阿羅漢上，華墮地，則自然亂風復吹萎華，悉自然去，則復四方自然亂風起，吹七寶樹華；如是者四反。

「諸菩薩、阿羅漢中有但欲聞經者，中有但欲聞音樂聲者，中有但欲聞華香者；中有不欲聞經者，中有不欲聞五音者，中有不欲聞華香者。其所欲聞者，輒則獨聞之；其所不欲聞者，了獨不聞也，則皆自然隨意在所欲憙樂，不違其心中所欲願也。無量清淨佛及諸菩薩、阿羅漢皆浴訖已，各自去。

「其諸菩薩、阿羅漢各自行道，中有在地講經者，中有在地誦經者，中有在地說經者，中有在地口受經者，中有在地聽經者，中有在地念經者，中有在地思道者，中有在地坐禪一心者，中有在地經行者。中有在虛空中講經者，中有在虛空中誦經者，中有在虛空中說經者，中有在虛空中口受經者，中有在虛空中聽經者，中有在虛空中念經者，中有在虛空中思念道者，中有在虛空中坐禪一心者，中有在虛空中經行者。中有未得須陀洹道者，則得須陀洹道；中有未得斯陀含道者，則得斯陀含道；中有未得阿那含道者，則得阿那含道；中有未得阿羅漢道者，則得阿羅漢道；中有未得阿惟越致菩薩者，則得阿惟越致菩薩。菩薩、阿羅漢各自說經行道，皆悉得道，莫不歡喜踊躍者。

「諸菩薩中，有意欲供養八方上下無央數諸佛，即皆俱前，為無量清淨佛作禮，却長跪叉手白佛辭行，欲供養八方上下諸無央數佛。無量清淨佛則然可之，則使其行供養諸菩薩等，皆大歡喜。數千億萬人無央數不可復計，皆智慧勇猛，各自翻飛等輩，相追俱共，散飛則行，即到八方上下無央數諸佛所，皆前為佛作禮，便則供養諸佛。其諸菩薩意欲得萬種自然之物在前，則自然百雜色華百種、自然雜繒幡綵百種物、自然劫波育衣、自然七寶、自然燈火、自然萬種伎樂，悉皆在前。其華香萬種自然之物者，亦非世間之物也，亦復非天上之物也。是萬種之物，都為八方上下眾物自然共合會化生耳。意欲得者，則自然化生在前；意不用者，便則自化去。諸菩薩便共持供養諸佛及諸菩薩、阿羅漢上，邊傍前後徊繞周匝，自在意所欲得，則輒皆至。當爾之時，快樂不可言也。

「諸菩薩意，各欲得四十里華，則自然四十里華在前；諸菩薩皆於虛空中共持華，則散諸佛及諸菩薩、阿羅漢上，華皆在虛空中下向，華甚香好；華適小萎便自墮地，則自然亂風吹，萎華悉自然去。諸菩薩意，各復欲得八十里華，則自然八十里華在前；諸菩薩皆復於虛空中，共持華散諸菩薩、阿羅漢上，華皆復在虛空中下向；華小萎便自墮地，則自然亂風吹萎華去。諸菩薩意，各復欲得百六十里華，則自然百六十里華在前；諸菩薩皆復於虛空中，共持華則散諸佛及諸菩薩、阿羅漢上，華皆復於虛空中下向；華適小萎便自墮地，則自然亂風吹，華悉自然去。諸菩薩意，各復欲得三百二十里華，則自然三百二十里華在前；諸菩薩皆復於虛空，共持華則散諸佛及諸菩薩、阿羅漢上，華皆復在虛空中下向；華適小萎便自墮地，則自然亂風吹，華悉自然去。

「諸菩薩意，各復欲得六百四十里華，則自然六百四十里華在前；諸菩薩皆復於虛空中，共持華散諸佛及諸菩薩、阿羅漢上，華皆復在虛空中下向；華適小萎便自墮地，則自然亂風吹，華悉自然去。諸菩薩意，各復欲得千二百八十里華，則自然千二百八十里華在前；諸菩薩皆復於虛空中，共持華散諸佛及諸菩薩、阿羅漢上，華皆復在虛空中下向；華適小萎便自墮地，則自然亂風吹，華悉自然去。諸菩薩意，各復欲得二千五百六十里華，則自然二千五百六十里華在前；諸菩薩皆復於虛空中，共持華散諸佛及諸菩薩、阿羅漢上，華皆復在虛空中下向；華適小萎便自墮地，則自然亂風吹，華悉自然去。諸菩薩意，各復欲得五千一百二十里華，則自然五千一百二十里華在前；諸菩薩皆復於虛空中，共持華則散諸佛及諸菩薩、阿羅漢上，華皆復在虛空中下向；華適小萎便自墮地，則自然亂風吹，華悉自然去。

「諸菩薩意，各復欲得萬二百四十里華，則自然萬二百四十里華在前；諸菩薩皆復於虛空中，共持華散諸佛及諸菩薩、阿羅漢上，華皆復在虛空中下向；華適小萎便自墮地，則自然亂風吹，華則自然去。諸菩薩意，各復欲得二萬四百八十里華，則自然二萬四百八十里華在前；諸菩薩皆復於虛空中，持華散諸佛及諸菩薩、阿羅漢上，華皆復在虛空中下向；華適小萎便自墮地，自然亂風吹，華悉自然去。諸菩薩意各復欲得五萬里華，則自然五萬里華在前；諸菩薩皆復於虛空中，共持華散諸佛及諸菩薩、阿羅漢上，華皆在虛空中下向；華適小萎便自墮地，則自然亂風吹，華悉自然去。諸菩薩意，各復欲得十萬里華，則自然十萬里華在前；諸菩薩皆復於虛空中，共持華則散諸佛及諸菩薩、阿羅漢上，華皆在虛空中下向；華適小萎便自墮地，則自然亂風吹，華悉自然去。

「諸菩薩意，各復欲得二十萬里華，則自然二十萬里華在前；諸菩薩皆復於虛空中，共持華則散諸佛及諸菩薩、阿羅漢上，華皆在虛空中下向；華適小萎便自墮地，則自然亂風吹，華悉自然去。諸菩薩意，各復欲得四十萬里華，則自然四十萬里華在前；諸菩薩皆復於虛空中，共持華則散諸佛及諸菩薩、阿羅漢上，華皆在虛空中下向；華適小萎便自墮地，則自然亂風吹，華悉自然去。諸菩薩意，各復欲得八十萬里華，則自然八十萬里華在前；諸菩薩皆復於虛空中，共持華則散諸佛及諸菩薩、阿羅漢上，華皆在虛空中下向；華適小萎便自墮地，則自然亂風吹，華則自然去。諸菩薩意，各復欲得百六十萬里華，則自然百六十萬里華在前；諸菩薩皆復於虛空中，共持華則散諸佛及諸菩薩、阿羅漢上，華皆在虛空中下向；華適小萎便自墮地，則自然亂風吹，華悉自然去。

「諸菩薩意，各復欲得三百萬里華，則自然三百萬里華在前；諸菩薩皆復於虛空中，共持華則散諸佛及諸菩薩、阿羅漢上，華皆在虛空中下向；華適小萎便自墮地，則自然亂風吹，華悉自然去。諸菩薩意，各復欲得四百萬里華，則自然四百萬里華在前；諸菩薩心意，俱大歡喜踊躍，皆在虛空中，共持華則散諸佛及諸菩薩、阿羅漢上；華都自然合為一華，華正團圓周匝各適等，華轉倍前，極自軟好，轉勝於前華好；數百千色，色色異香，甚香不可言。諸菩薩皆大歡喜，俱於虛空中，大共作衆音自然伎樂，樂佛及諸菩薩、阿羅漢。當是之時，快樂不可言。

「諸菩薩皆悉却坐聽經，聽經竟則悉皆諷誦通利，重知經道，益明智慧。其諸華香，小萎便自墮地，則自然亂風吹華，悉皆自然去。則諸佛國中，從第一四天王上至三十六天上，諸菩薩、阿羅漢、天人，皆復於虛空中，大共作衆音伎樂。諸天人前來者，轉去避後來者；後來者轉復供養如前，更相開避；諸天人歡喜聽經，皆大共作音樂，當是之時，快樂無極。

「諸菩薩供養聽經訖竟，便皆起為諸佛作禮而去；則復飛到八方上下無央數諸佛所，則復供養聽經，皆各如前時悉遍。以後日未中時，諸菩薩則皆飛而去，則還其國。悉前為無量清淨佛作禮，皆却坐一面聽經，聽經竟皆大歡喜。」

佛言：「無量清淨佛及諸菩薩、阿羅漢欲食時，則自然七寶机、自然劫波育、自然罽氈以為座。無量清淨佛及諸菩薩、阿羅漢皆坐已，前悉有自然七寶鉢，中皆有自然百味飲食。飲食者，亦不類世間飲食之味也，亦復非天上飲食之味也。此百味飲食者，都為八方上下衆自然之飲食中精味，甚香美無有比，都自然化生耳。其飲食自在所欲得味甜酢，鉢自在所欲得。諸菩薩、阿羅漢中有欲得銀鉢者，中有欲得金鉢者，中有欲得水精鉢者，中有欲得琉璃鉢者，中有欲得珊瑚鉢者，中有欲得虎珀鉢者，中有欲得白玉鉢者，中有欲得車渠鉢者，中有欲得瑪瑙鉢者，中有欲得明月珠鉢者，中有欲得摩尼珠鉢者，中有欲得紫磨金鉢者，皆滿其中百味飲食；自恣若隨意則至，亦無所從來，亦無有供作者，自然化生耳。諸菩薩、阿羅漢皆食，食亦不多亦不少，悉自然平等。諸菩薩、阿羅漢食，亦不言美惡，亦不以美故喜。食已，諸飯、具鉢、机坐皆自然化去；欲食時，乃復化生耳。諸菩薩、阿羅漢皆心清潔，不慕飯食，但用作氣力耳；皆自然消散，靡盡化去。」

佛告阿難：「阿彌陀佛為諸菩薩、阿羅漢說法時，都悉大會講堂上。其國諸菩薩、阿羅漢及諸天、人民無央數，都不可復計，皆飛到無量清淨佛所。悉前為無量清淨佛作禮，却坐聽經。無量清淨佛便則為諸比丘僧，諸菩薩、阿羅漢、諸天人民，廣說道智大經。皆悉聞知經道，莫不歡喜踊躍，心開解者。即四方自然亂風起，吹國中七寶樹，七寶樹皆復作五音聲。亂風吹七寶華，華覆蓋其國，皆在虛空中下向；華甚香極自軟好，香遍國中；華皆自散無量清淨佛及諸菩薩、阿羅漢上，華墮地皆厚四寸；華適小萎，則自然亂風吹，萎華自然去。則四方俱復自然亂風起，吹七寶樹，七寶樹皆復自作五音聲。亂風吹七寶樹華，華復如前，皆自然散無量清淨佛及諸菩薩、阿羅漢上，華墮地復厚四寸；華小萎，則自然亂風吹，萎華悉自然去。亂風吹華，如是四反。則第一四天王諸天人、第二忉利天上諸天人、第三天上諸天人、第四天上諸天人、第五天上諸天人、第六天上諸天人、第七梵天上諸天人，上至第十六天上諸天人，上至三十六天上諸天人，皆持天上萬種自然之物，百種雜色華、百種雜香、百種雜繒綵、百種劫波育疊衣、萬種伎樂，轉倍好相勝，各持來下，為無量清淨佛作禮，則供養無量清淨佛及諸菩薩、阿羅漢。諸天人皆復大作伎樂，樂無量清淨佛及諸菩薩、阿羅漢。當是之時，快樂不可言。

「諸天人前來者，轉去避後來者；後來者轉復供養如前，更相開避。則東方無央數佛國，不可復計；如恒水邊流沙，一沙一佛其數如是；諸佛各遣諸菩薩無央數不可復計，皆飛到無量清淨佛所，則為無量清淨佛作禮，以頭面著佛足，悉却坐一面聽經；聽經竟，諸菩薩皆大歡喜，悉起為無量清淨佛作禮而去。則西方無央數諸佛國，復如恒水邊流沙，一沙一佛其數如是；諸佛各復遣諸菩薩無央數，都不可復計，皆飛到無量清淨佛所，則前為無量清淨佛作禮，以頭面著佛足，悉却坐一面聽經；聽經竟，諸菩薩皆大歡喜，起為無量清淨佛作禮而去。則北方無央數諸佛國，復如恒水邊流沙，一沙一佛其數如是；諸佛各復遣諸菩薩無央數，都不可復計，皆飛到無量清淨佛所，則前為無量清淨佛作禮，以頭面著佛足，悉却坐一面聽經；聽經竟，諸菩薩皆大歡喜，起為無量清淨佛作禮而去。南方無央數諸佛國，復如恒水邊流沙，一沙一佛其數如是；諸佛各復遣諸菩薩無央數，都不可復計，皆飛到無量清淨佛所，則前為無量清淨佛作禮而去。則復四角無央數諸佛國，各復如恒水邊流沙，一沙一佛其數各如是；諸佛各復遣諸菩薩無央數，都不可復計，皆飛到無量清淨佛所，前為無量清淨佛作禮已，頭面著佛足，悉却坐一面聽經；聽經竟，諸菩薩皆大歡喜，起為無量清淨佛作禮而去。」

佛言：「八方上下諸無央數佛，更遣諸菩薩，飛到無量清淨佛所，聽經供養，轉更相開避。如是則下面諸八方無央數佛國，一方者各復如恒水邊流沙，一沙一佛其數復如是；諸佛各遣諸菩薩無央數，都不可復計，皆飛到無量清淨佛所，前為阿彌陀佛作禮，以頭面著佛足，悉却坐聽經；聽經竟，諸菩薩皆大歡喜，起為無量清淨佛作禮而去。上方諸佛，更遣諸菩薩飛到無量清淨佛所，聽經供養相開避·，前來者則去避後來者，後來者供養亦復如是，終無休絕極時。

譬若如恒沙剎，東方佛國如是，各各遣諸菩薩，稽首禮無量覺。
西南北面皆爾，如是恒沙數土，是諸佛遣菩薩，稽首禮無量覺。
此十方菩薩飛，皆以衣祴諸華，天拘蠶種種具，往供養無量覺。
諸菩薩皆大集，稽首禮無際光，遶三匝叉手住，歎國尊無量覺。
皆持華散佛上，心清淨稱無量，於佛前住自說，願使我剎如此。
所散華止虛空，合成蓋百由旬，其柄妙嚴飾好，悉遍覆眾會上。
諸菩薩都往至，諸尊剎難得值，如是人聞佛名，快安隱得大利。
吾等類得是德，諸此剎獲所好，計本國若如夢，無數劫淨此土。
見菩薩遶世尊，威神猛壽無極，國覺眾甚清淨，無數劫難思議。
時無量世尊笑，三十六億那術，此數光從口出，遍炤諸無數剎，
則迴光還遶佛，三匝已從頂入，色霍然不復現，天亦人皆歡喜。

廬樓亘從坐起，正衣服稽首問，白佛言何緣笑？唯世尊說是意，
願授我本空莂，慈護成百福相，聞是諸音聲者，一切人踊躍喜。
梵之音及雷霆，八種音深重聲，佛授廬樓亘決，今吾說仁諦聽！
衆世界諸菩薩，到須阿提禮佛，聞歡喜廣奉行，疾得至*清淨處。
已到此嚴淨國，便速得神足俱，眼洞視耳徹聽，亦還得知宿命。
無量覺授其決：我前世有本願，一切人聞說法，皆疾來生我國，
吾所願皆具足，從衆國來生者，皆悉來到此間，一生得不退轉；
若菩薩更興願，欲使國如我剎，亦念度一切人，令各願達十方，
速疾超便可到，安樂國之世界，至無量光明土，供養於無數佛，
其奉事億萬佛，飛變化遍諸國，恭敬已歡喜去，便還於須摩提。
非有是功德人，不得聞是經名，唯有清淨戒者，乃逮聞此正法。
曾更見世尊雄，則得信於是事，謙恭敬聞奉行，便踊躍大歡喜。
惡驕慢弊懈怠，難以信於此法，宿世時見佛者，樂聽聞世尊教。

譬從生盲冥者，欲得行開導人，聲聞悉或大乘，何況於俗凡諸！
天中天相知意，聲聞不了佛行，辟支佛亦如是，獨正覺乃知此。
使一切悉作佛，其淨慧智本空，復過此億萬劫，計佛智無能及。
講議說無數劫，盡壽命猶不知，佛之慧無邊幅，如是行清淨致。
奉我教乃信是，唯此人能解了，佛所說皆能受，是則為第一證。
人之命希可得，佛在世甚難值，有信慧不可致，若聞見精進求。
聞是法而不忘，便見敬得大慶，則我之善親厚，以是故發道意。
設令滿世界火，過此中得聞法，會當作世尊將，度一切生老死。」

佛語阿難：「無量清淨佛為諸菩薩、阿羅漢說經竟，諸天人民中有未得須陀洹道者，則得須陀洹道；中有未得斯陀含道者，則得斯陀含道；中有未得阿那含道者，則得阿那含道；中有未得阿羅漢道者，則得阿羅漢道；中有未得阿惟越致菩薩者，則得阿惟越致菩薩。阿彌陀佛輒隨其本宿命求道時，心所喜願大小隨意，為說經輒授之，令其疾開解得道，皆悉明慧各自好喜；所願經道莫不喜樂誦習者，則各自諷誦經道通利，無厭無極也。諸菩薩、阿羅漢中有誦經者，其音如雷聲；中有說經者，如疾風暴雨。時諸菩薩、阿羅漢說經行道皆各如是，盡一劫竟，終無懈倦時也。皆悉智慧勇猛，身體皆輕，便終無有痛痒。極時行步坐起，皆悉才健勇猛，如師子中王，在深林中，當有所趣，向時無有敢當者。無量清淨佛國諸菩薩、阿羅漢，說經行道皆勇猛，無有疑難之意。則在心所作，為不豫計百千億萬倍，是猛師子中王也。如是猛師子中王百千億萬倍，尚復不如我第二弟子摩訶目揵連勇猛百千億萬倍也；無量清淨國諸菩薩、阿羅漢，皆勝我第二弟子摩訶目揵連也。」

佛言：「如摩訶目揵連勇猛，於諸佛國諸阿羅漢中最為無比。如摩訶目揵連，飛行進止，智慧勇猛，洞視徹聽，知八方上下去來現在之事，百千億萬倍都合為一智慧勇猛。當在無量清淨佛國諸阿羅漢中者，其德尚復不如無量清淨佛國，一阿羅漢智慧勇猛者千億萬倍也！」

是時，坐中有一菩薩，字阿逸菩薩。阿逸菩薩則起前長跪叉手，問佛言：「

阿彌陀佛國中，諸阿羅漢寧頗有般泥洹去者不？願欲聞之。」

佛告阿逸菩薩：「若欲知者，如是四天下星，若見之不？」

阿逸菩薩言：「唯然！皆見之。」

佛言：「而我第二弟子摩訶目揵連，飛行四天下，一日一夜遍數星，知有幾枚也。如是四天下星甚衆多，不可得計，尚為百千億萬倍是四天下星也。」

佛言：「如天下大海水，減去一渧水，寧能令海水為減不？」

阿逸菩薩言：「減大海水百千億萬斗石水，尚復不能令海減少也。」

佛言：「阿彌陀佛國諸阿羅漢中雖有般泥洹去者，如是大海減一小水耳，不能令諸在阿羅漢為減知少也。」

佛言：「減大海水一溪水，寧能減海水不？」

阿逸菩薩言：「減大海百千萬億溪水，尚復不能減海水，令知減少也。」

佛言：「阿彌陀佛國諸阿羅漢中有般泥*洹去者，如是大海減一溪水耳，不能減諸在阿羅漢，為減知少也。」

佛言：「而大海減一恒水，寧能減海水不？」

阿逸菩薩言：「減大海水百千萬億恒水，尚復不能減大海水，令減知少也。」

佛言：「阿彌陀佛國諸阿羅漢般泥*洹去者無央數，其在者、新得阿羅漢者，亦無央數，都不為增減也。」

佛言：「令天下諸水都流行入大海中，寧能令海水為增多不？」

阿逸菩薩言：「不能令海水增多也。所以者何？是大海為天下諸水衆善中王也，故能爾耳。」

佛言：「無量清淨佛國亦如是。悉令八方上下無央數佛國、無央數諸天人民、蜎飛蠕動之類，都往生無量清淨佛國者，其輩甚大衆多，不可復計。無量清淨佛國諸菩薩、阿羅漢、衆比丘僧，都如常一法不異為增多也。所以者何？無量清淨佛國為最快，八方上下無央數諸佛國中衆菩薩中王也；無量清淨佛國，為諸無央數佛國中之雄國也；無量清淨佛國，為諸無央數佛國中之珍寶也；無量清淨佛國，為諸無央數佛國中之極長久也；無量清淨佛國，為諸無央數佛國之衆傑也；

無量清淨佛國，為諸無央數佛國中之廣大也；無量清淨佛國，為諸無央數佛國中都自然之無為也；無量清淨佛國，為最快明好甚樂之無極也。無量清淨佛國獨勝者何？本為菩薩求道時，所願勇猛，精進不懈，累德所致，故乃爾耳。」

阿逸菩薩則大歡喜，長跪叉手言：「佛說無量清淨佛國諸阿羅漢般泥洹去者甚眾多，無央數國土快善之極，明好最姝無比，乃獨爾乎？」

佛言：「無量清淨佛國諸菩薩、阿羅漢所居七寶舍宅，中有在虛空中居者，中有在地居者；中有意欲令舍宅最高者，舍宅則高；中有意欲令舍宅最大者，舍宅則大；中有意欲令舍宅在虛空中者，舍宅則在虛空中，皆自然隨意在所作為。中有殊不能令其舍宅隨意所作為者。所以者何？中有能者，皆是前世宿命求道時，慈心精進，益作諸善，德重所能致也。中有不能致者，皆是前世宿命求道時，不慈心精進，作善少德小，悉各自然得之。所衣被服飲食，俱自然平等耳。是故不同，德有大小別，知勇猛令眾見耳。」

佛告阿逸菩薩：「若見是第六天上天王所居處不耶？」

阿逸菩薩言：「唯然！皆見之。」

佛言：「無量清淨佛國土，講堂舍宅倍復勝第六天王所居處百千億萬倍也。無量清淨佛國其諸菩薩、阿羅漢悉皆洞視徹聽，悉復見知八方上下去、來、現在之事，復知諸無央數天上天下人民及蜎飛蠕動之類；皆悉知心意所念善惡，口所欲言；皆知當何歲何劫中，得度脫得人道，當往生無量清淨佛國；知當作菩薩道、得阿羅漢道，皆豫知之。無量清淨佛國諸菩薩、阿羅漢，其項中光明，皆悉自有光明所照大小。

「其諸菩薩中有最尊兩菩薩，常在無量清淨佛左右座邊，坐侍政論。無量清淨佛常與是兩菩薩共對坐，議八方上下去、來、現在之事。無量清淨佛若欲使令是兩菩薩到八方上下無央數諸佛所，是兩菩薩便飛行，則到八方上下無央數諸佛所；隨心所欲至到何方佛所，是兩菩薩則俱飛行則到；飛行駃疾如佛，勇猛無比。其一菩薩名廅樓亘，其一菩薩名摩訶那，光明智慧最第一。其兩菩薩項中光明，各焰照他方千須彌山佛國常大明。其諸菩薩項中光明，各照千億萬里；諸阿羅漢項中光明，各照七丈。」

佛言：「其世間人民善男子、善女人，若有一急恐怖遭縣官事者，但自歸命是盧樓亘菩薩，無所不得解脫者也。」

佛說無量清淨平等覺經卷第二

佛說無量清淨平等覺經卷第三

後漢月氏國三藏支婁迦讖譯

佛告阿逸菩薩：「無量清淨佛項中光明極大明，其日月星辰皆在虛空中住止，亦不復迴轉運行，亦無有精光，其明皆蔽不復現。無量清淨佛光明照國中，及焰照他方佛國常大明，終無有當冥時也。其國中無有一日、二日也，無有十五日、一月也，無有五月、十月也，無有五歲、十歲也，無有百歲、千歲也，無有萬歲、億歲、億萬歲、十億萬歲也，無有百千億萬歲也，無有千億億萬歲也，無有一劫、十劫也，無有百劫、千劫也，無有萬劫、十萬劫也，無有千萬劫也，無有百千億萬劫也。」

佛言：「無量清淨佛光明，光明無極。無量清淨佛光明，卻後無數劫、無數劫，重復無數劫、無數劫，不可復計劫，劫無央數，終無有當冥時也。無量清淨國土及諸天，終無有壞敗時也。所以者何？無量清淨佛壽命極長，國土甚好，故能爾耳。」

佛言：「無量清淨佛尊壽，劫後無數劫常無央，無般泥洹時也。無量清淨佛於世間教授，意欲*過度八方上下諸無央數佛國諸天人民及蜎飛蠕動之類，皆欲使往生其國，悉令得泥洹之道。其諸有作菩薩者，皆欲令悉作佛，作已悉令轉。復教授八方上下諸天人民及蜎飛蠕動之類，皆復欲令悉得作佛，作佛時復教授無央數諸天人民、蠕動之類，皆令得泥洹道去。諸所可教授弟子者，展轉復相教授，轉相度脫，至令得須陀洹、斯陀含、阿那含、阿羅漢、辟支佛道，轉相度脫皆得泥洹之道悉如是。無量清淨佛常未欲般泥*洹日☆也。無量清淨佛所脫度展轉如是，復住無數劫、無數劫、不可復計劫，終無有般泥洹時也。八方上下無央數諸天人民、蜎飛蠕動之類，其生無量清淨佛國者，不可復勝數。諸作阿羅漢，得泥洹之道者，亦無央數，都不可復計也。無量清淨佛恩德，諸所布施，八方上下無窮無極，甚深大無量，快善不可言也。無量清淨佛智慧教授所出經道，布告八方上下諸無央數天上天下，甚多不原，其經卷數甚大衆，不可復計，都無極也。」

佛告阿逸菩薩：「若欲知無量清淨佛壽命無極時不也？」

阿逸菩薩言：「願皆欲聞知之。」

佛言：「明聽！悉令八方上下諸無央數佛國中，諸天人民、蜎飛蠕動之類皆使得人道，悉令作辟支佛、阿羅漢，共坐禪一心，都合其智慧，為一勇猛，共欲計知無量清淨佛壽命，知壽幾千億萬劫歲數，皆無有能計知極無量清淨佛壽者也。」

佛言：「復令他方面各千須彌山佛國中，諸天人民及蜎飛蠕動之類皆復得人道，悉令作辟支佛、阿羅漢，皆令坐禪一心，共合其智慧，都為一勇猛，共欲數無量清淨佛國中諸菩薩、阿羅漢，計千億萬人，皆無有能數者也。」

佛言：「無量清淨佛年壽甚長久浩浩，浩浩照明善，甚深無極無底，誰當能信知其者乎？獨佛自知耳！」

阿逸菩薩聞佛言，即大歡喜，長跪叉手言：「佛說無量清淨佛壽命甚長，威神大智慧光明，巍巍快善，乃獨如是乎？」

佛言：「無量清淨佛至其然後般泥洹者，其廅樓亘菩薩便當作佛，總領道智，典主教授。世間八方上下所過度諸天人民、蜎飛蠕動之類，皆令得佛泥洹之道，其善福德，當得復如大師無量清淨佛。住止無央數劫、無央數劫，不可復計劫、不可復計劫，准法大師爾乃般泥曰。其次摩訶那鉢菩薩當復作佛，典主智慧，都總教授；所過度福德，當復如大師無量清淨佛。止住無央數劫，常復不般泥洹，展轉相承，受經道甚明，國土極善。其法如是，終無有斷絕，不可極也。」

阿難長跪叉手問佛言：「佛說無量清淨佛國中無有須彌山者，其第一四天王、第二忉利天皆依因何等住止乎？願欲聞之。」

佛告阿難：「若有疑意於佛所耶？八方上下無窮無極、無有邊幅，其諸天下大海水，一人升量之，尚可枯盡得其底；佛智亦如是，八方上下無窮無極、無有邊幅。」

佛言：「我智慧所知見，諸已過去佛如我名字釋迦文佛者，復如恒水邊流沙，一沙一佛。甫始諸來欲求作佛者，如我名字釋迦文佛者，復如恒水邊流沙，一沙一佛。佛正坐直南向，視見南方今現在佛，如我名字釋迦文佛者，復如恒水邊流沙，一沙一佛。八方上下去、來、現在諸佛，如我名字釋迦文佛者，各如十恒水邊流沙，一沙一佛，其數如是。佛皆悉豫見知之。」

佛言：「往昔過去無央數劫已來，一劫、十劫、百劫、千劫、萬劫、億劫、萬億劫、億萬劫，劫中有佛，諸已過去佛，一佛、十佛、百佛、千佛、萬佛、億佛、億萬佛，中有佛，佛各各自有名字，名字不相同類，無有如我名字者。甫始當來劫諸當來佛，一劫、十劫、百劫、千劫、萬劫、億劫、萬億劫、億萬劫，劫中有一佛、十佛、百佛、千佛、萬佛、萬億佛、億萬佛，中有佛，佛各自有名字，名字各異不同，諸佛名字，時乃有一佛，如我名字釋迦文佛耳。諸八方上下無央數佛國，今現在佛，次他方異佛國，一佛國、十佛國、百佛國、千佛國、萬佛國、億佛國、萬億佛國、億萬佛國，佛國中有佛，各各自有名字，名字各異多多，復不可同，無有如我名字者。八方上下無央數諸佛中，時時乃有如我名字釋迦文佛耳。八方上下去、來、現在，其中間曠絕甚遠悠悠，無窮無極。佛智亘然甚明，採古知今，前知無窮，卻覩未然，豫知無極，都不可復計；甚無央數佛，威神尊明，皆悉知之。佛智慧、道德合明，都無有能問佛經道窮極者。佛智慧終不可斗量盡也。」

阿難聞佛言，則大恐怖，衣毛皆起。阿難白佛言：「我不敢有疑意於佛所也。所以問佛者，他方佛國皆有須彌山，其第一四王天、第二忉利天，皆依因之住止。我恐佛般泥曰後，儻有諸天、人民，若比丘僧、比丘尼、優婆塞、優婆夷，來問我：『無量清淨佛國何以獨無須彌山？其第一四王天、第二忉利天皆依因何等住止乎？』我等應答之。今我不問佛者，佛去後，我當持何等語答報之乎？獨佛自知之耳，其餘人無有能為解之者，以是故問佛耳！」

佛言：「阿難！若言是也。第三焰天、第四兜率天，上至第七梵天，皆依因何等住止乎？」

阿難言：「是諸天皆自然在虛空中住止，無所依因也。」

佛言：「無量清淨佛國無有須彌山者亦如是。第一四王天、第二忉利天，皆自然在虛空中住止，無所依因也。」

佛言：「佛威神甚重，自在所欲作為，意欲有所作，不豫計也。是諸天皆常自然在虛空中住止，何況佛威神尊重，自在所欲作為乎！」

阿難聞佛言，則大歡喜，長跪叉手言：「佛智慧知八方上下去、來、現在之事，無窮無極、無有邊幅，甚高大妙絕，快善極明，好甚無比，威神尊重不可當也。」

佛告阿逸菩薩：「其世間人民，若善男子、善女人，欲願往生無量清淨佛國者，有三輩，作功德有大小，轉不能相及。」

佛言：「何等為三輩？其最上第一輩者，當去家、捨妻子、斷愛欲、行作沙門，就無為道；當作菩薩道，奉行六波羅蜜經者。作沙門，不當虧失經戒；慈心精進，不當瞋怒；不當與女人交通，齋戒清淨，心無所貪慕。至精願欲生無量清淨佛國，當念至心不斷絕者，其人便今世求道時，則自於其臥睡中，夢見無量清淨佛及諸菩薩、阿羅漢。其人壽命欲終時，無量清淨佛則自與諸菩薩、阿羅漢共翻飛行迎之，則往生無量清淨佛國，便於七寶水池蓮華中化生，則自然受身長大。則作阿惟越致菩薩，便則與諸菩薩共*翻輩飛行，供養八方上下諸無央數佛；則智慧勇猛，樂聽經道，其心歡樂。所居七寶舍宅在虛空中，恣隨其意在所欲作為，去無量清淨佛近。」

佛言：「諸欲往生無量清淨佛國者，精進持經戒，奉行如是上法者，往生無量清淨佛國者，可得為衆所尊敬。是為上第一輩。」

佛言：「其中輩者，其人願欲往生無量清淨佛國，雖不能去家、捨妻子、斷愛欲、行作沙門者，當持經戒，無得虧失。益作分檀布施，常信受佛語深，當作至誠忠信，飯食沙門，而作佛寺、起塔，燒香、散華、然燈，懸雜繒綵。如是法者，無所適貪，不當瞋怒，齋戒清淨，慈心精進，斷欲念。欲往生無量清淨佛國，一日一夜不斷絕者，其人於今世，亦復於臥睡夢中，見無量清淨佛。其人壽欲盡時，無量清淨佛則化，令其人自見無量清淨佛及國土，往生無量清淨佛國者，可得智慧勇猛。」

佛言：「其人奉行施與如是者，若其然後中復悔，心中狐疑，不信分檀布施作諸善後世得其福，不信有無量清淨佛國，不信往生其國中；雖爾其人續念不絕，暫信、暫不信，意志猶豫，無所專據，續結其善願，名本續得往生。其人壽命病欲終時，無量清淨佛則自化作形像，令其人目自見之；口不能復言，便心中歡喜踊躍，意念言：『我悔不知益齋作善，今當生無量清淨佛國。』其人則心中悔過，悔過者過差少，無所須及。其人壽命終盡，則生無量清淨佛國，不能得前至無量清淨佛所，便道見無量清淨佛國界邊自然七寶城，心中便大歡喜。道止其城中，則於七寶水池蓮華中化生，則受身自然長大，在城中於是間五百歲。其城廣縱各二千里，城中亦有七寶舍宅，舍宅中自然內外皆有七寶浴池，浴池中亦有自然華繞，浴池上亦有七寶樹重行，皆復作五音聲。其飲食時，前亦有自然食，具百味食，在所欲得。其人於城中快樂，其城中比如第二忉利天上自然之物。

「其人於城中不能得出，復不能得見無量清淨佛，但見其光明，心中自悔責，踊躍喜耳。亦復不能得聞經，亦復不能得見諸比丘僧，亦復不能得見知無量清淨佛國中諸菩薩、阿羅漢狀貌何等類，其人若如是比而小適耳。佛亦不使爾身諸所作自然得之，皆心自趣向道，入其城中。其人本宿命求道時，心口各異，言念無誠，狐疑佛經，復不信向之，當自然入惡道中；無量清淨佛哀愍，威神引之去耳。

「其人於城中，五百歲乃得出，往至無量清淨佛所聞經，心不開解，亦復不得在諸菩薩、阿羅漢、比丘僧中聽經。以去所居處舍宅在地，不能令舍宅隨意高大在虛空中。復去無量清淨佛甚大遠，不能得近附無量清淨佛。其人智慧不明，知經復少，心不歡樂，意不開解。其人久久亦自當智慧開解知經，明健勇猛，心當歡樂，次當復如上第一輩。所以者何？其人但坐其前世宿命求道時，不大持齋戒，虧失經法，心意狐疑，不信佛語，不信佛經深，不信分檀布施作善後世當得其福，復坐中悔，不信往生無量清淨佛國，作德不至心；用是故，為第二中輩。」

佛言：「其三輩者，其人願欲生無量清淨佛國，若無所用分檀布施，亦不能燒香、散華、然燈，懸繒綵，作佛寺、起塔，飲食沙門者，當斷愛欲無所貪慕，慈心精進，不當瞋怒，齋戒清淨。如是清淨者，當一心念欲生無量清淨佛國，晝夜十日不斷絕者，壽終則往生無量清淨佛國，可復尊極智慧勇猛。」

佛言：「其人作是已後，若復中作悔心，意用狐疑，不信作善後世當得其福，不信往生無量清淨佛國，其人雖爾續得往生，其人壽命病欲終時，無量清淨佛則令其人於臥睡夢中，見無量清淨佛國土。其人心中歡喜，意自念言：『我悔不知益作善，今當生無量清淨佛國。』其人但心念是，口不能復言，則自悔過，悔過者過差減少，悔者無所復及。其人命終，則生無量清淨佛國，不能得前至，便道見二千里七寶城，心中獨歡喜，便止其中。復於七寶水池蓮華中化生，則自然長大。其城亦復如前城法，比第二忉利天上自然之物。其人亦復於城中五百歲，五百歲竟乃得出，生無量清淨佛所，心中大歡喜。其人聽聞經，心不開解，意不歡喜，智慧不明，知經復少。所居舍宅在地，不能令舍宅隨意高大在虛空中。復去無量清淨佛，亦復如是第二輩狐疑者。其人久久亦當智慧開解，知經勇猛，心當歡樂，次如上第一輩也。所以者何？皆坐前世宿命求道時，中悔狐疑，暫信、暫不信，不信作善後得其福德，皆自然得之耳，隨其功德有鉉不鉉，各自然趣向，說經行道，卓德萬殊，超不相及。」

佛言：「其欲求作菩薩道，生無量清淨佛國者，其然後皆當得阿惟越致菩薩。阿惟越致菩薩者，皆當有三十二相紫磨金色、八十種好，皆當作佛；隨心所願，在欲於何方佛國作佛，終不更泥犁、禽獸、薜荔。隨其精進求道，早晚之事同等耳。求道不休會當得之，不失其所欲願也。」

佛告阿逸菩薩等諸天帝王人民：「我皆語若曹，諸欲生無量清淨佛國，雖不能大精進、禪、持經戒者，大要當作善：一者、不得殺生，二者、不得盜竊，三者、不得婬泆，犯愛他人婦女，四者、不得調欺，五者、不得飲酒，六者、不得兩舌，七者、不得惡口，八者、不得妄言，九者、不得嫉妬，十者、不得貪欲。不得心有所慳惜，不得瞋怒，不得愚癡，不得隨心嗜欲，不得心中中悔，不得狐疑；當作孝順，當作至誠忠信，當作受佛經語深，當信作善後世得其福。奉持如是其法不虧失者，在心所願，可得往生無量清淨佛國。至要當齋戒一心清淨，晝夜常念欲往生無量清淨佛國，十日十夜不斷絕，我皆慈愍之，悉令生無量清淨佛國。」

佛言：「世間人欲以慕及賢明、居家修善為道者，與妻子共居，在恩好愛欲之中，憂念若多家事忽務，不暇大齋戒一心清淨；雖不能得離家，有空閑時，自端正心，意念諸善，專精行道，十日十夜。殊使不能，爾自思惟熟計，欲度脫身者，下當絕念去憂，勿念家事，莫與女人同床；自端正身心，斷愛欲，一心齋戒清淨，至意念生無量清淨佛國，一日一夜不斷絕者，壽終皆得往生其國，在七寶浴池蓮華中化生，可得智慧勇猛，所居七寶舍宅，自在其意所欲作為，可次如上第一輩。」

佛語阿逸菩薩言：「諸八方上下無央數諸天人民、比丘僧、比丘尼、優婆塞、優婆夷，其往生無量清淨佛國衆等大會，皆共於七寶浴池中，都共人人悉自於一大蓮華上坐，皆自陳道德善。人人各自說其前世宿命求道時，持經戒所作善法，所從來生本末，其所好喜經道，知經智慧，所施行功德，從上次下轉皆遍。以知經有明不明，有深淺大小；德有優劣厚薄，自然之道別知。才能智慧猛健，衆相觀照，禮義和順，皆自歡喜踊躍。智慧有勇猛，各不相屬逮。」

佛言：「其人殊不豫益作德，為善輕虧，不信之然，徒倚懈怠，為用可爾。至時都集說經行道，自然迫促，應答遲晚。道智卓殊超絕，才妙高猛，獨於邊羸，臨事乃悔。悔者已出，其後當復何益？但心中悷惋，慕及等耳。」

佛言：「無量清淨佛國諸菩薩、阿羅漢衆等，大道聚會自都集。拘心制意，端身正行，遊戲洞達，俱相隨飛行，*翻輩出入，供養無極。歡心喜樂，樂共觀經行道，和好文習，才猛智慧，志若虛空，精進求願，心終不復中迴，意終不復轉，終無有懈極時。雖求道外若遲緩，內獨駃急疾。容容虛空中，適得其中，中表相應，自然嚴整。撿歛端直，身心淨潔，無有愛欲，有所適貪，無有衆惡瑕穢。其志願皆安定殊好，無增缺減。求道和正，不誤傾邪，准望道法，隨經約令，不敢違失蹉跌。若於繩墨遊於八方上下，無有邊幅，自在所欲至到無窮無極。咸然為道，恢廓慕及曠蕩，念道無他之念。無有憂思，自然無為，虛無空立，淡安無欲。作德善願，盡心求索，含哀慈愍，精進中表，禮義都合，通洞無違，和順副稱，苞羅表裏。過度解脫，敢昇入於泥洹，長與道德合明。

「自然相保守，快意之滋滋真，真了潔白。志願高無上，清淨定安，靜樂之無有極，善好無有比。巍巍之燿照照，一旦開達明徹，自然中自然相，自然之有根本，自然成五光至九色，五光至九色參迴轉，數百千更變，最勝之自然。自然成七寶，橫攬成萬物，光精參明俱出，好甚姝無有極。其國土甚姝好若此，何不力為善？念道之自然，著於無上下，洞達無邊幅，捐志虛空中，何不各精進？努力自求索，可得超絕去。往生無量清淨阿彌陀佛國，橫截於五道，惡道自閉塞，昇道之無極，易往無有人，其國土不逆違，自然之隨牽。何不棄世事，行求道德？可得極長生，壽樂無有極。何為用世事？饒共憂無有常。

「世人薄俗，共爭不急之事，共於是處劇惡極苦之中，勤身治生，用相給活。無尊無卑、無富無貧、無老無少、無男無女，皆當共憂錢財，有無同然，憂思適等。屏營愁苦，累念思慮，為之走使，無有安時。有田憂田，有宅憂宅，有牛憂牛，有馬憂馬，有六畜憂六畜，有奴婢憂奴婢，衣被、錢財、金銀寶物，復共憂之。重思累息，憂念懷愁，恐橫為非常水火、盜賊、怨家、債主所漂，燒繫唐突沒溺，憂毒忪忪無有解時。結憤心中，惱氣毒怒，病在胸腹，憂苦心離，心堅意固，適無縱捨，或坐摧藏終亡身命，棄捐之去莫誰隨者？

「尊貴豪富，有此憂懼，勤苦若此，結衆寒熱與痛共居。小家貧者，窮困乏無；無田亦憂，欲有田；無宅亦憂，欲有宅；無牛亦憂，欲有牛；無馬亦憂，欲有馬；無六畜亦憂，欲有六畜；無奴婢亦憂，欲有奴婢；無衣被、錢財、什物、飯食之屬，亦憂欲有之。適有一少一，有是少是，思有齊等，適小具有，便復傷盡。如是苦生，當復求索，思想無益，不能時得。身心俱勞，坐起不安，憂念相隨，勤苦若此。焦心不離恚恨獨怒，亦結衆寒熱與痛共居，或時坐之，終身夭命，亦不肯作善為道。壽命盡死，皆當獨遠去，有所趣向善惡之道，莫能知者。

「或時世人、父子、兄弟、夫婦、家室、中外親屬，居天地之間，當相敬愛，不當相憎；有無當相給與，不當有貪；言色當和，莫相違戾。或儻心爭有所恚怒，今世恨意微相嫉憎，後世轉劇至成大怨。所以者何？今世之事，更欲相患害，雖不臨時，應急相破。殺之愁毒結憤精神，自然剋識不得相離，皆當對相生，值更相報復。人在世間愛欲之中，獨來獨去死生，當行至趣苦樂之處，身自當之，無有代者。善惡變化，殃咎異處，宿豫嚴待，當獨昇入，遠到他處，莫能見者，去在何所，善惡自然追逐往生。窈窈冥冥別離久長，道路不同，會見無期，甚難甚難復得相值。

「何不棄衆事，各勸強健時，努力①為善？力精進來度世，可得極長壽。殊不肯求於道，復欲何須待欲何樂乎？如是世人，不信作善得善，不信為道得道，不信死後世復生，不信施與得其福德，都不信之；亦以謂之不然，言無有是。但坐是故，且自見之，更相看視，前後轉相，承受父餘教令。先人祖父素不作善，本不為道，身愚神闇，心塞意閉，不見天道。殊無有能見人生死，有所趣向亦莫能知者，適無有見善惡之道，復無有語者，為用作善惡福德，殃咎禍罰，各自競作為之用，殊無有怪也。

「至於生死之道轉相續，顛倒上下，無常根本，皆當過去不可常得。教語開導，信道者少，皆當生死，無有休止。如是曹人，朦冥抵突，不信經語，各欲快意。心不計慮，愚癡於愛欲，不解於道德，迷惑於瞋怒，貪猥於財色，坐之不得道，當更勤苦極，在於惡處生，終不得止休息，痛之甚可傷！

「或時家室中外、父子、兄弟、夫婦，至於生死之義，更相哭淚，轉相思慕，憂念憤結，恩愛繞續，心意痛著，對相顧思，晝夜無有解時。教示道德，心不開明，恩愛情欲不離，閉塞蒙蒙，交錯覆蔽，不得思計；心自端正，決斷世事，專精行道，便旋至竟。年壽命盡不能得道，無可奈何。總猥憒譊，皆貪愛欲。如是之法，不解道者多，得道者少。

「世間忽忽，無可聊賴，尊卑上下，豪貴貧富，男女大小，各自忽務，勤苦躬身，各懷殺毒。惡氣窈冥，莫不惆悵，為妄作事，惡逆天地，不從仁心。道德非惡，先隨與之，恣聽所為，其壽未至，便頓奪之，下入惡道，累世勤苦，展轉愁毒，數千萬億歲無有出期。痛不可言，甚可憐愍！」

佛告阿逸菩薩等諸天、帝王、人民：「我皆語若曹，世間之事，人用是故，坐不得道。若曹熟思惟之，惡者當縱捨遠離之，從其善者當堅持之，勿妄為非，益作諸善。大小多少愛欲之榮，皆不可常得，猶當別離無可樂者。勤佛世時，其有信*受佛經*語深，奉行道德，皆是我小弟也；其有甫欲學佛經戒者，皆是我弟子也；其有欲出身，去家捨妻子，絕去財色，欲來作沙門，為佛作比丘者，皆是我子孫。我世甚難得值，其有願欲生無量清淨佛國者，可得智慧勇猛，為眾所尊敬；勿得隨心所欲，虧負經戒在人後。儻有疑意不解經者，復前問佛，佛當為若解之。」

阿逸菩薩長跪叉手言：「佛威神尊重，所說經快善。我曹聽佛經語，皆心貫思之，世人實爾，如佛所語無有異。今佛慈哀我曹，開*示天道，教語生路，耳目聰明，長得度脫，若得更生。我曹聽佛經語，莫不慈心歡喜踊躍開解者；我曹及諸天、帝王、人民、蜎飛蠕動之類，皆蒙佛恩，無不得解脫憂苦者。佛諸教戒甚深，無極無底。佛智慧所見知，八方上下去、來、現在之事，無上無邊幅。佛甚難得值，經道甚難得聞，我曹皆慈心於佛所。今我曹得度脫者，皆是佛前世求道時，慊苦學問，精進所致。恩德普覆，所施行福德，相祿巍巍，光明徹照，洞虛無極，開入泥洹。教授經典，制威消化，愍動八方上下無窮無極。佛為師法，尊絕群聖，都無能及佛者。佛為八方上下諸天、帝王、人民作師，隨其心所欲願，大小皆令得道。今我曹得與佛相見，得聞無量清淨佛聲，我曹甚喜，莫不得黠慧開明者。」

佛告阿逸菩薩：「若言是實當爾。若有慈心於佛所者，大喜實當念佛。天下久久，乃復有佛耳。今我於苦世作佛，所出經道，教授洞達，截斷狐疑；端心正行，拔諸愛欲，絕衆惡根本。遊步無拘，典總智慧，衆道表裏，攬持維綱，昭然分明，開示五道，決正生死泥洹之道。」

佛言：「若曹從無數劫以來不可復計劫，若曹作菩薩道，欲過度諸天人民及蜎飛蠕動之類，以來甚久遠。人從若得道度者無央數，至得泥洹之道者亦無央數。若曹及八方上下諸天、帝王、人民，若比丘、比丘尼、優婆塞、優婆夷，若曹宿命從無數劫以來，展轉是五道中，死生呼嗟，更相哭淚，轉相貪慕，憂思愁毒，痛苦不可言，至今世死生不絕。乃至今日與佛相見共會，值是乃聞無量清淨佛聲。甚快！善哉！助汝曹喜。

「亦可自厭死生痛痒，生時甚痛甚苦甚極，至年長大亦苦亦極，死時亦痛亦苦亦極；甚惡臭處，不淨潔了，無有可者，佛故悉語。若曹亦可自決斷臭處惡露，若曹亦可端心正身，益作諸善。於是常端中外，潔淨身體，洗除心垢，自相約撿，表裏相應，言行忠信。人能自度脫，轉相扶接，拔諸愛欲，精明至心，求願不轉，結其善道根本，雖精進苦，一世須臾間耳。

「今世為善，後世生無量清淨佛國，快樂甚無極；長與道合明，然善極相保守，長去離惡道痛痒之憂惱，拔勤苦諸惡根本，斷諸愛欲恩好。長生無量清淨佛國，亦無有諸痛痒，亦無復有諸惡臭處，亦無復有勤苦，亦無淫泆、瞋怒、愚癡，亦無有憂思愁毒。生於無量清淨佛國，欲壽一劫、十劫、百劫、千劫、萬億劫，自恣若意，欲住止壽無央數劫、不可復計數劫，恣汝隨意皆可得之：，欲食不食，恣若其意，都悉自然皆可得之，次於泥洹之道。皆各自精明求索，心所欲願，勿得狐疑心中悔。欲往生者，無得坐其過失，在無量清淨佛國界邊，自然七寶城中，適五百歲。」

阿逸菩薩言：「受佛嚴明重教，皆當精進一心求索，請奉行之不敢疑怠！」

佛說無量清淨平等覺經卷第三

佛說無量清淨平等覺經卷第四

後漢月氏國三藏支婁迦讖譯

佛告阿逸菩薩等：「若曹於是世，能自制心正意，身不作惡者，是為大德善，都為八方上下最無有比。所以者何？八方上下無央數佛國中諸天人民皆自然作善，不大為惡，易教化。今我於是世間為佛，於五惡、五痛、五燒之中作佛，為最劇。教語人民，令絕五惡，令去五痛，令去五燒，降化其心，令持五善，得其福德，度世、長壽、泥洹之道。」

佛言：「何等為五惡？何等為五痛？何等為五燒中者？何等為消化五惡，令持五善者？何等為持五善，得其福德，長壽、度世、泥洹之道？」

佛言：「其一惡者：諸天、人民下至禽獸、蜎飛蠕動之類，欲為衆惡。強者伏弱，轉相剋賊，自相殺傷，更相食噉，不知為善，惡逆不道。受其殃罰，道之自然，當往趣向，神明記識。犯之不貰，轉相承續，故有*貧窮、下賤、乞丐、孤獨人，有聾盲、瘖瘂、愚癡、弊惡，下有尫狂不及逮之屬。其有尊貴豪富、高才明達、智慧勇猛，皆其前世宿命，為善慈孝，布恩施德。故有官事、王法、牢獄，不肯畏慎，作惡入法，受其過謫，重罰致劇，求望解脫，難得度出。

「今世有是目前現在，壽終尤劇，入其窈冥，受身更生，譬若王法劇苦極刑；故有自然泥犁、禽獸、薜荔、蜎飛蠕動之類屬，⊙轉貿身形，改惡易道，壽命短長，魂神命精，自然入趣，受形寄胎，當獨值向，相從共生，轉相報償，當相還復。殃惡謫罰，衆事未盡，終不得離；展轉其中，世世累劫，無有出期，難得解脫，痛不可言。天地之間自然有是，雖不臨時卒暴至，應時恒取自然之道，皆當善惡歸之。是為一大惡、為一痛、為一燒，勤苦如是。愁毒呼嗟，比如劇火起燒人身，人能自於其中，一心制意，端身正行，獨作諸善，不為衆惡者，身獨度脫，得其福德，可得長壽、度世、上天、泥洹之道，是為一大善。」

佛言：「其二惡者：世間帝王、長吏、人民、父子、兄弟、室家、夫婦，略無義理，不從政令；轉淫奢驕慢，各欲快意，恣心自在；更相欺調，殊不懼死。心口各異，言念無實，佞諂不忠，諛媚巧辭，行不端正，更相嫉憎，轉相讒惡，陷入惡枉。主上不明，心不察照，任用臣下，臣下存在，淺度能行，知其形勢，在位不正，為其所調，妄捐忠良，不當天心，甚違道理。臣欺其君，子欺其父，弟欺其兄，婦欺其夫。室家中外知識相*殆，各懷貪婬，心獨恚怒，蒙聾愚癡欲益。*無有尊卑上下，無男無女，無大無小。心俱同然，欲自厚己，破家亡身，不顧念前後，家室親屬，坐之破族。或時家中內外，知識朋友鄉黨市里愚民，轉共從事，更相利害，爭錢財鬪，忿怒成仇，轉爭勝負。慳富焦心，不肯施與，專專守惜，愛寶貪重，坐之思念，心勞身苦，如是至竟。無所恃怙，獨來獨去，無一隨者，善惡禍福，殃咎讁罰，追命所生，或在樂處，或入毒苦，然後乃悔，當復何及？

「或時世人，愚心少智，見善誹謗恚之，不肯慕及。但欲為惡，妄作非法。

但欲盜竊，常懷毒心，欲得他人財物，用自供給，消散摩盡，賜復求索。邪心不正，常獨恐怖，畏人有色。臨時不計，事至乃悔。今世現在，長吏牢獄，自然趣向，受其殃咎。世間貧窮、乞丐、孤獨，但坐前世宿命，不信道德，不肯為善；今世為惡，天神別籍，壽終入惡道；故有自然泥犁、禽獸、薜荔、蜎飛蠕動之類，展轉其中，世世累劫，無有出期，難得解脫，痛不可言。是為二大惡、二痛、二燒，勤苦如是。比如火起燒人身，人能自於其中，一心制意，端身正行，獨作眾善，不為眾惡者，身獨度脫，得其福德，可得長壽、度世、上天、泥洹之道，是為二大善。」

佛言：「其三惡者：世間人民寄生相因，共依居天地之間，處年壽命，無能幾歲。至有豪貴者、賢明善人，下有貧賤、尪羸、愚者，中有不良之人。但懷念毒惡，身心不正，常念婬泆，煩滿胸中。愛欲交錯，坐起不安，貪意慳惜，但欲唐得。眄睞細色，惡態婬泆，有婦厭憎，私妄出入。持家所有，相結為非，聚會飲食，自共作惡。興兵作賊，攻城格鬪。劫殺截斷，強奪不道，取人財物，偷竊趣得，不肯治生。所當求者，不肯為之，惡心在外，不能專作。欲擊成事，恐勢迫脅，持歸給家，共相生活，恣心快意，極身作樂。行亂他人婦女，或於其親屬，不避尊卑長老，衆共憎惡；家室中外，患而苦之。亦復不畏縣官法令，無所避錄。

「如是之惡，自然牢獄，日月照識，神明記取，諸神攝錄；故有自然泥犁、禽獸、薜荔、蜎飛蠕動之類，展轉其中，世世累劫，無有出期，難得度脫，痛不可言。是為三大惡、三痛、三燒，勤苦如是。比若火起燒人身，人能自於其中，一心制意，端身正行，獨作衆善，不為衆惡者，身獨度脫，得其福德，可得長壽、度世、上天、泥洹之道，是為三大善。」

佛言：「其四惡者：諸惡人不能作善，自相壞敗，轉相教令，共作衆惡。主為傳言，但欲兩舌、惡口、罵詈、妄語，相嫉更相鬪亂。憎嫉善人，敗壞賢善，於傍快惡。復不孝順供養父母，輕易師父知識。無信難得誠實，自言尊貴有道。橫行威武，加捲力勢。侵剋易人，不能自知，為惡無自羞慚。自用頗健，令人承事敬畏，復不敬畏天地、神明、日月，亦不可教令作善，不可降化。自用偃蹇，謂常當爾。亦復無憂哀心，亦不知恐懼，恣意憍慢如是。天神記識，賴其前世宿命，頗作福德，小善扶接，營護助之。今世作惡，福德盡傷，諸善鬼神各去離之，身獨空立，無所復依。受重殃謫，壽命終身惡繞歸，自然迫促，當往追逐，不得止息；自然衆惡，共趣頓乏。

「其有名籍，在神明所，殃咎引牽，當值相得。當往趣向，受過謫罰；身心摧碎，神形苦極，不得離卻。但得前行，入於火鑊，當是時悔復何益？當復何及？天道自然，不得蹉跌，故有泥犁、禽獸、薜荔、蜎飛蠕動之屬，展轉其中，世世累劫，無有出期，難得解脫，痛不可言。是為四大惡、四痛、四燒，勤苦如是。比如火起燒人身，人能於其中，一心制意，端身正行，獨作衆善，不為衆惡者，身獨度脫，得其福德，可得長壽、度世、上天、泥洹之道，是為四大善。」

佛言：「其五惡者：世人徙倚懈惰，不肯作善，不念治生，妻子飢寒，父母俱然。欲呵教其子，其子惡心，瞋目應怒，言令不和，違戾反逆，劇於野人；比若怨家，不如無子。妄遍假貸，衆共患厭，尤無返復，無有報償之心。窮貧困乏，不能復得。辜較諧聲，放縱遊散，串數唐得，自用賑給，不畏防禁。飲食無極，喫酒嗜美，出入無有期度。魯扈抵突，不知人情，睢眄強制，見人有喜，憎嫉恚之，無義無禮，自用職當，不可諫曉，亦復不憂念父母、妻子有無，又復不念卒報父母之德，亦復不念師父之恩。心常念惡，口常言惡，日不成就。不信道德，不信有賢明先聖，不信作善為道可得度世，不信世間有佛。欲殺羅漢，鬪比丘僧，常欲殺人，欲殺父母、兄弟、妻子、宗親、朋友。父母、兄弟、妻子、宗親、朋友憎惡見之，欲使之死。不信佛經語，不信人壽命終盡死，後世復生，不信作善得善，不信作惡得惡。如是曹人男子、女人，心意俱然，違戾反逆，愚癡濛澒，瞋怒嗜欲。無所識知，自用快善為大智慧，亦不知所從來、生死所趣向。不肯慈孝，惡逆天地，於其中間求望僥倖，欲得長生，躬得不死，會當歸就生死勤苦、善惡之道。身所作惡，殃咎衆趣，不得度脫，亦不可降化令作善，慈心教語，開導生死，善惡所趣有是，復不信之，然苦心與語，欲令度脫，無益其人。心中閉塞，意不開解，大命將至，至時皆悔，其後乃悔，當復何及？不豫計善，臨窮何益？

「天地之間，五道分明，恢廓窈窕，浩浩茫茫，轉相承受，善惡毒痛身自當之，無有代者。道之自然，隨其所行，追命所生，不得縱捨。善人行善，從善慈孝，從樂入樂，從明入明。惡人行惡，從苦入苦，從冥入冥，誰能知者？獨佛知見耳！教語人民，信用者少。生死不休，惡道不絕。如是世人，不可悉道，故有自然泥犁、禽獸、薜荔、蜎飛蠕動之類，展轉其中，世世累劫，無有出期，難得解脫，痛不可言。是為五大惡、五痛、五燒，勤苦如是。比如火起燒人身，人能自於其中，一心制意，端身正行，言行相副，所作至誠，所語如語，心口不轉，獨作衆善，不為衆惡者，身獨度脫，得其福德，可得長壽、度世、上天、泥洹之道，是為五大善。」

佛告阿逸菩薩等：「我皆語若曹，是世五惡，勤苦如是，令起五痛，令起五燒，展轉相生。世間人民不肯為善，欲作衆惡，敢有犯此諸惡事者，皆悉自然當更具歷入惡道中，或其今世先被病殃，死生不得，示衆見之。壽終趣入至極大苦，愁痛酷毒，自相焦然，轉相燒滅，至其後共作怨家，更相傷殺。從小微起至大困劇，皆從貪淫財色，不肯忍辱施與，各欲自快，無復有曲直，欲得健名，為癡欲所迫，隨心思想，不能得也，結憤胸中，財色縛束，無有解脫，不知厭足，厚己諍欲，無所省錄，都無義理，不隨正道。富貴榮華，當時快意，不能忍辱，不知施善，威勢無幾，隨惡名焦，身坐勞苦，久後大劇自然隨逐，無有解已，王法施張，自然糺舉，上下相應，羅網綱紀，煢煢忪忪，當入其中，古今有是，痛哉可傷！」

佛語阿逸菩薩等：「若世有是佛皆慈愍哀之，威神摧動，衆惡諸事皆消化之，令得去惡就善，棄捐所思，奉持經戒，莫不承奉，施行經法，不敢違失，度世無為泥洹之道，快善極樂，甚明無極。」

佛言：「若曹諸天、帝王、人民及後世人，得佛經語熟思惟之，能自於其中端心正行，其主上為善率化，撿御其下，教語人民，轉相勑令，轉共為善，轉相度脫。各自端守，慈仁愍哀終身不殆，尊聖敬孝，通洞博愛。佛語教令，無敢虧負。當憂度世、泥洹之道，當憂斷截生死痛痒，拔惡根本，當憂斷絕泥犁、禽獸、薜荔、蜎飛蠕動之類惡苦之道，當勤佛世，堅持經道，無敢失也。」

佛言：「若曹當作善者，云何第一急？當自端身，當自端心，當自端目，當自端耳，當自端鼻，當自端口，當自端手，當自端足；能自撿斂，莫妄動作。身心淨潔，俱善相應，中外約束。勿隨嗜欲，不犯諸惡，言色常和，身行當專，行步坐起不動，作事所為，當先熟思慮計之，揆度才能，視瞻圓規，安定徐作為之。作事倉卒，不豫熟計，為之不諦，亡其功夫，敗悔在後，唐苦亡身。至誠忠信，得道絕去。」

佛言：「若曹於是益作諸善，布恩施德，能不*犯道禁，忍辱精進，一心智慧，展轉復相教化，作善為德，如是經法慈心專一，齋戒清淨一日一夜者，勝於無量清淨佛國作善百歲。所以者何？無量清淨佛國皆積德衆善，無為自然，在所求索，無有諸惡大如毛髮。」

佛言：「於是作善十日十夜者，其得福勝於他方佛國中人民作善千歲。所以者何？他方佛國皆悉作善，作善者多，為惡者少，皆有自然之物，不行求作便自得之。是間為惡者多，為善者少，不行求作不能得也。人能自端制作善，至心求道，故能爾耳。是間無有自然，不能自給，當行求索，勤苦治生；轉相欺怠，調作好惡，得其財物歸給妻子，飲苦食毒，勞心苦身，如是至竟，心意不專，周旋不安。人能自安靜為善，精進作德，故能爾耳。」

佛言：「我皆哀若曹及諸天、帝王、人民，皆教令作諸善，不為衆惡，隨其所能輒授與道。教戒開導悉奉行之，則君率化為善，教令臣下，父教其子，兄教其弟，夫教其婦，室家內外親屬、朋友，轉相教語，作善為道。奉經持戒各自端守，上下相撿，無尊無卑、無男無女，齋戒清淨，莫不歡喜。和順義理，歡樂慈孝，自相約撿。其有得佛經語，悉持思之不當所作，如犯為之則自悔過。去惡就善，棄邪為正，朝聞夕改。奉持經戒，劇如貧人得寶。佛所行處，所在郡國，輒授與經戒，諸天、日月星辰諸神、國王、傍臣、長吏、人民、諸龍、鬼神、泥犁、禽獸承奉行之，則君改化為善，齋戒精思，淨自湔洒，端心正行，居位嚴慓，教勒率衆為善，奉行道禁，令言令止。臣事其君，忠直受令，不敢違負。父子言令孝順承受，兄弟夫婦、宗親朋友上下相令順言和理，尊卑大小轉相敬事，以禮如義不相違負。莫不改往修來，洒心易行端正中表。自然作善所願輒得，感善降化自然之道，求欲不死則可得長壽，求欲度世則可得泥洹之道。」

佛言：「佛威神尊重，消惡化善，莫不度脫。今我出於天下，在是惡中，於苦世作佛，慈愍哀傷，教語開道，諸天、帝王、傍臣左右、長吏、人民隨其心所欲願樂，皆令得道。佛諸所行處，所更過歷郡國縣邑、丘聚市里莫不豐熟。天下太平，日月運照，倍益明好，風雨時節，人民安寧；強不凌弱，各得其所。無惡歲疾疫，無病瘦者，兵革不起，國無盜賊，無有怨抂，無有拘閉者，君臣、人民莫不歡喜。忠慈至誠各自端守，皆自然守國，雍和孝順，莫不歡樂。有無相與布恩施德，心歡樂與皆相敬愛。推財讓義，謙讓於先。前後以禮敬事，如父如子，如兄如弟，莫不仁賢，和順禮節，都無違諍，快善無極！」

佛言：「我哀子曹欲度脫之，劇父母念子。今八方上下諸天、帝王、人民及蜎飛蠕動之類，得佛經戒，奉行佛道，皆得明慧，心悉開解，莫不得度過度脫憂苦者。今我作佛，在於五惡、五痛、五燒之中，降化五惡，消盡五痛，絕滅五燒；以善攻惡，拔去毒苦，令得五善明好，燒惡不起。我般泥洹去後，經道稍稍斷絕，人民諛諂，淳為衆惡，不復作善，五燒復起，五痛劇苦，復如前法，自然還復，久後轉劇不可悉說，我但為若曹小道之耳！」

佛告阿逸菩薩等：「若曹各思持之，展轉相教戒，如佛經法無敢犯也。」

阿逸菩薩長跪叉手言：「佛所說甚苦痛。世人為惡甚劇如是如是，佛皆慈哀悉度脫之，皆言受佛重教，請展轉相承，不敢犯也。」

佛告阿難：「我哀若曹，令悉見無量清淨佛及諸菩薩、阿羅漢所居國土，若欲見之不？」

阿難則大喜，長跪叉手言：「願皆欲見之！」

佛言：「若起更被袈裟，西向拜當日沒處，為無量清淨佛作禮，以頭面著地言：『南無無量清淨平等覺。』」

阿難言：「諾！受教。」則起更被袈裟，西向拜當日所沒處，為無量清淨佛作禮，以頭腦著地言：「南無無量清淨平等覺。」

阿難未起，無量清淨佛便大放光明威神，則遍八方上下諸無央數佛國天地，則皆為大震動，諸天無央數天地須彌山羅寶、摩訶須彌大山羅寶，諸天地大界、小界，其中諸有大泥犁、小泥犁，諸山林、溪谷、幽冥之處，皆則大明，悉雨大開闢。則阿難、諸菩薩、阿羅漢等、諸天、帝王、人民悉皆見無量清淨佛，及諸菩薩、阿羅漢國土七寶已，心皆大歡喜踊躍，悉起為無量清淨佛作禮，以頭腦著地，皆言：「南無無量清淨三藐三佛陀。」

無量清淨佛放光明威神已，諸無央數天人民及蜎飛蠕動之類，皆悉見無量清淨佛光明，莫不慈心歡喜作善者。諸有泥犁、禽獸、薜荔，諸有考治勤苦之處，則皆休止不復治，莫不解脫憂苦者。諸有盲者，則皆得視；諸跛躄蹇者，則皆得走行；諸病者，則皆愈起；諸尫者，則皆強健；愚癡者，則皆更黠慧；諸有婬泆、瞋怒者，皆悉慈心作善；諸有被毒者，毒皆不行。鍾鼓、琴瑟、箜篌、樂器諸伎，不鼓皆自作音聲，婦女珠環皆自作聲，百鳥、畜獸皆自悲鳴。當是之時，莫不歡喜得過度者。則時爾日，諸佛國中諸天人莫不持天上華香來下，於虛空中悉皆供養，散諸佛及無量清淨佛上，諸天各共，大作萬種自然伎樂，樂諸佛及諸菩薩、阿羅漢，當是之時，甚快樂不可言！

佛告阿難、阿逸菩薩等：「我說無量清淨佛及諸菩薩、阿羅漢國土自然七寶，當無有異乎？」

阿難長跪叉手言：「佛說無量清淨佛國土快善，如佛所說無有一異！」

佛言：「我說無量清淨佛功德國土快善，晝夜一劫尚復未竟，我但為若曹小說之耳！」

阿逸菩薩則長跪叉手，問佛言：「今佛國從是間，當有幾阿惟越致菩薩，往生無量清淨佛國？願聞之。」

佛言：「若欲知者，明聽著心中。」

阿逸菩薩言：「受教！」

佛言：「從我國當有七百二十億阿惟越致菩薩，皆往生無量清淨佛國。一阿惟越致菩薩者，前後供養無央數諸佛，以次如彌勒皆當作佛。及其餘諸小菩薩輩者無央數，不可復計，皆當往生無量清淨佛國。」

佛告阿逸菩薩：「不但我國中諸菩薩當往生無量清淨佛國，他方異國復有佛亦復如是。第一佛名光遠炤，其國有百八十億菩薩，皆當往生無量清淨佛國。他方異國第二佛，佛名寶積，其國有九十億菩薩，皆當往生無量清淨佛國。他方異國第三佛名儒無垢，有二百二十億菩薩，皆當往生阿彌陀佛國。他方異國第四佛名無極光明，其國有二百五十億菩薩，皆當往生無量清淨佛國。他方異國第五佛名於世無上，其國有六百億菩薩，皆當往生無量清淨佛國。他方異國第六佛名勇光，其國有萬四千菩薩，皆當往生無量清淨佛國。他方異國第七佛名具足交絡，其國有十四億菩薩，皆當往生無量清淨佛國。他方異國第八佛名雄慧王，其國有八菩薩，皆當往生無量清淨佛國。他方異國第九佛名多力無過者，其國有八百一十億菩薩，皆當往生無量清淨佛國。他方異國第十佛名吉良，其國有萬億菩薩，皆當往生無量清淨佛國。他方異國第十一佛名慧辯，其國有萬二千菩薩，皆當往生無量清淨佛國。他方異國第十二佛名無上華，其國有諸菩薩無央數不可復計皆阿惟越致，皆智慧勇猛，各供養無央數諸佛，以一時俱心願欲往生，皆當生無量清淨佛國。他方異國第十三佛名樂大妙音，其國有七百九十億菩薩，皆當往生無量清淨佛國。」

佛言：「是諸菩薩皆阿惟越致，諸比丘僧中及小菩薩輩無央數，皆當往生無量清淨佛國。不獨是十四佛國中諸菩薩當往生也，都八方上下無央數佛國諸菩薩輩，各各如是皆當往生無量清淨佛國，其無央數，都共往會無量清淨佛國，大眾多不可復計。我但說八方上下無央數佛名字，晝夜一劫尚未竟；我但復說佛國諸比丘僧、眾菩薩當往生無量清淨佛國人數，說之一劫不休止尚未竟。我但為若曹總攬都小說之耳！」

佛語阿難、阿逸菩薩等：「其世間帝王、人民善男子、善女人，前世宿命行善所致相祿，迺當聞無量清淨佛聲，慈心歡喜，我代之喜！」

佛言：「其有善男子、善女人，聞無量清淨佛聲慈心歡喜，一時踊躍，心意清淨，衣毛為起拔出者，皆前世宿命作佛道，若他方佛故菩薩，非凡人。其有人民男子、女人聞無量清淨佛聲，不信有佛者，不信佛經語，不信有比丘僧，心中狐疑都無所信者，皆故從惡道中來生，愚蒙不解，宿命殃惡未盡，未當得度脫故，心中狐疑不信向耳。」

佛言：「我語若曹，若曹所當作善法，皆當奉行信之。無得以我般泥洹去後故，若曹及後世人，無得復言：『我不信有無量清淨佛國』，我故令若曹悉見無量清淨佛國土。所當為者若自求之，我具為汝曹道說經戒順法。若曹當如佛法持之，無得毀失。我持是經以累汝曹，汝曹當堅持之，無得為妄增減是經法。我般泥洹去後，經道留止千歲，千歲後經道斷絕，在心所願皆可得道。」

佛言：「師開導人耳目，智慧明達，度脫人令得善，舍泥洹之道，常當慈孝於佛如父母，常念師恩，當念不斷絕，則得道疾。」

佛言：「天下有佛者甚難得值；人有信受師法經語深者，亦難得值；若有沙門，若師為人說佛經者，甚難得值！」

佛說是經時，則萬二千億諸天人民皆得天眼徹視，悉一心皆為菩薩道，則二百二十億諸天人民皆得阿那含道，則八百沙門皆得阿羅漢道，則四十億菩薩皆得阿惟越致。

佛說經已，諸菩薩、阿羅漢、諸天、帝王、人民，皆大歡喜，前趣為佛作禮，遶佛三匝，以頭面著佛足而去。

佛說無量清淨平等覺經卷第四

佛說阿彌陀經

佛說阿彌陀經卷上(註)

吳月支國居士支謙譯

佛在羅閱祇耆闍崛山中，時，有摩訶比丘僧萬二千人，皆淨潔一種類，皆阿羅漢：賢者拘隣、賢者拔智致、賢者摩訶那彌、賢者合尸、賢者須滿日、賢者維末坻、賢者不迺、賢者迦為拔坻、賢者憂為迦葉、賢者那履迦葉、賢者那翼迦葉、賢者舍利弗、賢者摩訶目揵連、賢者摩訶迦葉、賢者摩訶迦旃延、賢者摩訶揭質、賢者摩訶拘私、賢者摩訶梵提、賢者邠提文陀弗、賢者阿難律、賢者難提、賢者甂脾坻、賢者須楓、賢者蠡越、賢者摩訶羅倪、賢者摩訶波羅延、賢者波鳩蠡、賢者難持、賢者滿楓蠡、賢者蔡揭、賢者厲越，如是諸比丘僧甚衆多。數千億萬人悉諸菩薩、阿羅漢，無央數不可復計，都共大會坐，皆賢者也。

時，佛坐息思念正道，面有九色光，數千百變光，色甚大明。阿難即起，更被袈裟，前以頭面著佛足，即長跪叉手問佛言：「今日佛面光色，何以時時更變明乃爾乎？今佛面光精數千百色，上下明好乃如是。我侍佛已來，未曾見佛面有如今日色者。我未曾見三耶三佛光明威神乃爾，獨當有意，願欲聞之。」

佛言：「賢者阿難！有諸天神教汝，若諸佛教汝，今問我者耶？汝自從善意出問佛耶？」

阿難白佛言：「無有諸天神教我，亦無諸佛教我令問佛也，我自從善心知佛意問佛爾。每佛坐起行來出入，所欲至到當所作為，諸所教勅者，我輒如佛意。今佛獨當念諸已過去佛、諸當來佛、若他方佛國今現在佛，獨展轉相思念故，佛面色光明乃爾耳？」

佛言：「善哉！善哉！賢者阿難！汝所問者甚深大快，多所度脫。若問佛者，勝於供養一天下阿羅漢、辟支佛，布施諸天、人民及蜎飛蠕動之類，累劫百千億萬倍也。」

佛言：「阿難！今諸天、世間帝王、人民及蜎飛蠕動之類，汝皆度脫之。」

佛言：「佛威神甚重難當也！汝所問者甚深。汝乃慈心於佛所哀諸天、帝王、人民，若比丘僧、比丘尼、優婆塞、優婆夷，大善當爾，皆過度之。」

佛語阿難：「如世間有優曇樹，但有實無有華也；天下有佛，乃有華出耳。世間有佛，甚難得值也！今我出於天下作佛，若有大德聖明善心，豫知佛意，若不妄在佛邊侍佛也。」

佛告阿難：「前已過去事，摩訶僧祇已來，其劫無央數不可復計，乃爾時，有過去佛，名提惒竭羅。次復有佛，名旃陀倚，已過去；次復有佛，名須摩扶劫波薩多，已過去；次復有佛，名維末樓，已過去；次復有佛，名阿難那利，已過去；次復有佛，名那竭脾，已過去；次復有佛，名者梨俱遰波羅夜蔡，已過去；次復有佛，名彌離俱樓，已過去；次復有佛，名軷陀尼，已過去；次復有佛，名朱蹄波，已過去；次復有佛，名凡扶坻，已過去；次復有佛，名墮樓勒耶，已過去；次復有佛，名旃陀扈斯，已過去；次復有佛，名須耶惟于沙，已過去；次復有佛，名拘還彌鉢摩者，已過去；次復有佛，名屍利滑豉，已過去；次復有佛，名摩訶那提，已過去；次復有佛，名耆頭摩提，已過去；次復有佛，名羅隣祇離，已過去；次復有佛，名俞樓俱路蔡，已過去；次復有佛，名滿呼群尼鉢賓頞，已過去；次復有佛，名旃陀遬臾拔恕沙，已過去；次復有佛，名旃陀蔡拘岑，已過去；次復有佛，名潘波耋頻尼，已過去；次復有佛，名軷波恕斯，已過去；次復有佛，名阿術祇陀揭耋，已過去；次復有佛，名勿署提，已過去；次復有佛，名質夜蔡，已過去；次復有佛，名曇摩恕提，已過去；次復有佛，名篩耶維頞質，已過去；次復有佛，名樓耶帶，已過去；次復有佛，名僧迦羅彌樓迦帶，已過去；次復有佛，名曇昧摩提阿維難提，已過去。」

佛告阿難：「次復有佛，名樓夷亘羅，在世間教授，壽四十二劫。乃爾時，世有大國王，王聞佛經道，心卽歡喜開解，便棄國捐王，行作沙門，字曇摩迦。作菩薩道，為人高才，智慧勇猛，與世人絕異。往到樓夷亘羅佛所，前為佛作禮，却長跪叉手白佛言：『我欲求佛為菩薩道，令我後作佛時，於八方上下諸無央數佛中，最尊智慧勇猛；頭中光明，如佛光明所焰照無極；所居國土，自然七寶極自軟好。令我後作佛時，教授名字皆聞八方上下無央數佛國，莫不聞知我名字者。諸無央數天人民及蜎飛蠕動之類，諸來生我國者，悉皆令作菩薩、阿羅漢無央數，都勝諸佛國。如是者寧可得不？』」

佛語阿難：「其樓夷亘羅佛知其高明，所願快善，卽為曇摩迦菩薩說經言：『譬如天下大海水，一人斗量之，一劫不止，尚可枯盡令空得其底泥；人至心求道，可如當不可得乎？求索精進不休止，會當得心中所欲願爾。』曇摩迦菩薩聞樓夷亘羅佛說經如是，卽大歡喜踊躍。其佛卽選擇二百一十億佛國土中，諸天人民之善惡、國土之好醜，為選擇心中所欲願。

「◎樓夷亘羅佛說經竟，曇摩迦便一其心，卽得天眼徹視，悉自見二百一十億諸佛國中諸天人民之善惡、國土之好醜，卽選擇心中所願，便結得是二十四願經；則奉行之，精進勇猛，勤苦求索。如是無央數劫，所師事供養諸已過去佛，亦無央數。其曇摩迦菩薩至其然後，自致得作佛，名阿彌陀佛；最尊智慧勇猛，光明無比。今現在所居國土甚快善，在他方異佛國教授八方上下諸無央數天人民及蜎飛蠕動之類，莫不得過度解脫憂苦。」

佛語阿難：「阿彌陀佛為菩薩時，常奉行是二十四願，珍寶愛重，保持恭慎，精禪從之，與衆超絕，卓然有異，皆無有能及者。」

佛言：「何為二十四願？

第一願：使某作佛時，令我國中無有泥犁、禽獸、薜荔、蜎飛蠕動之類。得是願乃作佛，不得是願終不作佛！

第二願：使某作佛時，令我國中無有婦人，女人欲來生我國中者，即作男子。諸無央數天人民、蜎飛蠕動之類來生我國者，皆於七寶水池蓮華中化生，長大皆作菩薩、阿羅漢，都無央數。得是願乃作佛，不得是願終不作佛！

第三願：使某作佛時，令我國土自然七寶，廣縱甚大，曠蕩無極自軟好。所居舍宅、被服、飲食，都皆自然，皆如第六天王所居處。得是願乃作佛，不得是願終不作佛！

第四願：使某作佛時，令我名字皆聞八方上下無央數佛國，皆令諸佛各於比丘僧大坐中，說我功德國土之善。諸天人民、蜎飛蠕動之類，聞我名字莫不慈心歡喜踊躍者，皆令來生我國。得是願乃作佛，不得是願終不作佛！

第五願：使某作佛時，令八方上下諸無央數天人民及蜎飛蠕動之類，若前世作惡，聞我名字欲來生我國者，卽便反政自悔過，為道作善；便持經戒，願欲生我國不斷絕，壽終皆令不復泥犁、禽獸、薜荔，卽生我國，在心所願。得是願乃作佛，不得是願終不作佛！

第六願：使某作佛時，令八方上下無央數佛國諸天人民，若善男子、善女人，欲來生我國，用我故益作善；若分檀布施，遶塔燒香，散花然燈，懸雜繒綵，飯食沙門，起塔作寺，斷愛欲，⊙齋戒清淨，一心念我，晝夜一日不斷絕，皆令☆來生我國作菩薩。得是願乃作佛，不得是願終不作佛！

第七願：使某作佛時，令八方上下無央數佛國諸天人民，若善男子、善女人，有作菩薩道，奉行六波羅蜜經；若作沙門，不毀經戒，斷愛欲，齋戒清淨，一心念欲生我國，晝夜不斷絕。若其人壽欲終時，我卽與諸菩薩、阿羅漢共飛行迎之，卽來生我國，則作阿惟越致菩薩，智慧勇猛。得是願乃作佛，不得是願終不作佛！

第八願：使某作佛時，令我國中諸菩薩，欲到他方佛國生，皆令不更泥犁、禽獸、薜荔，皆令得佛道。得是願乃作佛，不得是願終不作佛！

第九願：使某作佛時，令我國中諸菩薩、阿羅漢，面目皆端正，淨潔姝好，悉同一色，都一種類，皆如第六天人。得是願乃作佛，不得是願終不作佛！

第十願：使某作佛時，令我國中諸菩薩、阿羅漢，皆同一心，所念所欲，言者豫相知意。得是願乃作佛，不得是願終不作佛！

第十一願：使某作佛時，令我國中諸菩薩、阿羅漢，皆無有淫泆之心，終無念婦女意，終無有瞋怒、愚癡者。得是願乃作佛，不得是願終不作佛！

第十二願：使某作佛時，令我國中諸菩薩、阿羅漢，皆令心相敬愛，終無相嫉憎者。得是願乃作佛，不得是願終不作佛！

第十三願：使某作佛時，令我國中諸菩薩，欲共供養八方上下無央數諸佛，皆令飛行卽到；欲得自然萬種之物，卽皆在前，持用供養諸佛；悉皆遍已後，日未中時，卽飛行還我國。得是願乃作佛，不得是願終不作佛！

第十四願：使某作佛時，令我國中諸菩薩、阿羅漢欲飯時，卽皆自然七寶鉢中有自然百味飯食在前，食已自然去。得是願乃作佛，不得是願終不作佛！

第十五願：使某作佛時，令我國中諸菩薩身皆紫磨金色，三十二相、八十種好，皆令如佛。得是願乃作佛，不得是願終不作佛！

第十六願：使某作佛時，令我國中諸菩薩、阿羅漢，語者如三百鍾聲，說經行道皆如佛。得是願乃作佛，不得是願終不作佛！

第十七願：使某作佛時，令我洞視、徹聽、飛行十倍勝於諸佛。得是願乃作佛，不得是願終不作佛！

第十八願：使某作佛時，令我智慧、說經、行道十倍於諸佛。得是願乃作佛，不得是願終不作佛！

第十九願：使某作佛時，令八方上下無央數佛國諸天人民、蜎飛蠕動之類，皆令得人道，悉作辟支佛、阿羅漢，皆坐禪一心，共欲計數知我年壽幾千億萬劫歲數，皆令無有能極知壽者。得是願乃作佛，不得是願終不作佛！

第二十願者：使某作佛時，令八方上下各千億佛國中諸天人民、蜎飛蠕動之類，皆令作辟支佛、阿羅漢，皆坐禪一心，共欲計數我國中諸菩薩、阿羅漢，知有幾千億萬人，皆令無有能知數者。得是願乃作佛，不得是願終不作佛！

第二十一願：使某作佛時，令我國中諸菩薩、阿羅漢，壽命無央數劫。得是願乃作佛，不得是願終不作佛！

第二十二願：使某作佛時，令我國中諸菩薩、阿羅漢，皆智慧勇猛，自知前世億萬劫時宿命所作，善惡却知無極，皆洞視徹知十方去、來、現在之事。得是願乃作佛，不得是願終不作佛！

第二十三願：使某作佛時，令我國中諸菩薩、阿羅漢，皆智慧勇猛，頂中皆有光明。得是願乃作佛，不得是願終不作佛！

第二十四願：使某作佛時，令我頂中光明絕好，勝於日月之明百千億萬倍，絕勝諸佛。光明焰照諸無央數天下，幽冥之處皆當大明。諸天人民、蜎飛蠕動之類，見我光明莫不慈心作善者，皆令來生我國。得是願乃作佛，不得是願終不作佛！」

佛告阿難：「阿彌陀為菩薩時，常奉行是二十四願，分檀、布施、不犯道禁，忍辱、精進、一心、智慧。志願常勇猛，不毀經法，求索不懈。每獨棄國捐王，絕去財色，精明求願無所適莫，積功累德無央數劫。今自致作佛，悉皆得之，不亡其功也。」

佛言：「阿彌陀佛光明最尊、第一、無比，諸佛光明皆所不及也。八方上下無央數諸佛中，有佛頂中光明照七丈，有佛頂中光明照一里，有佛頂中光明照二里，有佛頂中光明照五里，有佛頂中光明照十里，有佛頂中光明照二十里，有佛頂中光明照四十里，有佛頂中光明照八十里，有佛頂中光明照百六十里，有佛頂中光明照三百二十里，有佛頂中光明照六百四十里，有佛頂中光明照千三百里，有佛頂中光明照二千六百里，有佛頂中光明照五千二百里，有佛頂中光明照萬四百里，有佛頂中光明照二萬一千里，有佛頂中光明照四萬二千里，有佛頂中光明照八萬四千里，有佛頂中光明照十七萬里，有佛頂中光明照三十五萬里，有佛頂中光明照七十萬里，有佛頂中光明照百五十萬里，有佛頂中光明照三百萬里，有佛頂中光明照六百萬里。有佛頂中光明照一佛國，有佛頂中光明照兩佛國，有佛頂中光明照四佛國，有佛頂中光明照八佛國，有佛頂中光明照十五佛國，有佛頂中光明照三十佛國，有佛頂中光明照六十佛國，有佛頂中光明照百二十佛國，有佛頂中光明照二百四十佛國，有佛頂中光明照五百佛國，有佛頂中光明照千佛國，有佛頂中光明照二千佛國，有佛頂中光明照四千佛國，有佛頂中光明照八千佛國，有佛頂中光明照萬六千佛國，有佛頂中光明照三萬二千佛國，有佛頂中光明照六萬四千佛國，有佛頂中光明照十三萬佛國，有佛頂中光明照二十六萬佛國，有佛頂中光明照五十萬佛國，有佛頂中光明照百萬佛國，有佛頂中光明照二百萬佛國。」

佛言：「諸八方上下無央數佛頂中光明所焰照皆如是也，阿彌陀佛頂中光明所焰照千萬佛國。所以諸佛光明所照有近遠者何？本其前世宿命求道為菩薩時，所願功德，各自有大小；至其然後作佛時，各自得之，是故令光明轉不同等。諸佛威神同等爾，自在意所欲作為，不豫計。阿彌陀佛光明所照最大，諸佛光明皆所不能及也。」

佛稱譽阿彌陀佛光明極善：「阿彌陀佛光明極善，善中明好，甚快無比，絕殊無極也；阿彌陀佛光明清潔無瑕穢，無缺減也；阿彌陀佛光明姝好，勝於日月之明百千億萬倍。諸佛光明中之極明也，光明中之極好也，光明中之極雄傑也，光明中之快善也，諸佛中之王也，光明中之極尊也，光明中之最明無極也。焰照諸無數天下，幽冥之處，皆常大明。諸有人民、蜎飛蠕動之類，莫不見阿彌陀佛光明也，見者莫不慈心歡喜者。世間諸有婬泆、瞋怒、愚癡者，見阿彌陀佛光明，莫不作善也。諸在泥犁、禽獸、薜荔考掠勤苦之處，見阿彌陀佛光明至，皆休止不復治，死後莫不得解脫憂苦者也。阿彌陀佛光明名聞八方上下，無窮無極，無央數諸佛國諸天人民莫不聞知，聞知者莫不度脫也。」

佛言：「不獨我稱譽阿彌陀佛光明也，八方上下無央數佛、辟支佛、菩薩、阿羅漢所，稱譽皆如是。」

佛言：「其有人民，善男子、善女人，聞阿彌陀佛聲，稱譽光明，朝暮常稱譽其光明好，至心不斷絕；在心所願，往生阿彌陀佛國，可得為衆菩薩、阿羅漢所尊敬。若其然後作佛者，亦當復為八方上下諸無央數佛、辟支佛、菩薩、阿羅漢所稱譽光明如是也，即衆比丘僧、諸菩薩、阿羅漢、諸天帝王人民聞之皆歡喜踊躍，莫不讚歎者。」

佛言：「我道阿彌陀佛光明姝好巍巍，稱譽快善，晝夜一劫尚未竟也，我但為若曹小說之耳。」

佛說阿彌陀佛為菩薩，求索得是二十四願時，阿闍世王太子與五百長者迦羅越子，各持一金華蓋，俱到佛所，前為作禮佛，以頭面著佛足；皆持金華蓋，前上佛已，悉却坐一面聽經。阿闍世王太子及五百長者子，聞阿彌陀佛二十四願，皆大歡喜踊躍，心中俱願言：「令我等後作佛時，皆如阿彌陀佛。」

佛卽知之，告諸比丘僧：「是阿闍世王太子及五百長者子，却後無數劫，皆當作佛如阿彌陀佛。」

佛言：「是阿闍世王太子及五百長者子，住菩薩道已來無央數劫，皆各供養四百億佛已，今復來供養我。阿闍世王太子及五百長者子，皆前世迦葉佛時為我作弟子，今皆復會是共相值也。」則諸比丘僧聞佛言皆踊躍，莫不代之歡喜者。

佛告阿難：「阿彌陀作佛已來，凡十小劫。所居國土名須摩題，正在西方，去是閻浮提地界千億萬須彌山佛國。其國地皆自然七寶：其一寶者白銀，二寶者黃金，三寶者水精，四寶者琉璃，五寶者珊瑚，六寶者琥珀，七寶者車渠，是為七寶。皆以自共為地，曠蕩甚大無極；皆自相參，轉相入中，各自焜煌參明，極自軟好，甚姝無比。其七寶地，諸八方上下，衆寶中精味，自然合會，其化生耳，其寶皆比第六天上之七寶也。其國中無有須彌山，其日月星辰、第一四天王、第二忉利天，皆在虛空中。其國土無有大海，亦無有小海水，亦無江河恒水也，亦無有山林溪谷，無有幽冥之處，其國七寶地皆平正。無有泥犁、禽獸、薜荔、蜎飛蠕動之類，無有阿須倫、諸龍鬼神。終無天雨時，亦無有春夏秋冬，亦無大寒，亦無大熱，常和調中適，甚快善無比。皆有自然萬種之物，百味飯食，意欲有所得，即自然在前；所不用者，即自然去，比如第六天上自然之物，恣若自然即皆隨意。

「其國中悉諸菩薩、阿羅漢，無有婦女，壽命無央數劫；女人往生，即化作男子。但有諸菩薩、阿羅漢無央數，悉皆洞視徹聽，悉遙相見，遙相瞻望，遙相聞語聲，悉皆求道善者；同一種類，無有異人。其諸菩薩、阿羅漢，面目皆端正，淨潔絕好；悉同一色，無有偏醜惡者也。諸菩薩、阿羅漢，皆才猛黠慧，皆衣自然之衣；心中所念道德，其欲語言，皆豫相知意所念。言常說正事，所語輒說經道，不說他餘之惡，其語言音響如三百鍾聲。皆相敬愛，無相嫉憎者；皆以長幼、上下先後言之。以義如禮，轉相敬事如兄如弟；以仁履義，不妄動作，言語如誠，轉相教令不相違戾，轉相承受，皆心淨潔。無所貪慕，終無瞋怒、淫泆之心，愚癡之態，無有邪心念婦女意；悉皆智慧勇猛，和心歡樂，好喜經道。自知前世所從來生億萬劫時宿命善惡存亡，現在却知無極。

「阿彌陀佛所可教授講堂精舍，皆復自然七寶：金、銀、水精、琉璃、白玉、虎珀、車璖，自共相成甚姝明，好絕無比。亦無作者，不知所從來；亦無持來者，亦無所從去。阿彌陀佛所願德重，其人作善故，論經語義，說經行道，講會其中，自然化生爾。其講堂精舍，皆復有七寶樓觀欄楯，復以金、銀、水精、琉璃、白玉、虎珀、車璖為瓔珞，復以白珠、明月珠、摩尼珠為交露，覆蓋其上；皆自作五音聲，甚好無比。諸菩薩、阿羅漢所居舍宅，皆復以七寶：金、銀、水精、琉璃、珊瑚、虎珀、車璖、碼磁化生，轉共相成其舍宅；悉各有七寶樓觀欄楯，復以金、銀、水精、琉璃、白玉、虎珀、車璖為瓔珞，復以白珠、明月珠、摩尼珠為交露，覆蓋其上，皆各復自作五音聲。

「阿彌陀佛講堂精舍及諸菩薩、阿羅漢所居舍宅中，內外處處皆復有自然流泉浴池，皆與自然七寶俱生：金、銀、水精、琉璃、虎珀、車渠，轉共相成。淳金池者，其水底沙白銀也；淳白銀池者，其水底沙黃金也；淳水精池者，其水底沙琉璃也；淳琉璃池者，其水底沙水精也；淳珊瑚池者，其水底沙虎珀也；淳虎珀池者，其水底沙珊瑚也；淳車渠池者，其水底沙馬瑙也；淳馬瑙池者，其水底沙車渠也；淳白玉池者，其水底沙紫磨金也；淳紫磨金池者，其水底沙白玉也。中復有兩寶共作一池者，其水底沙金、銀也；中復有三寶共作一池者，其水底沙金、銀、水精也；中復有四寶共作一池者，其水底沙金、銀、水精、琉璃也；中有五寶共作一池者，其水底沙金、銀、水精、琉璃、珊瑚也；中有六寶共作一池者，其水底沙金、銀、水精、琉璃、珊瑚、虎珀也；中有七寶共作一池者，其水底沙金、銀、水精、琉璃、珊瑚、虎珀、車渠也。

「中有浴池長四十里者，有長八十里者，有長百六十里者，有長三百二十里者，有長六百四十里者，有長千二百八十里者，有長二千五百六十里者，有長五千一百二十里者，有長萬二百四十里者，有長二萬四百八十里者，其池縱廣適等。是池者，皆諸菩薩、阿羅漢常所可浴池。」

佛言：「⊙阿彌陀佛浴池長四萬八千里，廣亦四萬八千里。其池皆以七寶轉共相成，其水底沙白珠、明月珠、摩尼珠也。阿彌陀佛及諸菩薩、阿羅漢浴池中水皆清香潔。池中皆有香華，悉自然生百種華，種種異色。色異香華枝皆千葉，甚香無比也，香不可言。其華者亦非世間之華，復非天上之華；此華香都八方上下，衆華香中精也，自然化生耳。其池中水流行，轉相灌注；其水流行，亦不遲不駃，皆復作五音聲。」

佛言：「八方上下無央數佛國諸天人民及蜎飛蠕動之類，諸生阿彌陀佛國者，皆於七寶水池蓮華中化生，便自然長大；亦無乳養之者，皆食自然之飲食。其身體亦非世間人之身體，亦非天上人之身體；皆積衆善之德，悉受自然虛無之身、無極之體，甚姝好無比。」

佛語阿難：「如世間貧窮乞丐人，令在帝王邊住者，其面目形狀，寧類帝王面目形類顏色不？」

阿難言：「假使①子在帝王邊住者，其面目形狀甚醜惡不好，不如帝王百千億萬倍也。所以者何？乞人貧窮困極，飲食常惡，未常有美食時，卽惡食不能得飽食。食纔支命，骨節相撐拄，無以自給，常乏無有儲，飢餓寒凍，怔忪愁苦。但坐前世為人愚癡，無智慳貪，不肯慈哀為善、博愛施與，但欲唐得，貪惜飲食，獨食嗜美。不信施貸後得報償，復不信作善後世當得其福，蒙惽抵佷，益作衆惡。如是壽終，財物盡索，素無恩德，無所恃怙；入惡道中，坐之適苦，然後得出解脫。今生為人，作於下賤，為貧家作子，強像人形，狀類甚醜；衣被弊壞，單空獨立，不蔽形體，乞丐生耳；飢寒困苦，面目羸劣，不類人色。坐其前世身之所作，受其殃罰，示衆見之，莫誰哀者？棄捐市道，曝露瘠瘦，黑醜惡極不及人耳。

「所以帝王人中獨尊最好者何？皆其前世為人時作善，信受經道，布恩施德，博愛順意，慈仁憙與，不貪飲食，與衆共之，無所匱惜，都無違爭；得其善福，壽終德隨，不更惡道。今生為人，得生王家，自然尊貴獨王典主，攬制人民為其雄傑；面目潔白，和顏好色，身體端正，衆共敬事，美食好衣，隨心恣意；若樂所欲，自然在前，都無違爭，於人中姝好，無憂快樂，面目光澤，故乃爾耳！」

佛告阿難：「若言是也。帝王雖於人中好無比者，當令在遮迦越王邊住者，其面形類甚醜惡不好，比如乞人在帝王邊住耳；其帝王面目，尚復不如遮迦越王面色姝好百千億萬倍。如遮迦越王於天下絕好無比，當令在第二天王邊住者，其面甚醜不好，尚復不如帝釋面類端正姝好百千億萬倍。如天帝釋，令在第六天王邊住者，其面類甚醜不好，尚復不如第六天王面類端正姝好百千億萬倍。如第六天王，令在阿彌陀佛國中諸菩薩、阿羅漢邊住者，其面甚醜，尚復不如阿彌陀佛國中菩薩、阿羅漢面類端正姝好百千億萬倍。」

佛言：「阿彌陀佛國諸菩薩、阿羅漢面類悉皆端正絕好無比，次於泥洹之道。阿彌陀佛及諸菩薩、阿羅漢講堂精舍、所居處舍宅中，內外浴池上，皆有七寶樹。中有淳金樹、淳銀樹、淳水精樹、淳琉璃樹、淳白玉樹、淳珊瑚樹、淳琥珀樹、淳車渠樹，種種各自異行。

「中有兩寶共作一樹者：銀樹，銀根金莖，銀枝金葉，銀華金實；金樹者，金根銀莖，金枝銀葉，金華銀實；水精樹者，水精根琉璃莖，水精枝琉璃葉，水精華琉璃實；琉璃樹者，琉璃根水精莖，琉璃枝水精葉，琉璃華水精實；是二寶共作一樹。

「中復有四寶共作一樹者：水精樹，水精根琉璃莖，金枝銀葉，水精華琉璃實；琉璃樹者，琉璃根水精莖，金枝銀葉，水精華琉璃實；是四寶樹轉共相成，各自異行。

「中復有五寶共作一樹者：⊙銀樹☆，銀根金莖，水精枝琉璃葉，銀華金實；金樹者，金根銀莖，水精枝琉璃葉，珊瑚華銀實；水精樹者，水精根琉璃莖，珊瑚枝銀葉，金華琉璃實；琉璃樹者，琉璃根珊瑚莖，水精枝金葉，銀華珊瑚實；珊瑚樹者，珊瑚根琉璃莖，水精枝金葉，銀華琉璃實；是五寶共作一樹，各自異行。

「中有六寶共作一樹者：銀樹，銀根金莖，水精枝琉璃葉，珊瑚華虎珀實；

金樹者，金根銀莖，水精枝琉璃葉，虎珀華珊瑚實；水精樹者，水精根琉璃莖，珊瑚枝虎珀葉，銀華金實；琉璃樹者，琉璃根珊瑚莖，虎珀枝水精葉，金華銀實；是六寶樹轉共相成，各自異行。

「中復有七寶共作一樹者：銀樹，銀根金莖，水精枝琉璃葉，珊瑚華虎珀實；金樹者，金根水精莖，琉璃枝珊瑚葉，虎珀華銀實；水精樹者，水精根琉璃莖，珊瑚枝琥珀葉，車琹華白玉實；珊瑚樹者，珊瑚根虎珀莖，白玉枝琉璃葉，車琹華明月珠實；虎珀樹者，虎珀根白玉莖，珊瑚枝琉璃葉，水精華金實；白玉樹者，白玉根車琹莖，珊瑚枝虎珀葉，金華摩尼珠實；是七寶樹轉共相成，種種各自異◎行。行行相值，莖莖自相准，枝枝自相值，葉葉自相向，華華自相望，實自相當。」

佛言：「阿彌陀佛當講堂精舍中，內外七寶浴池，繞邊上諸七寶樹，及諸菩薩、阿羅漢七寶舍宅中，內外七寶浴池，繞池邊諸七寶樹，數千百重行皆各如是；各自作五音聲，音聲甚好無比也。」

佛告阿難：「如世間帝王有百種伎樂音聲，不如遮迦越王諸伎樂音聲好百千億萬倍；如遮迦越王萬種伎樂音聲，尚復不如第二忉利天上諸伎樂一音聲百千億萬倍；如忉利天上萬種伎樂之聲，尚復不如第六天上一音聲好百千億萬倍；如第六天上萬種音樂之聲，尚復不如阿彌陀佛國中七寶樹一音聲好百千億萬倍。阿彌陀佛國中亦有萬種自然伎樂，甚樂無極。阿彌陀佛及諸菩薩、阿羅漢欲浴時，便各自可入其七寶池中浴。諸菩薩、阿羅漢意欲令水沒足，水即沒足；意欲令水至膝，水即至膝；意欲令水至腰，水即至腰；意欲令水至腋，水即至腋；意欲令水至頸，水即至頸；意欲令水自灌身上，水即自灌身上；意欲令水還復如故，水即還復如故；恣若隨意所欲好喜。」

佛言：「阿彌陀及諸菩薩、阿羅漢皆浴已，悉自於一大蓮華上坐，即四方自然亂風起。其亂風者，亦非世間之風，亦非天上之風，都八方上下衆風中精，自然合會化生耳。不寒不熱，常和調中適，甚清涼好無比也。徐起，不遲不駃，適得中宜。吹七寶樹，皆作五音聲，以七寶樹華悉覆其國中，皆散佛及諸菩薩、阿羅漢上。華隨墮地，皆厚四寸，極自軟好無比；卽自然亂風吹萎華，悉自然去。卽復四方自然亂風吹七寶樹，樹皆復作五音聲，樹華皆自然散佛及諸菩薩、阿羅漢上。華小萎墮地，卽自然去。卽復四方亂風起吹七寶樹，如是四反。

「諸菩薩、阿羅漢中有但欲聞經者，中有但欲聞音樂者，中有但欲聞華香者；有不欲聞經者，有不欲聞音樂聲者，有不欲聞華香者；其所欲聞者，輒卽獨聞之；不欲聞者，則獨不聞，隨意所欲喜樂，不違其願也。浴訖各自去。

「行道中有在地講經者、誦經者、說經者、口受經者、聽經者、念經者、思道者、坐禪者、經行者，中有在虛空中講經者、誦經者、說經者、口受經者、聽經者、念經者、思道者、坐禪一心者、經行者。未得須陀洹道者，卽得須陀洹道；未得斯陀含道者，卽得斯陀含道；未得阿那含道者，卽得阿那含道；未得阿羅漢道者，卽得阿羅漢道；未得阿惟越致菩薩者，卽得阿惟越致。各自說經行道，悉皆得道，莫不歡喜踊躍者也。

「諸菩薩中有意欲供養八方上下無央數諸佛，卽皆俱前為佛作禮，白佛辭行，供養八方上下無央數佛，佛即然可之。即使行諸菩薩皆大歡喜，數千億萬人無央數不可復計，皆當智慧勇猛，各自幡輩飛相追，俱共散飛，則到八方上下無央數諸佛所，皆前為諸佛作禮，即便供養。意欲得萬種自然之物在前，即自然百種雜色華、百種雜繒綵、百種劫波育衣、七寶燈火、萬種伎樂，悉皆在前。其華香萬種自然之物，亦非世間之物，亦非天上之物也；是萬種物，都八方上下衆自然合會化生耳。意欲得者，即自然化生，意不用者，即化去。諸菩薩便共持供養諸佛及諸菩薩、阿羅漢，邊傍前後迴遶周匝，在意所欲即輒皆至。當是之時，快樂不可言也。

「諸菩薩意，各欲得四十里華，即自然在前，便於虛空中，共持散諸佛及菩薩、阿羅漢上，皆在虛空中下向；華甚香好，小萎墮地，即自然亂風吹，萎華悉自然去。諸菩薩意，各復欲得八十里華，即自然在前，共持散諸佛及諸菩薩、阿羅漢上，華皆復在虛空中下向；小萎墮地，即自然亂風吹，萎華悉自然去。諸菩薩意，各復欲得百六十里華，即自然在前，便於虛空中，共持散諸佛及諸菩薩、阿羅漢上，華皆復於虛空中下向；小萎墮地，卽自然亂風吹，萎華悉自然去。諸菩薩意，各復欲得三百二十里華，卽自然在前，復於虛空中，持散諸佛及諸菩薩、阿羅漢上，華於虛空中下向；小萎墮地，卽自然亂風吹，萎華悉自然去。

「諸菩薩意，各復欲得六百四十里華，卽自然在前，復以散諸佛及諸菩薩、阿羅漢上，皆在虛空中下向；小萎墮地，亂風自然吹萎華去。諸菩薩意，各復欲得千二百八十里華，卽自然在前，復於虛空中，共持散諸佛及諸菩薩、阿羅漢上；小萎墮地，亂風自然吹，萎華悉自然去。諸菩薩意，各復欲得二千五百六十里華，卽自然在前，復於虛空中，共持散諸佛及諸菩薩、阿羅漢上，皆在虛空中下向；小萎墮地，亂風吹，萎華悉自然去。

「諸菩薩意，各復欲得五千一百二十里華，卽自然在前，復於虛空中，共持散諸佛及諸菩薩、阿羅漢上，皆在虛空中下向；小萎墮地，亂風吹，萎華悉自然去。諸菩薩意，各復欲得萬二百四十里華，卽皆自然在前，復於虛空中，共持散諸佛及諸菩薩、阿羅漢上；小萎墮地，亂風吹，萎華悉自然去。諸菩薩意，各復欲得二萬四百八十里華，即皆在前，復於虛空中，共持散諸佛及諸菩薩、阿羅漢上，皆在虛空中下向；小萎墮地，亂風吹，萎華悉自然去。諸菩薩意，各復欲得五萬里華，即皆在前，復於虛空中，共持散諸佛及諸菩薩、阿羅漢上，皆在虛空中下向；小萎墮地，亂風吹，萎華悉自然去。諸菩薩意，各復欲得十萬里華，即皆在前，諸菩薩復於虛空中，共持散諸佛及諸菩薩、阿羅漢上，皆在虛空中下向；小萎墮地，亂風吹，萎華悉自然去。

「諸菩薩意，各復欲得二十萬里華，即皆在前，復於虛空中，共持散諸佛及諸菩薩阿羅漢上；小萎墮地，亂風吹，萎華悉自然去。諸菩薩意，各復欲得四十萬里華，即皆在前，復於虛空中，共持散諸佛及諸菩薩、阿羅漢上，皆在虛空中下向；小萎墮地，亂風吹，萎華悉自然去。諸菩薩意，各復欲得八十萬里華，即皆在前，復於虛空中，共持散諸佛及諸菩薩、阿羅漢上，皆在虛空中下向；小萎墮地，亂風吹，萎華悉自然去。

「諸菩薩意，各復欲得百六十萬里華，即皆在前，共持散諸佛及諸菩薩、阿羅漢上；小萎墮地，亂風吹，萎華悉自然去。諸菩薩意，各欲得三百萬里華，即皆在前，共持散諸佛及諸菩薩、阿羅漢上；小萎墮地，亂風吹，萎華自然去。諸菩薩意，各欲得六百萬里華，即皆在前，共持散諸佛及諸菩薩、阿羅漢上；華都自然合為一華，華正端圓，周匝各適等，華轉倍前；華極自軟好，勝於前華數千百倍，色色異香，香不可言。諸菩薩皆大歡喜，俱於虛空中大共作衆音自然伎樂，樂諸佛及諸菩薩、阿羅漢。當此之時，快樂不可言。

「諸菩薩皆悉却坐聽經，聽經竟，即悉諷誦通*利知經道，益明智慧。即諸佛國中，從第一四天上至三十三天上諸天人，皆共持天上萬種自然之物來下，供養諸菩薩、阿羅漢。天人皆復於虛空中，大共作衆音伎樂。諸天人前來者，轉來避後來者；後來者轉復供養如前，更相開避。諸天人歡喜聽經，大共作音樂。當是時，快樂無極。

「諸菩薩供養聽經訖竟，便皆起為佛作禮而去。即復飛到八方上下無央數諸佛所，供養聽經皆各如前。悉遍已後，日未中時，各飛還其國，為阿彌陀佛作禮，皆却坐聽經，竟大歡喜。」

佛言：「阿彌陀佛及諸菩薩、阿羅漢欲食時，卽自然七寶机、劫波育罽疊以為座，佛及菩薩皆坐前，悉有自然七寶鉢中有百味飲食；飲食者亦不類世間，亦非天上。此百味飲食，八方上下衆自然飲食中，精味甚香美無比，自然化生耳；欲得甜酢，在所欲得。諸菩薩、阿羅漢中，有欲得金鉢者，有欲得銀鉢者，有欲得水精鉢者，有欲得珊瑚鉢者，有欲得虎珀鉢者，有欲得白玉鉢者，有欲得車琹鉢者，有欲得馬瑙鉢者，有欲得明月珠鉢者，有欲得摩尼珠鉢者，有欲得紫磨金鉢者；隨意卽至，亦無所從來，亦無供養者，自然化生耳。諸菩薩、阿羅漢皆食，食亦不多亦不少，悉平等，亦不言美惡，亦不以美故喜。食訖，諸飯具鉢机座皆自然化去，欲食時乃復化生耳。諸菩薩、阿羅漢皆心淨潔，所飲食但用作氣力爾，皆自然消散，摩盡化去。」

佛告阿難：「阿彌陀佛為諸菩薩、阿羅漢說經時，都悉大會講堂上，諸菩薩、阿羅漢及諸天人民無央數，都不可復計，皆飛到阿彌陀佛所，為佛作禮，却坐聽經。其佛廣說道智大經，皆悉聞知，莫不歡喜踊躍心開解者。卽四方自然亂風起，吹七寶樹，皆作五音聲。七寶樹華，覆蓋其國，皆在虛空中下向。其華之香遍一國中，皆散阿彌陀佛及諸菩薩、阿羅漢上。華墮地皆厚四寸，小萎卽亂風吹，萎華自然去。四方亂風吹七寶樹華，如是四反。卽第一四天王、第二忉利天上至三十*三天上，諸天人皆持天上萬種自然之物：百種雜色華、百種雜香、百種雜繒綵、百種劫波育疊衣、萬種伎樂，轉倍好相勝，各持來下，為阿彌陀佛作禮，供養佛及諸菩薩、阿羅漢。諸天人皆復大作伎樂，樂阿彌陀佛及諸菩薩、阿羅漢。當是時，快樂不可言。

「諸天更相開避後來者，轉復供養如前。卽東方無央數佛國，其數不可復計，如恒水邊流沙，一沙一佛其數如是。諸佛各遣諸菩薩無央數，不可復計，皆飛到阿彌陀佛所，作禮聽經，皆大歡喜，悉起為作禮*而去。西方、北方、南方、四角諸佛，其數各如恒水邊流沙，各遣諸菩薩無央數，飛到阿彌陀佛所，作禮聽經，亦復如是。卽下方上方諸佛，其數各如恒水邊流沙，皆遣諸菩薩都不可復計，飛到阿彌陀佛所作禮聽經。更相開避，如是終無休絕時也。」

佛言：「所以諸佛以恒水邊流沙為數者，八方上下無央數佛甚大衆多，都各不可復計，故以恒水邊流沙為數耳。」

佛語阿難：「阿彌陀佛為諸菩薩、阿羅漢說經竟，諸天人民中有未得道者，卽得道；未得須陀洹者，卽得須陀洹；未得斯陀含者，卽得斯陀含；未得阿那含者，卽得阿那含；未得阿羅漢者，卽得阿羅漢；未得阿惟越致菩薩者，卽得阿惟越致菩薩。阿彌陀佛輒隨其宿命時，求道心所憙願，大小隨意，為說經授與之，卽令疾開解得，皆悉明慧，各自好喜；所願經道，莫不喜樂，誦習之者，自諷誦通利，無厭無極。諸菩薩、阿羅漢中有誦經者，其音如三百鐘聲；中有說經者，如疾風暴雨時，如是盡一劫竟，終無懈倦時。皆悉智慧勇猛，身體輕便，終無痛痒。極時行步坐起，悉皆才健勇猛，如師子中王在深山中，有所趣向時無有敢當者。無有疑難之意，在心所作，為不可豫計百千億萬倍。是猛師子中王百千億萬倍，尚復不如我第二弟子摩訶目揵連勇猛百千億萬倍。如摩訶目揵連於諸國菩薩、阿羅漢中最為無比，飛行進止，智慧勇猛，洞視徹聽，知八方上下去來現在之事；百千億萬倍，共合為一智慧，當令在阿彌陀佛國中諸羅漢邊，其德尚復不及百千億萬倍。」

阿逸菩薩卽起，前長跪叉手，問佛言：「阿彌陀佛國中諸阿羅漢，寧頗有般泥洹去者無？願欲聞之。」

佛言：「若欲知者，如是四天下星，若見之不？」

阿逸菩薩言：「唯然！見之。」

佛言：「如我第二弟子摩訶目揵連，飛上天上一晝一夜，遍數知星有幾枚。此四天下星甚衆多不可得計，尚復百千億萬倍是星也。如天下大海水減去一渧，寧能令海水為減，知少不耶？」

對曰：「減去百千億萬斗石，尚不能令減知少也。」

佛言：「阿彌陀佛國諸阿羅漢中，雖有般泥洹去者，如大海減一渧水爾，不能令在諸阿羅漢為減知少也。」

佛言：「大海減去一溪水，寧令減少不？」

對曰：「減去百千億萬溪水，尚不能減知少也。」

佛言：「減大海一恒水，寧能令減知少不？」

對曰：「減去百千億萬恒水，不能令減知少也。」

佛言：「阿彌陀佛國諸阿羅漢般泥洹去者無央數，其在者、新得道者亦無央數，都不為增減也。」

佛言：「令天下諸水都流入大海水中，寧能令海水增多不？」

對曰：「不能令增多也。所以者何？是大海為天下諸水眾善中王，故能爾耳。」

佛言：「阿彌陀佛國亦如是。悉令八方上下無央數佛國諸無央數天人民、蜎飛蠕動之類都往生，甚大眾多不可復計；阿彌陀佛國諸菩薩、阿羅漢眾比丘僧故如常一法，不異為增多。所以者何？阿彌陀佛國為最快，八方上下無央數諸佛國中眾善之王，諸佛國中之雄，諸佛國中之寶，諸佛國中壽之極長久也，諸佛國中之眾傑也，諸佛國中之廣大也；諸佛國中之都，自然之無為，最快明好甚樂之無極。所以者何？阿彌陀佛本為菩薩時，所願勇猛，精進不懈，累德所致，故能爾耳。」

阿逸菩薩即大歡喜，長跪叉手言：「佛說阿彌陀佛國土快善明好，最姝無比，乃獨爾乎？」

佛言：「阿彌陀佛國諸菩薩、阿羅漢所居七寶舍宅中，有在虛空中者，有在地者。中有欲令舍宅最高者，舍宅即高；中有欲令舍宅最大者，舍宅即大；中有欲令舍宅在虛空中者，舍宅即在虛空中；皆自然隨意在所作為。中有殊不能令舍宅隨意者，所以者何？中有能令舍宅隨意者，皆是前世宿命求道時，慈心精進，益作諸善，德重所致。中有殊不能者，皆是前世宿命求道時，不慈心精進益作諸善，德薄所致。其所衣被、飯食俱自然平等，德有大小，別知其勇猛，令衆見之耳。」

佛言：「若見第六天王所居處不？」

「唯然！見之。」

佛言：「阿彌陀佛國講堂舍宅，都復勝第六天王所居處百千億萬倍。諸菩薩、阿羅漢悉皆洞視徹聽，見知八方上下去、來、現在之事。復無數天上天下人民及蜎飛蠕動之類，心意所念善惡、口所欲言，皆知當何歲何劫得度脫得人道，往生阿彌陀佛國；知當作菩薩、阿羅漢，皆豫知之。諸菩薩、阿羅漢頂中，皆悉自有光明，所照有大小。

「諸菩薩中有最尊兩菩薩，常在佛左右坐侍正論；佛常與是兩菩薩共對坐，議八方上下去、來、現在之事。若欲使是兩菩薩到八方上下無央數諸佛所，即便飛行，隨心所欲至到飛行，使疾如佛，勇猛無比。其一菩薩名蓋樓亘，其一菩薩名摩訶那鉢，光明智慧最第一，頂中光明各焰照他方千須彌山佛國中常大明。其諸菩薩頂中光明各照千億萬里，諸阿羅漢頂中光明各照七丈。」

佛言：「世間人民，若善男子、善女人，若有急恐怖縣官事者，但自歸命是蓋樓亘菩薩、摩訶那鉢菩薩所，無不得解脫者。」

佛告阿逸菩薩：「阿彌陀佛頂中光明，極大光明；其日月星辰皆在虛空中住止，不可復迴轉運行，亦無有精光，其明皆蔽不復見。佛光明照國中及焰照他方佛國常大明，終無有冥時。其國無有一日、二日，亦無五日、十日，亦無十五日、一月，亦無五月、十月、五歲、十歲，亦無百歲、千歲，亦無萬歲、億萬歲，無百千億萬歲，無有一劫、十劫、百劫、千劫，無萬劫、百萬劫，無千萬劫、百億萬劫。阿彌陀佛光明，明無有極，却後無數劫、無數劫，重復無數劫、無數劫無央數，終無有當冥時，國土及諸天終無壞敗時。所以者何？阿彌陀佛壽命極長，國土甚好，故能爾耳。

「其佛尊壽，却後無數劫、重復無數劫，尚未央般泥洹也。於世間教授，意欲過度八方上下諸無央數佛國諸天人民及蜎飛蠕動之類，皆欲使往生其國，悉令得泥洹之道。其作菩薩者，皆欲令悉作佛；作佛已，轉復教授八方上下諸天人民及蜎飛蠕動之類，皆復欲令作佛；作佛已，復教授諸無央數天人民、蜎飛蠕動之類，皆令得泥洹道去。諸可教授弟子者，展轉復相教授，轉相度脫，至令得須陀洹、斯陀含、阿那含、阿羅漢、辟支佛道，轉相度脫，皆得泥洹之道悉如是，尚未欲般泥洹。阿彌陀佛所度脫，展轉如是，復住止無數劫、無數劫不可復計劫，終無般泥洹時。八方上下諸無央數天人民、蜎飛蠕動之類，其生阿彌陀佛國當作佛者，不可復勝數；諸作阿羅漢得泥洹道者，亦無央數，都不可復計。阿彌陀佛恩德，諸所布施，八方上下無窮無極，甚深無量，快善不可言。其智慧教授所出經道，布告八方上下諸無央數天上天下，甚不原也；其經卷數甚衆多，不可復計，都無有極。」

佛告阿逸菩薩：「若欲知阿彌陀佛壽命無極時不？」

對曰：「願皆欲聞知之。」

佛言：「明聽！悉令八方上下諸無央數佛國中諸天人民、蜎飛蠕動之類，皆使得入道，悉令作辟支佛、阿羅漢；共坐禪一心，都合其智慧為一勇猛，共欲計知阿彌陀佛壽命幾千億萬劫歲數，皆無有能計知者。復令他方面各千須彌山佛國中諸天人民、蜎飛蠕動之類，皆復使得入道，悉令作辟支佛、阿羅漢；皆令坐禪一心，合其智慧為一勇猛，共欲數阿彌陀佛國中諸菩薩、阿羅漢知有幾千億萬人，皆無有能知數者。阿彌陀年壽甚長久，浩浩照照，明善甚深，無極無底，誰當能知信其者？獨佛自信知爾！」

阿逸菩薩聞佛言大歡喜，長跪叉手言：「佛說阿彌陀佛壽命甚長，威神尊大，智慧光明巍巍快善，乃獨如是。」

佛言：「阿彌陀佛至其然後般泥洹者，其蓋樓亘菩薩便當作佛，總領道智，典主教授，世間及八方上下，所過度諸天人民、蜎飛蠕動之類，皆令得佛泥洹之道；其善福德，當復如大師阿彌陀佛。住止無央數劫、無央數劫、不可復計劫，准法大師爾乃般泥洹。其次摩訶那鉢菩薩當復作佛，典主智慧，總領教授；所過度福德，當復如大師阿彌陀佛。止住無央數劫尚復不般泥洹，展轉相承受，經道甚明，國土極善，其法如是，終無有斷絕，不可極也。」

阿難長跪叉手，問佛言：「阿彌陀佛國中無有須彌山，其第一四天、第二忉利天皆依因何等住止？願欲聞之。」

佛告阿難：「若有疑意於佛所耶？八方上下無窮無極、無邊無量諸天下大海水，一人斗量之，尚可枯盡得其底泥，佛智不如是。」

佛言：「我所見知諸已過去佛，如我名字釋迦文佛者，復如恒水邊流沙，一沙一佛；諸當來佛如我名字，亦如恒水邊流沙；甫始欲求作佛者，如我名字，亦如恒水邊流沙；佛正坐直南向，視見南方，今現在佛如我名字者，復如恒水邊流沙。八方上下去、來、現在諸佛如我名字者，各如十恒水邊流沙，一沙一佛；其數如是，佛皆悉豫見知之。」

佛言：「往昔過去無數劫已來，一劫、十劫、百劫、千劫、萬劫、億劫、億萬億劫，中有佛，諸已過去佛，一佛、十佛、百佛、千佛、萬佛、億佛、億萬億佛，各自有名字不同，無有如我名字者。甫始當來劫，一劫、十劫、百劫、千劫、萬劫、億劫、億萬億劫，劫中有佛，一佛、十佛、百佛、千佛、萬佛、億佛、億萬億佛，各各自有名字不同，時時乃有一佛如我名字耳。諸八方上下無央數佛國今現在佛，次他方異⊙佛國，一佛國、十佛國、百佛國、千佛國、萬佛國、億佛國、億萬億佛國，中有佛，各自有名字，*甚多復不同，無如我名字者。八方上下無央數諸佛中，時時乃有如我名字爾。八方上下去、來、現在，其中間曠絕甚遠，悠悠迢迢，無窮無極。佛智亘然甚明，探古知今，前知無窮，却覩未然，豫知無極，都不可復計；甚無央數佛威神尊明，皆悉知之。佛智慧、道德合明，都無能問佛經道窮極者，佛智慧終不可稱量盡也。」

阿難聞佛言，卽大恐怖，衣毛皆起，白佛言：「我不敢有疑意於佛所，所以問佛者，他方佛國皆有須彌山，第一四天、第二忉利天皆依因之住止，我恐佛般泥洹後，儻有諸天人民，若比丘僧、比丘尼、優婆塞、優婆夷來問我：『阿彌陀佛國何以獨無有須彌山？其第一四天王、第二忉利天皆依因何等住止？』我當應答之。今不問佛者，佛去後，當持何等語報答之？獨佛自知之爾，餘人無有能為我解者，以是故問佛耳！」

佛言：「阿難！是第三焰天、第四兜術天，上至第七梵天，皆依因何等住止乎？」

阿難言：「是諸天皆自然在虛空中住。」

「在虛空中住止，無所依因。佛威神甚重，自然所欲作為，意欲有所作為，不豫計。是諸天皆尚在虛空中住止，何況佛威神尊重，欲有所作為耶！」

阿難聞佛言，卽大歡喜，長跪叉手言：「佛智慧知八方上下去、來、現在之事，無窮無極、無有邊幅，甚高大妙絕快善，極明好甚無比，威神尊重不可當。」

阿彌陀經卷上

㊟大正藏經名作「佛說阿彌陀三耶三佛薩樓佛檀過度人道經卷上」，但因上、下卷經名不一，今依磧砂藏改之。

佛說阿彌陀經卷下

吳月支國居士支謙譯

佛告阿逸菩薩：「其世間人民，若善男子、善女人，願欲往生阿彌陀佛國者有三輩，作德有大小轉不相及。」

佛言：「何等為三輩？最上第一輩者，當去家、捨妻子、斷愛欲、行作沙門，就無為之道；當作菩薩道，奉行六波羅蜜經者。作沙門不虧經戒，慈心精進不當瞋怒，不當與女人交通，齋戒清淨，心無所貪慕。至誠願欲往生阿彌陀佛國，常念至心不斷絕者，其人便於今世求道時，即自然於其臥止夢中，見阿彌陀佛及諸菩薩、阿羅漢。其人壽命欲終時，阿彌陀佛即自與諸菩薩、阿羅漢共翻飛行迎之，則往生阿彌陀佛國，便於七寶水池蓮華中化生，即自然受身長大。則作阿惟越致菩薩，便即與諸菩薩共翻輩飛行，供養八方上下諸無央數佛，即逮智慧勇猛，樂聽經道，其心歡樂。所居七寶舍宅在虛空中，恣隨其意，在所欲作為，去阿彌陀佛近。」

佛言：「諸欲往生阿彌陀佛國者，當精進持經戒。奉行如是上法者，則得往生阿彌陀佛國，可得為衆所尊敬。是為上第一輩。」

佛言：「其中輩者，其人願欲往生阿彌陀佛國，雖不能去家、捨妻子、斷愛欲、行作沙門者，當持經戒，無得虧失。益作分檀布施，常信受佛經語深，當作至誠中信，飯食諸沙門，作佛寺、起塔，散華、燒香、然燈，懸雜繒綵。如是法者，無所適莫，不當瞋怒，齋戒清淨，慈心精進，斷愛欲念，欲往生阿彌陀佛國，一日一夜不斷絕者，其人便於今世，亦復於臥止夢中，見阿彌陀佛。其人壽命欲終時，阿彌陀佛即化，令其人目自見阿彌陀佛及其國土；往至阿彌陀佛國者，可得智慧勇猛。」

佛言：「其人奉行施與如是者，若其人然後復中悔，心中狐疑，不信分檀布施作諸善後世得其福，不信有彌陀佛國，不信有往生其國；雖爾者，其人續念不絕，暫信、暫不信，意志猶豫，無所專據，續其善願為本，故得往生。其人壽命病欲終時，阿彌陀佛即自化作形像，令其人目自見之。口不能復言，但心中歡喜踊躍，意念言：『我悔不知益齋戒作善，今當往生阿彌陀佛國。』其人即心自悔過，悔過者小差少無所復及。其人壽命終盡，即往生阿彌陀佛國。不能得前至阿彌陀佛所，便道見阿彌陀佛國界邊自然七寶城中，心便大歡喜，便止其城中。即於七寶水池蓮華中化生，則受身自然長大在城中，於是間五百歲。其城廣縱各二千里，城中亦有七寶舍宅，中外內皆有七寶浴池。浴池中亦有自然華香繞，浴池上亦有七寶樹重行，亦皆復作五音聲。其欲飯食時，前有自然食，具百味飲食，在所欲得，應意皆至。其人於城中亦快樂，其城中比如第二忉利天上自然之物。

「雖爾其人城中不能得出，復不能得見阿彌陀佛；但見其光明，心自悔責，踊躍喜耳。亦復不能得聞經，亦復不能得見諸比丘僧，亦復不能得見知阿彌陀佛國中諸菩薩、阿羅漢狀貌何等類；其人愁苦，如是比如小適耳。佛亦不使爾身行所作自然得之，皆心自趣向道，入其城中。其人本宿命求道時，心口各異，言念無誠信，狐疑佛經，復不信向之，當自然入惡道中；阿彌陀佛哀愍，威神引之去爾。

「其人於城中五百歲乃得出，往至阿彌陀佛所聞經，心不開解，亦復不得在諸菩薩、阿羅漢、比丘僧中聽經。以去所居處舍宅在地，不能令舍宅隨意高大在虛空中。復去阿彌陀佛甚大遠，不能得近附阿彌陀佛。其人智慧不明，知經復少，心不歡喜，意不開解。其人久久亦自當智慧開解知經，明健勇猛，心當歡喜，次當復如上第一輩。所以者何？其人但坐前世宿命求道時，不大持齋戒，毀失經法，意志狐疑，不信佛語，不信佛經深，不信分檀布施作善後世當得其福，復坐中悔，不信往生阿彌陀佛國，作德不至心；用是故爾，是為第二中輩。」

佛言：「其三輩者，其人願欲往生阿彌陀佛國，若無所用分檀布施，亦不能燒香、散華、然燈，懸雜繒綵，作佛寺、起塔，飯食諸沙門者，當斷愛欲無所貪慕，得經疾慈心精進，不當瞋怒，齋戒清淨。如是法者，當一心念欲往生阿彌陀佛國，晝夜十日不斷絕者，壽命終即往生阿彌陀佛國，可得尊敬，智慧勇猛。」

佛言：「其人作是以後，若復中悔，心意狐疑，不信作善後世當得其福，不信往生阿彌陀佛國。其人雖爾，續得往生。其人壽命病欲終時，阿彌陀佛即令其人於臥止夢中，見阿彌陀佛土，心中大歡喜，意自念言：『我悔不知益作諸善，今當往生阿彌陀佛國。』其人但念是，口不能復言；即自悔過，悔過者差減少悔無所復及。其人命終，即生阿彌陀佛國，不能得前至，便道見二千里七寶城中，心獨歡喜，便止其中。亦復於七寶浴池蓮華中化生，即自然受身長大。其城亦復如前城法，比如第二忉利天上自然之物。其人亦復於城中五百歲竟乃得出，至阿彌陀佛所，心中大喜。其人聽聞經，心不開解，意不歡樂，智慧不明，知經復少。所居舍宅在地，不能令舍宅隨意高大在虛空中。復去阿彌陀佛大遠，不能得近附阿彌陀佛，亦復如是第二中輩狐疑者也。其人久久亦當智慧開解，知經勇猛，心當歡樂，次如上第一輩也。所以者何？皆坐前世宿命求道時，中悔狐疑，暫信、暫不信，不信作善得其福德，皆自然得之爾；隨其功德有所鉉不鉉，各自然趣向，說經行道卓億萬超絕不相及。」

佛言：「其欲求作菩薩道，生阿彌陀佛國者，其人然後皆當得阿惟越致菩薩。阿惟越致菩薩者，皆當有三十二相紫磨金色、八十種好，皆當作佛；隨所願在所求欲，於他方佛國作佛，終不復更泥犁、禽獸、薜荔。隨其精進求道，早晚之事同等爾。求道不休會當得之，不失其所欲願也。」

佛告阿逸菩薩等諸天帝王人民：「我皆語汝曹，諸欲往生阿彌陀佛國者，雖不能大精進、禪定、持經戒者，大要當作善：一者、不得殺生，二者、不得盜竊，三者、不得婬泆姦愛他人婦女，四者、不得調欺，五者、不得飲酒，六者、不得兩舌，七者、不得惡口，八者、不得妄言，九者、不得嫉妬，十者、不得貪餮。不得心中有所慳惜，不得瞋怒，不得愚癡，不得隨心嗜欲，不得心中悔，不得狐疑；當作孝順，當作至誠忠信，當信受佛經語深，當信作善後世得其福。奉持如是其法不虧失者，在心所願，可得往生阿彌陀佛國。至要當齋戒一心清淨，晝夜常念欲往生阿彌陀佛國，十日十夜不斷絕，我皆慈哀之，悉令生阿彌陀佛國。」

佛言：「世間人以欲慕及賢明，居家修善為道者，與妻子共居，在恩好愛欲之中，憂念苦多，家事怱務，不暇大齋一心清淨；雖不能得去家棄欲，有空閑時，自端心意，念身作善，專精行道，十日十夜者。殊使不能爾，自思惟熟挍計，欲度脫身者，下當絕念去憂，勿念家事，莫與婦人同床，自端正身心，斷於愛欲，一心齋戒清淨，至意念生阿彌陀佛國，一日一夜不斷絕者；壽終皆往生其國，在七寶浴池華蓮中化生。可甚智慧勇猛，所居七寶舍宅，自在意所欲作為，可次如上第一輩。」

佛語阿逸菩薩言：「諸八方上下無央數諸天人民、比丘僧、比丘尼、優婆塞、優婆夷，往生阿彌陀佛國眾等大會，皆共於七寶浴池水中，都共人人悉自於一大蓮華上坐，皆悉自陳道德行善。人人各自說其前世宿命求道時，持戒所作善法，所從來生本末，其所好憙經道，知經智慧，所施行功德，從上次下轉皆遍已。知經有明不明，智有深淺大小，德有優劣厚薄，自然之道別知。才能智慧健猛，眾相觀照，禮義和順，皆自歡喜踊躍。智慧有勇猛，各不相屬逮。」

佛言：「其人殊不豫作德，為善輕戲，不信使然，徒倚懈怠，為用可爾。至時都集說經道，自然迫促，應答遲晚。道智卓殊超絕，才能高猛，獨於邊羸，臨事乃悔。悔者已出，其後當復何益？但心中悷悢，慕及等爾。」

佛言：「阿彌陀佛國諸菩薩、阿羅漢衆等，大聚會自然都集。拘心制意，端身正行，遊戲洞達，俱相隨飛行，翻輩出入，供養無極，歡心喜樂。共觀經行道，和好久習，才猛智慧，志若虛空，精進求願，心終不復中徊，意終不復轉，終無有懈極時。雖求道，外若遲緩，內獨急疾，容容虛空，適得其中。中表相應，自然嚴整，撿歛端直，身心清潔，無有愛欲，無所適貪，無有衆惡瑕穢。其志願皆各安定殊好，無增缺減，求道和正，不誤傾邪准望道法，隨經約令不敢違蹉跌。若於八方上下，無有邊幅，自在所欲，至到無窮無極，咸然為道。恢廓及曠蕩，念道無他之念，無有憂思，自然無為，虛無空立，恢安無欲。作得善願，盡心求索，含哀慈愍，精進中表，禮義都合，通洞無違，和順副稱，褒羅表裏。過度解脫，能升入泥洹，長與道德合明。

「自然相保守，快意之滋真滋，真了潔白，志願無上。清淨之安定，靜樂之無有極，善好無有比。巍巍之燿照，燿照亘開達明徹。自然中自然相，然之有根本，自然成五光，五光至九色，九色參徊轉，數百千更變。欝單之自然，自然成七寶，橫攬成萬物，光精參明俱出好，甚姝無有極。其國土甚若此，何不力為善？念道之自然，著於無上下，洞達無邊幅，捐志虛空中，何不各精進？努力自求索，可得超絕去。往生阿彌陀佛國，橫截於五惡道，自然閉塞，升道之無極，易往無有人。其國土不逆違，自然之隨牽。何不棄世事，行求道德？可得極長生，壽無有極。何為著世事？譊譊共憂思無常。

「世人薄俗，共諍不急之事，共於是處劇惡極苦之中，勤身治生，用相給活。無尊無卑、無富無貧、無老無少、無男無女，皆當共憂錢財，有無同然，憂思適等。屏營愁苦，累念思慮，為心使走，無有安時。有田憂田，有宅憂宅，有牛憂牛，有馬憂馬，有六畜憂六畜，有奴婢憂奴婢，有衣被錢財金銀寶物，復共憂之。重思累息，憂念愁恐，橫為非常水火、盜賊、怨主、債家所漂燒繫唐突沒溺，憂毒忪忪無有解時。結憤胸中，稸氣恚怒，病在胸腹，憂苦不離，心堅意固，適無縱捨，或坐摧藏終身亡命，棄捐之去莫誰隨者？

「尊卑豪貴貧富，有是憂懼勤苦。如此，結衆寒熱與痛共居。小家貧者，窮困苦乏；無田亦憂，欲有田；無宅亦憂，欲有宅；無牛亦憂，欲有牛；無馬亦憂，欲有馬；無六畜亦憂，欲有六畜；無奴婢亦憂，欲有奴婢；無衣被、錢財、什物、飲食之屬亦憂，欲有之。適有一復少一，有是少是，思有齊等，適小具有，便復賜盡。如是苦生，當復求索，思想無益，不能時得。身心俱勞，坐起不安，憂意相隨，勤苦如此。焦心不離恚恨獨怒，亦結衆寒熱與痛同居，或時坐之，終身夭命，亦不肯作善為道。壽命終盡死，皆當獨遠去，有所趣向善惡之道，莫能知之。

「或時世人、父子、兄弟、夫婦、家室、中外親屬，居天地之間，當相敬愛，不當相憎；有無當相給與，不當有貪惜；言色當和，莫相違戾。或儻心諍有所恚怒，今世恨意微相嫉憎，後世轉劇致成大怨。所以者何？如今之事，更欲相害，雖不臨時，應急相破。然之愁毒結憤精神，自然剋識不得相離，皆當對相生，值更相報復。人在世間愛欲之中，獨往獨來，獨死獨生，當行至苦樂之處，身自當之，無有代者。善惡變化，殃咎惡處，宿豫嚴待，當獨升入，遠到他處，莫能見去在何所，善惡自然追逐行生。窈窈冥冥別離久長，道路不同，會見無期，甚難得復相值。

「何不棄家事，各曼強健時，努力為善？力精進求度世，可得極長壽。殊不肯求於道，復欲須待欲何樂乎？如是世人，不信作善得善，不信為道得道，不信死後世復生，不信施與得其福德，都不信之；爾以謂不然，終無有是。但坐是故，且自見之，更相代聞，前後相續，轉相承受，父餘教令，先人祖父素不作善，本不為道，身愚神闇，心塞意閉，不見大道。殊無有能見人死生，有所趣向亦莫能知者，適無有見善惡之道，復無語者，為用作善惡福德，殃咎禍罰，各自競作為之用，殊無有怪也。

「至於死生之道，轉相續立，或子哭父，或父哭子，或弟哭兄，或兄哭弟，或婦哭夫，或夫哭婦，顛倒上下，無常根本，皆當過去，不可常得。教語開導，信道者少，皆當死生，無有休止。如是曹人，矇冥抵突，不信經語，各欲快意。心不計慮，愚癡於愛欲，不解於道德，迷惑於瞋怒，貪狼於財色，坐之不得道，當更勤苦，極在惡處生，終不得止休息，痛之甚可傷！

「或時家室中外、父子、兄弟、夫婦，至於死生之義，更相哭泣，轉相思慕，憂念憤結，恩愛繞纘，心意著痛，對相顧戀，晝夜縛礙，無有解時。教視道德，心不開明，思想恩好，情欲不離，閉塞矇瞑，交錯覆蔽，不能思計；心自端正，決斷世事，專精行道，便旋至竟。壽終命盡，不能得道，無可那何。總猥憒譊，皆貪愛欲。如是之法，不解道者多，得道者少。

「世間忽忽，無可聊賴，尊卑上下，豪貴貧富，男女大小，各自忽務，勤苦躬身懷殺毒。惡氣窈冥，莫不惆悵，為妄作事，惡逆天地，不從人心。道德非惡，先隨與之，恣聽所為，其壽未至，便頓奪之，下入惡道，累世勤苦，展轉愁毒，數千萬億歲無有止期。痛不可言，甚可憐愍！」

佛告阿逸菩薩等諸天、帝王、人民：「我皆語汝*曹世間之事，人用是故，坐不得道。汝曹熟思惟之，惡者當縱捨遠離之去，從其善者當堅持勿妄為非，益作諸善。大小多少愛欲之榮，皆不可常得，由當別離無可樂者。曼佛世時，其有信受佛經語深，奉行道德，皆是我小弟也；其欲有甫學佛經戒者，皆是我弟子；其有欲出身去家捨妻子，絕去財色，欲作沙門為佛作比丘者，皆是我子孫。我世甚難得值，其有願欲生阿彌陀佛國者，可得智慧勇猛，為眾所尊敬；勿得隨心所欲，虧負經戒，在於人後。儻有疑意不解經者，復前問佛，為汝解之。」

阿逸菩薩長跪叉手言：「佛威神尊重，所說經快善。我曹聽經語，皆心貫之，世人實爾，如佛所語無有異。今佛慈哀我曹，開示大道，教語生路，耳目聰明，長得度脫，今若得更生。我曹聽佛經語，莫不慈心歡喜踊躍開解者；及諸天、帝王、人民、蜎飛蠕動之類皆蒙恩，無不解脫憂苦者。佛語教戒甚深善，無極無底。佛智慧所見，知八方上下去、來、現在之事，無上無下，無邊無幅。佛甚難得聞，我曹比慈心於佛所，令我曹得度脫者，皆是佛前世求道時，勤苦學問，精明所致。恩德普覆，所施行福德，相祿巍巍，光明徹照，洞虛無極，貫入泥洹。教授攬典制威消化，改動八方上下無窮無極。佛為師法，尊絕群聖，都無能及佛者。佛為八方上下諸天、帝王、人民作師，隨其心所欲願，大小皆令得道。今我曹得與佛相見，得聞阿彌陀佛聲，我曹甚喜，莫不得黠慧開明者。」

佛告阿逸菩薩：「若言是實當爾。若有慈心於佛所者大喜，實當念佛。天下久久，乃復有佛耳。今我於苦世作佛，所出經道，教授洞達，截斷狐疑，端心正行，拔諸愛欲，絕眾惡根本。遊步無拘，典總智慧，眾道表裏，攬持維綱，照然分明，開*示五道，決正生死泥洹之道。」

佛言：「若曹從無數劫以來不可復計劫，若曹作菩薩道，欲過度諸天人民及蜎飛蠕動之類，已來甚久遠。人從若得道度者無央數，至得泥洹之道者亦無央數。若曹及八方上下諸天、帝王、人民，若比丘、比丘尼、優婆塞、優婆夷，若曹宿命從無數劫已來，展轉是五道中死生呼嗟，更相哭淚，轉相貪慕，憂思愁毒，痛苦不可言，至今世死生不絕。乃今日與佛相見共會值，是乃聞阿彌陀佛聲，甚快善，我助汝曹喜！

「亦可自厭死生痛痒。生時甚痛甚苦甚極，至年長大亦苦亦極，死時亦痛亦苦亦極；甚惡臭處，不淨潔了，無有可者。佛故悉語若曹，若曹亦可自決斷臭處惡露；若曹亦可端心正身，益作諸善。於是常端中外，潔淨身體，洗除心垢，自相約撿，表裏相應，言行忠信。人能自度脫，轉相扶接，拔諸愛欲，精明至心，求願不轉，結其善道根本，雖精苦一世，須臾間耳。

「今世為善，後世生阿彌陀佛國，快樂甚無極；長與道德合明，然善相保守，長去離惡道痛痒之憂惱，拔勤苦諸惡根本，斷諸愛欲恩好。長生阿彌陀佛國，亦無有諸痛痒，亦無復有諸惡臭處，亦無復有勤苦，亦無淫泆、瞋怒、愚癡，亦無有憂思愁毒。生於阿彌陀佛國，欲壽一劫、十劫、百劫、千劫、萬億劫，自恣意欲住止壽無央數劫、不可復計數劫，恣汝隨意皆可得之；欲食不食，恣若其意，都悉自然，皆可得之，次於泥洹之道。皆各自精明求索，心所欲願，勿得狐疑心中悔。欲往生者，無得坐其過失，在阿彌陀佛國界邊自然七寶城中，適五百歲。」

阿逸菩薩言：「受佛嚴明重教，皆當精進一心求索，請奉行之不敢疑怠！」

佛告阿逸菩薩等：「若曹於是世，能自制心正意，身不作惡者，是為大德善，都有一輩，為八方上下最無有比。所以者何？八方上下無央數佛國中，諸天人民皆自然作善，不大為惡，易教化。今我於是世間作佛，為於五惡、五痛、五燒之中作佛，為最劇。教語人民，令縱捨五惡，令去五痛，令去五燒之中，降化其心；令持五善，得其福德，度世、長壽、泥洹之道。」

佛言：「何等為五惡？何等為五痛？何等為五燒中者？何等為消化五惡，令得五善者？何等為持五善，得其福德，長壽、度世、泥洹之道？」

佛言：「其一惡者：◎諸天人民下至禽獸、蜎飛蠕動之屬，欲為衆惡。強者服弱，轉相剋賊，自相殺傷，更相食噉；不知作善，惡逆不道，受其殃罰，道之自然，當往趣向。神明記識，犯之不貰，轉相承續，故有貧窮、下賤、乞匃、孤獨，故有聾盲、憋瘂、愚癡、憋惡，下有尪狂不及逮之屬，故有尊卑豪貴、高才明達、智慧勇猛，皆其前世宿命，為善慈孝布施恩德。故有官事、王法、牢獄，不肯畏慎，作惡入法，受其過謫，重罰致劇，求望解脫，難得度出。

「今世有是目前現在，壽終有*劇，入其窈冥受身更生，比若王法劇苦極刑，故有自然泥犁、禽獸、薜荔、蜎飛蠕動之類，轉貿身形，改惡易道，壽命短長，魂神精識，自然入趣受形寄胎。當獨值向，相從共生，轉相報償，當相還復，殃惡禍罰，衆事未盡，終不得離，展轉其中，世世累劫，無有出期，難得解脫，痛不可言。天地之間，自然有是，雖不臨時，卒暴應時，但取自然之道，皆當善惡歸之。是為一大惡、為一痛、為一燒，勤苦如是。愁毒呼嗟，比若劇火起燒人身，人能自於其中，一心制意，端身正行，獨作諸善，不為衆惡者，身獨度脫，得其福德，可得長壽、度世、上天、泥洹之道，是為一大善。」

佛言：「其二惡者：世間帝王、長吏、人民、父子、兄弟、家室、夫婦，略無義理，不從正令，奢婬憍慢，各欲快意，恣心自在，更相欺調，殊不懼死，心口各異，言念無實，佞諂不忠，諛媚巧辭，行不端緒，更相嫉憎，轉相讒惡，陷人冤枉。主上不明，心不察照任用臣下，臣下存在，踐度能行，知其形*勢，在位不正，為其所調，妄損忠良賢善，不當天心，甚違道理。臣欺其君，子欺其父，弟欺其兄，婦欺其夫。家室中外知識相訟，各懷貪淫心毒瞋怒，矇聾愚癡欲益，無有尊卑上下，無男無女、無大無小，心俱同然欲自厚己，破家亡身不顧念前後，家室親屬坐之破族。或時家中內外知識、朋友、鄉黨、市里、愚民、野人，轉更從事，共相利害，諍財鬪訟，怒忿成仇，轉諍勝負。慳富焦心不肯施與，祝祝守愛保貪惜，坐之思念，心勞身苦。如是至竟，無所恃怙，獨來獨去，無一隨者。善惡福德，殃禍適罰，追命所生，或在樂處，或入毒苦，然後乃悔，當復何及？

「或時世人愚心少智，見善誹謗恚之，不肯慕及，但欲為妄作不道，但欲盜竊，常懷毒心，欲得他人財物，用自供給，消散靡盡賜復求索。邪心不正，常獨恐怖，畏人有色，臨時不計，事至乃悔。今世現在長吏、牢獄，自然趣向，受其殃咎。世間貧窮、乞匃、孤獨，但坐前世宿命，不信道德，不肯為善；今世為惡，天神別籍，壽終入惡道，故有自然泥犁、禽獸、薜荔、蜎飛蠕動之屬。展轉其中，世世累劫，無有出期，難得解脫，痛不可言。是為二大惡、為二痛、為二燒，勤苦如是。比若火起劇於燒人身，人能自於其中，一心制意，端身正行，獨作諸善，不為衆惡者，身獨度脫，得其福德，可得長壽、度世、上天、泥洹之道，是為二大善。」

佛言：「其三惡者：諸世間人民寄生相因，共依居天地之間，處年壽命，無能幾歲，至有豪貴長者、賢明善人，下有貧賤尫羸愚者，中有不良之人。但懷念毒惡，身心不正，常念淫泆，煩滿胸中，愛欲交錯，坐起不安，貪意慳惜，欲橫唐得。眄睞細色，惡態婬泆，有婦厭憎，私妄出入。持家所有，相給為非，聚會飲食，專共作惡，興兵作賊，攻城格鬭，劫殺截斷強奪不道，取人財物偷竊趣得，不肯治生，所當求者不肯為之。惡心在外，不能專作，欲繫成事，恐勢迫脅，持歸給家，共相生活，恣心快意，極行作樂。行亂他人婦女，或於其親屬，不避尊卑長老，衆共憎惡，家室中外患而恚之，亦復不畏縣官法令，無所避錄。

「如是之惡，自然牢獄，日月照識，神明記取，諸神攝錄。故有自然泥犁、禽獸、蜎飛蠕動之屬，展轉其中，世世累劫，無有出期，難得解脫，痛不可言。是為三大惡、為三痛、為三燒，勤苦如是。比若火起燒人身，人能自於其中，一心制意，端身正行，獨作諸善，不為衆惡者，身獨度脫，得其福德，可得長壽、度世、上天、泥洹之道，是為三大善。」

佛言：「其四惡者：諸人不能作善，自相壞敗，轉相教令，共作衆惡。主為傳言，但欲兩舌、惡口、罵詈、妄語，相嫉更相鬪亂。憎嫉善人，敗壞賢善，於旁快之。復不孝順供養父母，輕易師友知識，無信難得誠實。自大尊貴，有道橫行，威武加權力勢，侵尅易人，不能自知。為惡不自羞慚，自用頑健，欲令人承事畏敬之。復不畏敬天地、神明、日月，亦不可教令作善，不可降化，自用偃蹇常當爾。亦復無憂哀心，不知恐懼之意，憍慢如是，天神記之。賴其前世宿命頗作福德，小善扶接營護助之；今世作惡盡鴪，諸善日去，見惡追之。身獨空立，無所復依，受重殃讁，壽命終身，衆惡繞歸，自然迫促，當往追逐不得止息，自然衆惡共趣頓乏。

「有其名籍在神明所，殃咎引牽當值相得，自然趣向，受過讁罰，身心摧碎，神形苦極不得離却，但得前行，入其火鑊。當是之時，悔復何益？當復何及？天道自然不得蹉跌，故有自然泥犁、禽獸、薜荔、蜎飛蠕動之屬，展轉其中，世世累劫，無有出期，難得解脫，痛不可言。是為四大惡、為四痛、為四燒，勤苦如是。比若火起燒人身，人能自於其中，一心制意，端身正行，獨作諸善，不為衆惡者，身獨度脫，得其福德，可得長壽、度世、上天、泥洹之道，是為四大善。」

佛言：「其五惡者：世人徒倚懈惰，不肯作善，不念治生，妻子飢寒，父母俱然。欲呵教其子，其子惡心，瞋目應怒，言令不從，違戾反逆，劇於野人，比若怨家，不如無子。妄遍假貸，衆共患厭，尤無復有報償之心，窮貧困乏不能復得。辜較諧聲，放縱遊散，串數唐得，自用賑給，不畏防禁。飲食無極，喫酒嗜美，出入無有期度。魯扈抵突，不知人情，壯吁強制，見人有喜，憎妬恚之。無義無禮，自用識當，不可諫曉。亦復不憂念父母、妻子有無，又復不念卒報父母之德，亦復不念師之恩好，心常念惡，口常言惡，身常行惡，日不成就。不信道德，不信有賢明先聖，不信作善為道可得度世，不信世間有佛，欲殺羅漢，鬪比丘僧。常欲殺人，欲殺父母、兄弟、妻子、宗親、朋友，父母、兄弟、妻子、宗親、朋友，憎惡見之，欲使之死。不信佛經語，不信人壽命終盡死後世復生，不信作善得善，不信作惡得惡。如是曹人男子、女人，心意俱然違戾反逆，愚癡蒙籠，瞋怒嗜欲，無所識知，自用快善大為智慧。亦不知所從來生，死所趣向，不肯慈孝，惡逆天地。於其中間望求僥倖，欲得長生射呼不死，會當歸就生死勤苦善惡之道。身所作惡殃咎衆趣，不得度脫，亦不可降化令作善，慈心教語開導死苦，善惡所趣向有是，復不信之。然苦心與語，欲令度脫，無益其人；心中閉塞，意不開解，大命將至，至時皆悔。其後乃悔，當復何及？不豫計作善，臨窮何益？

「天地之間，五道各明，恢曠窈窕，浩浩汗汗，轉相承受，善惡毒痛，身自當之，無有代者。道之自然，隨其所行，追命所生，不得縱捨。善人行善慈孝，從樂入樂，從明入明；惡人行惡，從苦從冥。誰能知者？獨佛見知耳！教語人民，信用者少，死生不休，惡道不絕；如是世人，不可悉道說。故有自然泥犁、禽獸、薜荔、蜎飛蠕動之屬，展轉其中，世世累劫，無有出期，難得解脫，痛不可言。是為五大惡、五痛、五燒，為勤苦如是。比若火起燒人身，人能自於其中，一心制意，端身正行，言行相副，所作至誠，所語如語，心口不轉，獨作諸善，不為衆惡者，身獨度脫，得其福德，可得長壽、度世、上天、泥洹之道，是為五大善。」

佛告阿逸菩薩等：「我皆語若曹，是世五惡，勤苦如是，令起五痛，令起五燒，展轉相生。世間人民不肯為善，欲作衆惡，敢欲犯此諸惡事者，皆悉自然當具更歷入惡道中。或其今世先被病殃，死生不得，示衆見之；壽終趣入至極大苦愁憂酷毒，自相焦然，轉相燒滅。至其然後共作怨家，更相傷殺，從小微起，至大困劇，皆從貪婬財色，不肯忍辱施與，各欲自快。無復曲直，欲得健名，為癡欲所迫，隨心思想，不能復得，結憤胸中，財色縛束，無有解脫，不知厭足。厚己諍欲，無所省錄，富貴榮華，當時⊙快意，不能☆忍辱，不知施善，威勢無幾，隨惡名焦，身坐勞苦，久後大劇，自然隨逐，無有解已。王法施張，自然糺舉，上下相應，羅網綱紀，煢煢忪忪，當入其中，古今有是，痛哉可傷！都無義理，不知正道。」

佛語阿逸菩薩等：「若世有是佛，皆慈愍哀之。威神摧動，衆惡諸事皆消化之，令得去惡就善，棄捐所思，奉持經戒莫不承受，施行經法不敢違失，度世無為，泥洹之道快善極樂。」

佛言：「若曹諸天、帝王、人民及後世人，得佛經語熟思惟之，能自於其中端心正行。其主上為善，率化撿御其下，教衆轉相勅令，轉共為善，轉相度脫。各自端守，慈仁愍哀，終身不怠，尊聖敬孝通洞博愛，佛語教令，無敢虧負。當憂度世、泥洹之道，當憂斷截死生痛痒，拔惡根本，當憂斷絕泥犁、禽獸、薜荔、蜎飛蠕動惡苦之道；當曼佛世，堅持經道，無敢違失。」

佛言：「若曹當信者，云何第一急？當自端身，當自端心，當自端目，當自端耳，當自端鼻，當自端口，當自端手，當自端足。能自撿斂，莫妄動作，身心淨潔，俱善相應，中外約束，勿隨嗜欲。不犯諸惡，言色當和，身行當專，行步坐起，所作當安。作事所為，當先熟思慮計之，揆度才能視瞻圓規，安定徐作為之。作事倉卒，不豫計熟，為之不諦，亡其功夫，敗悔在後，唐苦亡身，至誠忠信，得道絕去。」

佛言：「若曹於是益作諸善，布恩施德，能不犯道禁忌，忍辱精進，一心智慧，展轉復相教化，作善為德。如是經法，慈心專一，齋戒清淨一日一夜者，勝於在阿彌陀佛國作善百歲。所以者何？阿彌陀佛國皆積德衆善，無為自然在所求索，無有諸惡大如毛髮。」

佛言：「於是作善十日十夜者，其德勝於他方佛國中人民作善千歲。所以者何？他方佛國皆悉作善，作善者多，為惡者少，皆有自然之物，不行求作便自得之。是間為惡者多，作善者少，不行求作，不能令得，世人能自端制作善，至心求道，故能爾耳。是間無有自然，不能自給，當行求索，勤苦治生，轉相欺殆，調詐好惡，得其財物歸給妻子，飲食毒勞心身苦。如是至竟，心意不專，惚恫不安；人能自安靜，為善精進⊙作德，故能爾耳。」

佛言：「我皆哀若曹及諸天、帝王、人民，皆教令作諸善，不為衆惡；隨其所能，輒授與道，教戒開導，悉奉行之。即君率化為善，教令臣下，父教其子，兄教其弟，夫教其婦，家室內外、親屬、朋友，轉相教語。作善為道，奉經持戒，各自端守，上下相撿，無尊無卑、無男無女，齋戒清淨，莫不歡喜。和順義理，歡樂慈孝，自相約撿。其有得佛經語，悉持思之。不當所作而犯為之，即自悔過，去惡就善，棄邪為正，朝聞夕改，奉持經戒，劇愚得寶。佛所行處所在郡國，輒授與經戒，諸天、日月星辰諸神、國王、旁臣、長吏、人民、諸龍、鬼神、泥犁、禽獸、薜荔、蜎飛蠕動之屬，莫不慈心開解者，皆悉敬事，從佛稽受經道，承奉行之。即君改化為善，齋戒精思，淨自湔洗，端心正行，居位嚴慄，教勅率衆為善，奉行道禁，令言令正，臣孝其君，忠直受令不敢違負，父子言令，孝順承受，兄弟、夫婦、宗親、朋友，上下相令，順言和理。尊卑大小轉相敬事，以禮如義不相違負，莫不改往修來，洗心易行，端正中表。自然作善，所願輒得，咸善降化自然之道。求欲不死，即可得長壽；求欲度世，即可得泥洹之道。」

佛言：「佛威神尊德重，消惡化善，莫不度脫。今我出於天下，在是惡中，於苦世作佛，慈愍哀傷教語開導諸天帝王、旁臣左右、長吏人民，隨其心所願樂，皆令得道。佛諸所行處，所經過歷郡國、縣邑、丘聚、市里，莫不豐熟。天下太平，日月運照，倍益明好。風雨時節，人民安寧，強不臨弱，各得其所。無惡歲疾疫，無病瘦者。兵革不起，國無盜賊，無有冤抂，無有拘閉者。君臣、人民莫不喜踊，忠慈至誠，各自端守，皆自守國。雍和孝順莫不歡喜，有無相與，布恩施德，心歡樂與皆敬愛推，讓義謙遜，前後以禮敬事。如父如子，如兄如弟，莫不仁賢，和順禮節都無違諍，快善無極。」

佛言：「我哀若曹子欲度脫之，劇父母念子。今八方上下諸天、帝王、人民及蜎飛蠕動之類，得佛經戒，奉行佛道，皆得明慧，心悉開解，莫不得過度解脫憂苦者。今我作佛，在於五惡、五痛、五燒之中，降化五惡，消盡五痛，絕滅五燒；以善攻惡拔去毒苦，令得五道，令得五善明好，燒惡不起。我般泥洹去後，經道稍斷絕，人民詖諂稍復為衆惡，不復作善，五燒復起，五痛劇苦，復如前法，自然還復，久後轉劇不可悉說。我但為若曹小道之耳！」

佛告阿逸菩薩等：「若曹各思持之，展轉相教戒，如佛經法，無敢違犯。」

阿逸菩薩長跪叉手言：「佛道*說其☆苦痛，世人為惡，甚劇如是，佛皆慈哀悉度脫之。皆言受佛重教，請展轉相教，不敢違犯。」

佛告阿難：「我哀若曹，令悉見阿彌陀佛及諸菩薩、阿羅漢所居國土。若欲見之不？」

阿難即大歡喜長跪叉手言：「願皆欲見之。」

佛言：「若起更被袈裟，西向拜當日所沒處，為阿彌陀佛作禮，以頭腦著地言：『南無阿彌陀三耶三佛檀。』」

阿難言：「諾！受教。」即起更被袈裟，西向拜當日所沒處，為彌陀佛作禮，以頭腦著地言：「南無阿彌陀三耶三佛檀。」

阿難未起，阿彌陀佛便大放光明威神，則遍八方上下諸無央數佛國，諸無央數諸天地即皆為大震動。諸無央數天地須彌山羅寶、摩訶須彌大山羅寶，諸天地大界、小界，其中諸大泥犁、小泥犁，諸山林、溪谷、幽冥之處，即皆大明，悉大開闢。即時，阿難、諸菩薩、阿羅漢等，諸天、帝王、人民悉皆見阿彌陀佛，及諸菩薩、阿羅漢國土七寶已，心大歡喜踊躍，悉起為阿彌陀佛作禮，以頭腦著地，皆言：「南無阿彌陀三耶三佛檀。」

阿彌陀佛國放光明威神，以諸無央數天人民及蜎飛蠕動之類，皆悉見阿彌陀佛光明，莫不慈心歡喜者。諸有泥犁、禽獸、薜荔，諸有考治勤苦之處，即皆休止不復治，莫不解脫憂苦者。諸有盲者，即皆得視；諸有聾者，即皆得聽；諸有喑者，即皆能語；諸有僂者，即得申；諸跛癖蹇者，即皆走行；諸有病者，皆愈起；諸尪者，即皆強健；諸愚癡者，即更黠慧；諸有婬者，皆*修梵行；諸瞋怒者，悉皆慈心作善；諸有被毒者，毒皆不行。鍾磬、琴瑟、箜篌樂器諸伎，不鼓皆自作五音聲；婦女珠環皆自作聲，百鳥、畜*獸皆自悲鳴。當是時，莫不歡喜善樂得過度者，即爾時，諸佛國中諸天人民莫不持天上華香來下，於虛空中悉皆供養，散諸佛及阿彌陀佛上，諸天各共大作萬種自然伎樂，樂諸佛及諸菩薩、阿羅漢。當是之時，其快樂不可言！

佛告阿難、阿逸菩薩等：「我說阿彌陀佛及諸菩薩、阿羅漢國土自然七寶，儻無有異乎？」

阿難長跪叉手言：「佛說阿彌陀佛國土快善，如佛所言，無有一異。」

佛言：「我說阿彌陀佛功德國土快善，晝夜盡一劫，尚復未竟，我但為若曹小說之爾！」

阿逸菩薩即長跪叉手，問佛言：「今佛國土從是間，當有幾何阿惟越致菩薩往生阿彌陀佛國？願欲聞之。」

佛言：「汝欲知者，明聽著心中。」

阿逸菩薩言：「受教！」

佛言：「從我國當有七百二十億阿惟越致菩薩，皆當往生阿彌陀佛國。一阿惟越致菩薩者，前後供養無央數諸佛，以次如彌勒皆當作佛。及其餘諸小菩薩輩者無央數，不可復計，皆當往生阿彌陀佛國。」

佛告阿逸菩薩：「不但我國中諸菩薩當往生阿彌陀佛國，他方異國復有佛，亦復如是。第一佛名頭樓和斯，其國有百八十億菩薩，皆當往生阿彌陀佛國。他方異國第二佛名羅鄰那阿竭，其國有九十億菩薩，皆當往生阿彌陀佛國。他方異國第三佛名朱蹄彼會，其國有二百二十億菩薩，皆當往生阿彌陀佛國。他方異國第四佛名阿蜜蔡羅薩，其國有二百五十億菩薩，皆當往生阿彌陀佛國。他方異國第五佛名樓波黎波蔡蹂，其國有六百億菩薩，皆當往生阿彌陀佛國。他方異國第六佛名那惟于蔡，其國有萬四千菩薩，皆當往生阿彌陀佛國。他方異國第七佛名維黎波羅潘蔡蹂，其國有十五菩薩，皆當往生阿彌陀佛國。他方異國第八佛名和阿蔡，其國有八菩薩，皆當往生阿彌陀佛國。他方異國第九佛名尸利群蔡，其國有八百一十億菩薩，皆當往生阿彌陀佛國。他方異國第十佛名那他蔡，其國有萬億菩薩皆當往生阿彌陀佛國。他方異國第十一佛名和羅那惟于蔡蹂，其國有萬二千菩薩，皆當往生阿彌陀佛國。他方異國第十二佛名沸霸圖耶蔡，其國有諸菩薩無央數不可復計，皆阿惟越致，皆智慧勇猛，各供養無央數諸佛*已，一時俱心願欲往◎生，皆當生阿彌陀佛國。他方異國第十三佛名隨呵閱祇波多蔡，其國有七百九十億菩薩，皆當往生阿彌陀佛國。」

佛言：「是諸菩薩皆阿惟越致，諸比丘僧中及小菩薩輩無央數，皆當往生阿彌陀佛國。不獨是十四佛國中諸菩薩當往生也，都八方上下無央數佛國諸菩薩輩，各各◎如是皆當往生阿彌陀佛國，甚無央數，都共往會阿彌陀佛國，大眾多不可計。我但說八方上下無央數諸佛名字，晝夜一劫尚未竟；我但復說諸佛國諸比丘僧眾、菩薩當往生阿彌陀佛國人數，說之一劫不休止尚未竟。我但為若曹總攬都小說之爾！」

佛語阿難、阿逸菩薩等：「其世間帝王、人民、善男子、善女人，前世宿命作善所致，相祿巍巍，乃當聞阿彌陀佛聲者，甚快善哉！代之喜。」

佛言：「其有善男子、善女人，聞阿彌陀佛聲，慈心歡喜，一時踴躍，心意淨潔，衣毛為起，淚即出者，皆前世宿命作佛道，若他方佛故菩薩，非凡人。其有人民男子、女人聞⊙阿彌陀佛聲，不信有者，不信經佛語，不信有比丘僧，心中狐疑都無所信者，皆故從惡道中來生，愚癡不解，宿命殃惡未盡，尚未當度脫故，心中狐疑不信向爾。」

佛言：「我語若曹，若曹所當作善法，皆當奉行信之，無得疑。我般泥洹去後，汝曹及後世人，無得復言：『我不信有阿彌陀佛國』，我故令若曹悉見阿彌陀佛國土，所當為者各求之。我具為若曹說道經戒慎法，若曹當如佛法持之，無得毀失。我持是經以累若曹，若曹當堅持之，無得為妄增減是經法。我般泥洹去後，經道留止千歲，千歲後經道斷絕，我皆慈哀，*特留是經法，止住百歲；百歲中竟，乃休止斷絕。在心所願，皆可得道。」

佛言：「師開導人耳目，智慧明達度脫人，令得善合泥洹之道，常當孝慈於佛⊙如父母，常當念師恩，常念不絕即得道疾。」

佛言：「天下有佛者甚難值；若有沙門，若師為人說經者甚難值！」

佛說是經時，即萬二千億諸天人民，皆得天眼徹視，悉一心皆為菩薩道；即二百億諸天人民，皆得阿那含道；即八百沙門，皆得阿羅漢道；即四十億菩薩，皆得阿惟越致。

佛說經已，諸菩薩、阿羅漢、諸天、帝王、人民，皆大歡喜，起為佛作禮遶三匝，前以頭面著佛足而去。

阿彌陀經卷下

佛說大乘無量壽莊嚴經

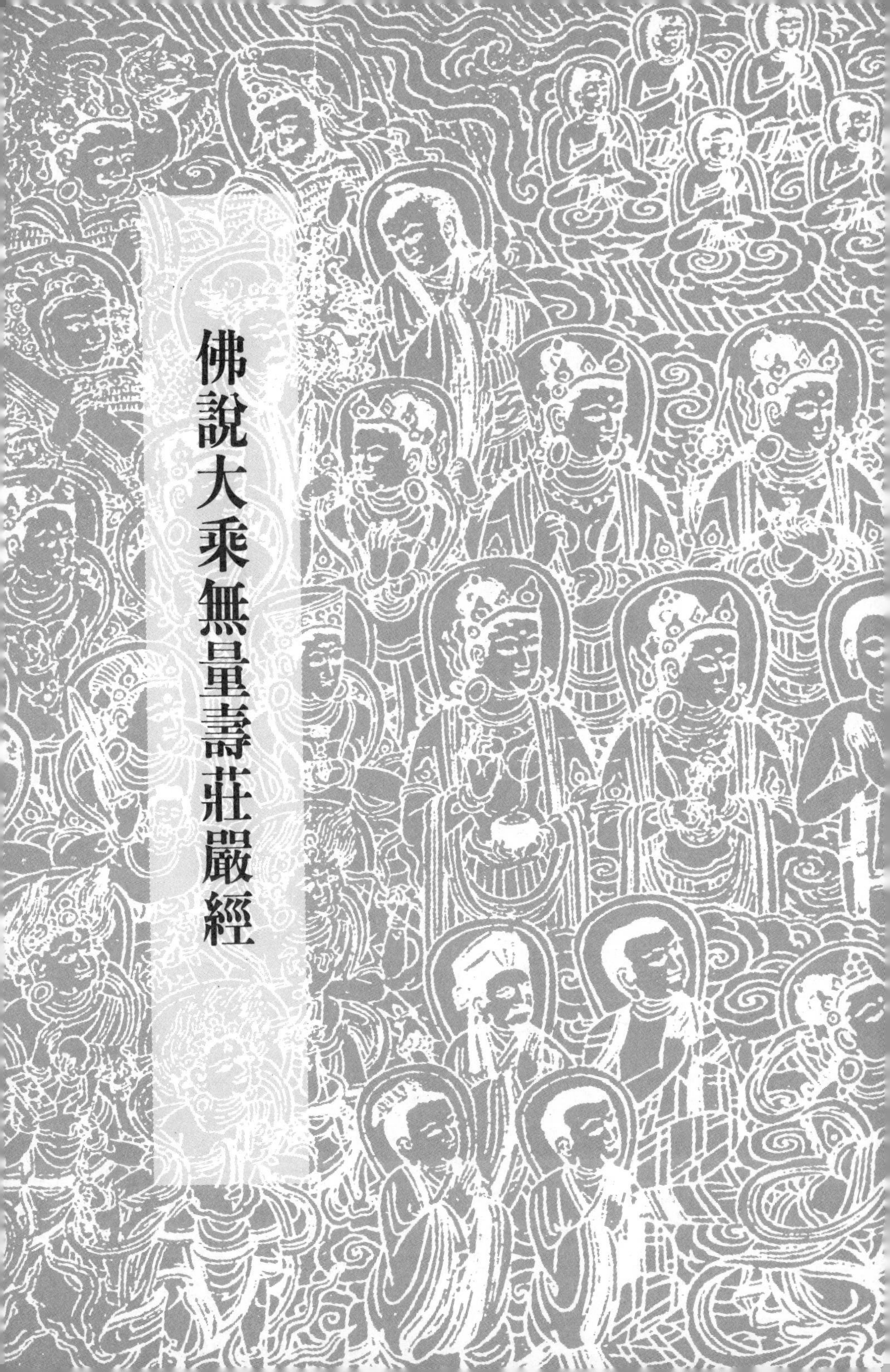

佛說大乘無量壽莊嚴經卷上

西天譯經三藏朝散大夫試光祿卿明教大師臣法賢奉　詔譯

如是我聞：一時，佛在王舍城鷲峰山中，與大苾芻眾三萬二千人俱，皆得阿羅漢，具大神通，其名曰：尊者阿若憍陳如、尊者馬勝、尊者麼瑟比拏、尊者大名、尊者跋多婆、尊者稱天、尊者離垢、尊者妙臂、尊者布闌拏枳曩、尊者憍梵波提、尊者優樓頻螺迦葉、尊者那提迦葉、尊者舍利子、尊者大目乾連、尊者摩訶迦旃延、尊者摩訶俱絺羅、尊者劫賓那、尊者摩訶劑那、尊者彌多羅尼子、尊者阿那律、尊者喜、尊者緊鼻哩拏、尊者須菩提、尊者哩嚩帝、尊者佉禰囉嚩儞枳曩、尊者摩賀囉倪、尊者波囉野尼枳曩、尊者嚩拘隸曩、尊者阿難陀、尊者羅睺羅、尊者善來，如是等三萬二千人俱。

爾時，尊者阿難即從座起，偏袒右肩，右膝著地，合掌頂禮，白佛言：「世尊！如來、應、正等覺諸根清淨，面色圓滿，寶剎莊嚴，如是功德得未曾有。云何所行廣大妙行，及過去、未來諸佛所行？願為宣說。」

佛告阿難：「善哉！善哉！汝為利益一切衆生，懷慈愍心，能問如來微妙之義。汝今諦聽！善思念之。如來、應供、正遍知今為汝說。」

佛告阿難：「如過去無量無邊不可思議阿僧祇劫，爾時，有佛世尊出現於世，名曰然燈如來、應、正等覺。彼然燈佛前，復有世尊出現世間，名鉢囉多波野輸如來；又彼佛前有佛出世，名發光如來；又彼佛前有佛出世，名賛那曩誐囉護如來；又彼佛前有佛出世，名須彌劫如來；又彼佛前有佛出世，名月面如來；又彼佛前有佛出世，名無垢面如來；又彼佛前有佛出世，名無著如來；又彼佛前有佛出世，名龍主如來；又彼佛前有佛出世，名日面如來；又彼佛前有佛出世，名山響音王如來；又彼佛前有佛出世，名須彌峯如來；又彼佛前有佛出世，名金藏如來；又彼佛前有佛出世，名火光如來；又彼佛前有佛出世，名不動地如來；又彼佛前有佛出世，名瑠璃光如來；又彼佛前有佛出世，名月王如來；又彼佛前有佛出世，名日音如來；又彼佛前有佛出世，名散華莊嚴如來；又彼佛前有佛出世，名吉祥峯如來；又彼佛前有佛出世，名持海慧自在通王如來；又彼佛前有佛出世，名施光如來；又彼佛前有佛出世，名大香象光如來；又彼佛前有佛出世，名離一切垢如來；又彼佛前有佛出世，名勇猛峯如來；又彼佛前有佛出世，名寶光如來；又彼佛前有佛出世，名持多德得通如來；又彼佛前有佛出世，名過日月光如來；又彼佛前有佛出世，名最上瑠璃光如來；又彼佛前有佛出世，名慧花開心行出生如來；又彼佛前有佛出世，名大華林通王如來；又彼佛前有佛出世，名一月光如來；又彼佛前有佛出世，名破無明黑暗如來；又彼佛前有佛出世，名真珠珊瑚蓋如來；又彼佛前有佛出世，名三乘法自在王如來；又彼佛前有佛出世，名師子海峰自在王如來；又彼佛前有佛出世，名梵音聲自在王如來。又彼佛前有佛出世，名世自在王如來、應、正等覺、明行足、善逝、世間解、無上士、調御丈夫、天人師、佛、世尊。而於法中有一苾芻，名曰作法，信解第一，明記第一，修行第一，精進第一，智慧第一，大乘第一。

「爾時，苾芻離自本處來詣佛前，頭面禮足於一面立，即以伽他嘆佛面色端嚴，復發廣大誓願，頌曰：

如來微妙色端嚴，一切世間無有等，光明無量照十方，日月火珠皆匿曜。
願我得佛清淨聲，法音普及無邊界，宣揚戒定精進門，通達甚深微妙法。
智慧廣大深如海，內心清淨絕塵勞，超過無邊惡趣門，速到菩提究竟岸。
亦如過去無量佛，威光普照衆生界，為彼群生大導師，度脫老死令安隱。
常行布施及戒忍，精進定慧六波羅，未度有情令得度，已度之者使成佛。
我以一切伸供養，百千俱胝那由他，恒河沙數佛世尊，令我成就寂滅果。
復有十方諸佛剎，恒放光明照一切，殊勝莊嚴無等倫，願我成就利群品。
所有無邊世界中，輪迴諸趣衆生類，速生我剎受快樂，不久俱成無上道。
願我精進恒決定，常運慈心拔有情，度盡阿鼻苦衆生，所發弘誓永不斷。」

爾時，世尊告阿難言：「彼作法苾芻說是偈已，白世自在王如來：『我今發阿耨多羅三藐三菩提心，樂求無上正等正覺，唯願世尊說諸佛剎功德莊嚴，若我得聞，恒自修持嚴土之行。』

「爾時，世自在王如來告作法苾芻言：『汝自思惟，修何方便而能成就佛剎莊嚴？』苾芻白言：『我智慧微淺，不能了知嚴剎之行。如來、應、正遍知，願為宣說諸佛剎土莊嚴之事。』

「時，世自在王如來即為宣說八十四百千俱胝那由⊙他佛剎功德莊嚴廣大圓滿之相，經於一劫方可究竟。」

爾時，阿難聞是事已，白佛言：「世尊！彼世自在王佛壽量長短？云何說土經於一劫？」

佛告阿難：「彼佛壽命滿四十劫。阿難！彼作法苾芻聞佛所說八十四百千俱胝那由他佛剎功德莊嚴之事，明了通達如一佛剎。即時會中頭面禮足，辭佛而退，往一靜處，獨坐思惟，修習功德莊嚴佛剎，發大誓願，經於五劫。爾時，作法苾芻復詣世自在王如來所，五體投地，禮世尊足。禮已合掌，白佛言：『世尊！如是八十四百千俱胝那由他佛刹功德莊嚴、所行行願，我今成就。』時，世自在王如來告苾芻言：『善哉！善哉！汝之行願思惟究竟，今正是時，為衆解說；時諸菩薩聞是法已，得大善利，能於佛刹修習莊嚴。』

「爾時，作法苾芻聞佛聖旨，偏袒右肩，右膝著地，合掌向佛，即為宣說：

世尊！我發誓言，願如世尊證得阿耨多羅三藐三菩提；所居佛刹，具足無量不可思議功德莊嚴；所有一切衆生及焰摩羅界、三惡道中地獄、餓鬼、畜生，皆生我刹，受我法化，不久悉成阿耨多羅三藐三菩提，一切皆得身真金色。

世尊！我得菩提成正覺已，十方世界所有衆生，令生我刹，如諸佛土人天之衆，遠離分別，諸根寂靜，悉皆令得阿*耨多羅三藐三菩提。

世尊！我得菩提成正覺已，十方世界所有衆生，令生我刹，得大神通，經一念中，周遍巡歷百千俱胝那由他佛刹，供養諸佛，深植善本，悉皆令得阿耨多羅三藐三菩提。

世尊！我得菩提成正覺已，所有衆生令生我剎，一切皆得宿命通，能善觀察百千俱胝那由他劫過去之事，悉皆令得阿耨多羅三藐三菩提。

世尊！我得菩提成正覺已，所有衆生令生我剎，一切皆得清淨天眼，能見百千俱胝那由他世界麁細色相，悉皆令得阿耨多羅三藐三菩提。

世尊！我得菩提成正覺已，所有衆生令生我剎，一切皆得他心通，善能了知百千俱胝那由他衆心、心所法，悉皆令得阿耨多羅三藐三菩提。

世尊！我得菩提成正覺已，所有衆生令生我剎，一切皆得住正信位，離顛倒想，堅固修習，悉皆令得阿耨多羅三藐三菩提。

世尊！我得菩提成正覺已，所有衆生令生我剎，所修正行善根無量，遍圓寂界而無間斷，悉皆令得阿耨多羅三藐三菩提。

世尊！我得菩提成正覺已，所有衆生令生我剎，雖住聲聞、緣覺之位，往百千俱胝那由他寶剎之內，遍作佛事，悉皆令得阿耨多羅三藐三菩提。

世尊！我得菩提成正覺已，所有衆生令生我剎，一切皆得無邊光明，而能照曜百千俱胝那由他諸佛剎土，悉皆令得阿耨多羅三藐三菩提。

世尊！我得菩提成正覺已，所有衆生令生我剎，命不中夭，壽百千俱胝那由他劫，悉皆令得阿耨多羅三藐三菩提。

世尊！我得菩提成正覺已，所有衆生令生我剎，無不善名，聞無量無數諸佛剎土，無名、無號、無相、無形，無所稱讚，而無疑謗，身心不動，悉皆令得阿耨多羅三藐三菩提。

世尊！我得菩提成正覺已，所有衆生求生我剎，念吾名號，發志誠心，堅固不退；彼命終時，我令無數苾芻現前圍繞，來迎彼人，經須臾間得生我剎，悉皆令得阿耨多羅三藐三菩提。

世尊！我得菩提成正覺已，所有十方無量無邊無數世界一切衆生，聞吾名號，發菩提心，種諸善根，隨意求生諸佛剎土，無不得生，悉皆令得阿耨多羅三藐三菩提。

世尊！我得菩提成正覺已，所有衆生令生我剎，皆具三十二種大丈夫相，一生令得阿耨多羅三藐三菩提。

世尊！我得菩提成正覺已，所有衆生令生我剎，若有大願，未欲成佛為菩薩者，我以威力令彼教化一切衆生，皆發信心，修菩提行、普賢行、寂滅行、淨梵行、最勝行及一切善行，悉皆令得阿耨多羅三藐三菩提。

世尊！我得菩提成正覺已，所有衆生令生我剎，於一切處承事供養無量百千俱胝那由他諸佛，種諸善根，隨意所求，無不滿願，悉皆令得阿耨多羅三藐三菩提。

世尊！我得菩提成正覺已，我剎土中所有菩薩，皆得成就一切智慧，善談諸法祕要之義，不久速成阿耨多羅三藐三菩提。

世尊！我得菩提成正覺已，我居寶剎所有菩薩，發勇猛心，運大神通，往無量無邊無數世界諸佛剎中，以真珠、瓔珞、寶蓋、幢幡、衣服、臥具、飲食、湯藥、香華、伎樂，供養承事，迴求菩提，速得成就阿耨多羅三藐三菩提。

世尊！我得菩提成正覺已，我居寶剎所有菩薩，發大道心，欲以真珠、瓔珞、寶蓋、幢幡、衣服、臥具、飲食、湯藥、香華、伎樂，承事供養他方世界無量無邊諸佛世尊而不能往，我於爾時以宿願力，令彼他方諸佛世尊，各舒手臂至我剎中，受是供養，令彼速成阿耨多羅三藐三菩提。

世尊！我得菩提成正覺已，我居寶剎所有菩薩，隨自意樂，不離此界，欲以真珠、瓔珞、寶蓋、幢幡、衣服、臥具、飲食、湯藥、香華、伎樂供養他方無量諸佛，又復思惟：如佛展臂至此受供，劬勞諸佛，令我無益。作是念時，我以神力，令此供具自至他方諸佛面前，一一供養。爾時菩薩，不久悉成阿耨多羅三藐三菩提。

世尊！我得菩提成正覺已，我居寶剎所有菩薩，身長十六由旬，得那羅延力，身相端嚴，光明照曜，善根具足，成就阿耨多羅三藐三菩提。

世尊！我得菩提成正覺已，我居寶剎所有菩薩，為諸衆生通達法藏，安立無邊一切智慧，斷盡諸結，悉得證成阿耨多羅三藐三菩提。

世尊！我得菩提成正覺已，我居寶剎所有菩薩，以百千俱胝那由他種種珍寶造作香爐，下從地際，上至空界，常以無價栴檀之香，普薰供養十方諸佛，令得速成阿耨多羅三藐三菩提。

世尊！我得菩提成正覺已，所居佛剎廣博嚴淨，光瑩如鏡，悉能照見無量無邊一切佛剎，衆生覩者，生希有心，不久速成阿耨多羅三藐三菩提。

世尊！我得菩提成正覺已，我居寶剎所有菩薩，晝夜六時恒受快樂，過於諸天，入平等總持門，身光普照無邊世界，不久得成阿耨多羅三藐三菩提。

世尊！我得菩提成正覺已，所有十方無量無邊無數世界一切女人，若有厭離女身者，聞我名號，發清淨心，歸依頂禮，彼人命終即生我剎，成男子身，悉皆令得阿耨多羅三藐三菩提。

世尊！我得菩提成正覺已，所有十方無量無邊無數佛剎聲聞、緣覺，聞我名號，修持淨戒，堅固不退，速坐道場，成就阿耨多羅三藐三菩提。

世尊！我得菩提成正覺已，所有十方無量無邊不可思議無等佛剎一切菩薩，聞我名號，五體投地，禮拜歸命；復得天上、人間一切有情尊重恭敬，親近侍奉，增益功德，成就阿耨多羅三藐三菩提。

世尊！我得菩提成正覺已，所有衆生發淨信心，為諸沙門、婆羅門染衣、洗衣、裁衣、縫衣、修作僧服；或自手作，或使人作，作已迴向。是人所感，八十一生得最上衣隨身豐足，於最後身來生我剎，成就阿耨多羅三藐三菩提。」

佛說大乘無量壽莊嚴經卷上

佛說大乘無量壽莊嚴經卷中

西天譯經三藏朝散大夫試光祿
卿明教大師臣法賢奉　詔譯

「爾時，作法苾芻白世尊言：

我得菩提成正覺已，所有一切衆生聞我名號，永離熱惱，心得清涼，行正信行，得生我刹；坐寶樹下證無生忍，成就阿耨多羅三藐三菩提。

世尊！我得菩提成正覺已，所有十方一切佛刹諸菩薩衆，聞我名號，應時證得寂靜三摩地。住是定已，於一念中，得見無量無邊不可思議諸佛世尊，承事供養，成就阿耨多羅三藐三菩提。

世尊！我得菩提成正覺已，所有十方一切佛刹聲聞、菩薩，聞我名號，證無生忍，成就一切平等善根，住無功用離加行故，不久令得阿耨多羅三藐三菩提。

世尊！我得菩提成正覺已，所有十方一切佛剎諸菩薩眾，聞我名已，生希有心，是人即得普遍菩薩三摩地。住此定已，於一念中，得至無量無數不可思議諸佛剎中，恭敬尊重供養諸佛，成就阿耨多羅三藐三菩提。

世尊！我得菩提成正覺已，於我剎中所有菩薩，或樂說法，或樂聽法，或現神足，或往他方，隨意修習，無不圓滿，皆令證得阿耨多羅三藐三菩提。

世尊！我得菩提成正覺已，所有十方一切佛剎聞我名者，應時即得初忍、二忍乃至無生法忍，成就阿耨多羅三藐三菩提。

「爾時，作法苾芻向彼佛前發如是願已，承佛威神，即說頌曰：

我今對佛前，　而發誠實願，
獲佛十力身，　威德無等等。
復為大國王，　富豪而自在，
廣以諸財寶，　普施於貧苦。
令彼諸群生，　長夜無憂惱，
出生眾善根，　成就菩提果。
我若成正覺，　立名無量壽，
眾生聞此號，　俱來我剎中，

如佛金色身，　妙相悉圓滿，　亦以大慈心，　利益諸群品。
願我智慧光，　廣照十方剎，　除滅諸有情，　貪瞋煩惱闇。
地獄鬼畜生，　悉捨三塗苦，　亦生我剎中，　修習清淨行，
獲彼光明身，　如佛普照曜，　日月珠寶光，　其明不可比。
願我未來世，　常作天人師，　百億世界中，　而作師子吼。
如彼過去佛，　所行慈愍行，　廣無量無邊，　俱胝諸有情，
圓滿昔所願，　一切皆成佛。　發是大願時，　三千大千界，
震動遍十方；　天人空界中，　散雨一切花，　栴檀及沈水。
稱讚大苾芻，　願力甚希有，　決定當作佛，　廣利眾生界。

「復次，阿難！時作法苾芻對世自在王如來及天人、魔梵、沙門、婆羅門、阿修羅等，發是願已，住真實慧，勇猛精進，修習無量功德，莊嚴佛剎。入三摩地，歷大阿僧祇劫修菩薩行，不生慳貪心、瞋恚心、愚癡心，亦無欲想、瞋想、癡想、色、聲、香、味、觸想。心不迷亂，口不瘖瘂，身不懈怠，但樂憶念過去

諸佛所修善根。行寂靜行，遠離虛妄，堅守律儀，常以愛語饒益衆生。於佛、法、僧信重恭敬，調順柔軟，依真諦門植衆德本，了空、無相、無願、無為、無生、無滅。善護口業，不譏他過；善護身業，不失律儀；善護意業，清淨無染。所有國城聚落，男女奴眷屬，金銀珍寶，乃至色、聲、香、味、觸等，都無所著，恒以布施、持戒、忍辱、精進、禪定、智慧六度之行，利樂衆生，軌範具足，善根圓滿。所生之處，有無量無數百千俱胝那由他珍寶之藏，從地湧出；攝受無量無數百千俱胝那由他衆生，發阿耨多羅三藐三菩提心。如是之行，無量無邊說不能盡。

「復次，阿難！作法苾芻行菩薩行時，於諸佛所尊重恭敬，承事供養未曾間斷。為四大天王恒詣佛所，恭敬禮拜，承事供養。為忉利天王恒詣佛所，恭敬禮拜，承事供養。為夜摩天王、兜率天王、化樂天王、他化自在天王乃至大梵天王等，恒詣佛所，恭敬禮拜，承事供養。復次，阿難！處閻浮提，為轉輪王受灌頂位，及大臣官族等，恒詣佛所，恭敬禮拜，承事供養。為刹帝利、婆羅門等，恒詣佛所，恭敬禮拜，承事供養。如是經無量無數百千萬億劫，親近諸佛，植衆德本，所集阿耨多羅三藐三菩提。

「復次，阿難！作法苾芻行菩薩行時，口中常出栴檀之香，身諸毛孔出優鉢羅華香。其香普薰無量無邊不可思議那由他百千由旬，有情聞此香者，皆發阿耨多羅三藐三菩提心。復次，阿難！作法苾芻行菩薩行時，色相端嚴，三十二相、八十種好，悉皆具足。復以一切珍寶莊嚴兩臂，手中恒出一切衣服、一切飲食、一切幢幡、一切傘蓋、一切音樂，乃至一切最上所須之物，利樂一切衆生，令發阿耨多羅三藐三菩提心。」

爾時，阿難聞佛說彼作法苾芻菩薩之行，白世尊言：「作法苾芻為是過去佛耶？未來佛耶？現在佛耶？」

世尊告言：「彼佛如來，來無所來，去無所去，無生無滅，非過、現、未來，但以酬願度生。現在西方，去閻浮提百千俱胝那由他佛剎，有世界名曰極樂，佛名無量壽。成佛已來於今十劫，有無量無數菩薩摩訶薩及無量無數聲聞之衆，恭敬圍繞而為說法。彼佛光明照於東方恒河沙數百千俱胝那由他不可稱量佛刹，如是南西北方、四維上下，亦復如是。復次，阿難！彼佛無量壽若化圓光，或一由旬、二由旬、三由旬，或百由旬、千由旬、百千由旬，或俱胝那由他百千由旬，乃至遍滿無量無邊無數佛刹。復次，阿難！今此光明名無量光、無礙光、常照光、不空光、利益光、愛樂光、安隱光、解脫光、無等光、不思議光、過日月光、奪一切世間光、無垢清淨光，如是光明普照十方一切世界，天龍、藥叉、乾闥婆、阿修羅、迦樓羅、緊那羅、摩睺羅伽、人非人等見此光明，發菩提心，獲利樂故。」

佛告阿難：「我住一劫，說此光明功德利益，亦不能盡。

「復次，阿難！無量壽如來有如是百、千、萬、十萬、百萬、一俱胝、百俱胝、千俱胝、緊迦囉數、頻婆囉數、那由他數、阿由他數、毘婆訶數、嚩娑那數、穰伽數、阿僧祇數、十阿僧祇數、百阿僧祇數、千阿僧祇數、百千阿僧祇數、阿摩儞野數、不可思議數，如是無量無數聲聞之衆，譬喻、算數數不能及。阿難！彼大目乾連神通第一，三千大千世界所有一切童男、童女，於一晝夜悉知其數。假使百千俱胝聲聞神通之力，皆如大目乾連，又一一聲聞壽百千俱胝那由他歲，盡其壽命數，彼聲聞百分之中，不及一分。復次，阿難！譬如大海，深八萬四千由旬，廣闊無邊，假使有人出身一毛，碎為百俱胝細如微塵，以一一塵投海出水，水在塵上形量亦爾：如是投盡毛塵，於意云何，毛塵水多？海中水多？」

阿難白佛言：「世尊！毛塵出水未及半合，海水無量。」

佛言阿難：「彼目乾連等聲聞之衆，盡其形壽，數知數者如毛塵之水，數未盡者如海中水。如是彼佛，有如是無量不可算數聲聞弟子。又彼佛國土大富無量，唯受快樂，無有衆苦：無地獄、餓鬼、畜生、焰魔羅界及八難之報，唯有清淨菩薩摩訶薩及聲聞之衆。

「復次，阿難！彼佛國土有種種寶柱，皆以百千珍寶而用莊嚴，所謂：金柱、銀柱、瑠璃柱、頗梨柱、真珠柱、硨磲柱、瑪瑙柱。復有金、銀二寶柱，金、銀、瑠璃三寶柱，金、銀、瑠璃、頗梨四寶柱，金、銀、瑠璩、頗梨、真珠五寶柱，金、銀、瑠璃、頗梨、真珠、硨磲六寶柱，金、銀、瑠璃、頗梨、真珠、硨磲、瑪瑙七寶柱。

「復次，阿難！彼佛國土復有種種寶樹，根莖枝幹黃金所成，華葉菓實白銀化作；亦有寶樹，根莖枝幹白銀所成，花葉菓實瑠璃化作；亦有寶樹，根莖枝幹瑠璃所成，華葉菓實頗梨化作；亦有寶樹，根莖枝葉頗梨所成，華葉菓實真珠化作；亦有寶樹，根莖枝幹真珠所成，華葉菓實硨磲化作；亦有寶樹，根莖枝幹硨磲所成，花葉菓實*瑪瑙化作。亦有寶樹，根莖枝幹瑪瑙所成，花葉菓實黃金化作。亦有寶樹，黃金為根，白銀為身，瑠璨為枝，頗梨為梢，真珠為葉，硨磲為花，瑪瑙為菓。亦有寶樹，白銀為根，瑠璃為身，頗梨為枝，真珠為梢，硨磲為葉，瑪瑙為花，黃金為菓。亦有寶樹，瑠璃為根，頗梨為身，真珠為枝，硨磲為梢，瑪瑙為葉，黃金為花，白銀為菓。亦有寶樹，頗梨為根，真珠為身，硨磲為枝，瑪瑙為梢，黃金為葉，白銀為花，瑠璃為菓。亦有寶樹，真珠為根，硨磲為身，瑪瑙為枝，黃金為梢，白銀為葉，瑠璃為花，頗梨為菓。亦有寶樹，硨磲為根，瑪瑙為身，黃金為枝，白銀為梢，瑠璃為葉，頗梨為花，真珠為菓。亦有寶樹，瑪瑙為根，黃金為身，白銀為枝，瑠璃為梢，頗梨為葉，真珠為花，硨磲為菓。如是極樂世界七寶行樹。復次，阿難！彼佛國土清淨嚴飾，寬廣平正，無有丘陵、坑坎、荊棘、沙礫、土石等山；黑山、雪山、寶山、金山、須彌山、鐵圍山、大鐵圍山，唯以黃金為地。」

爾時，阿難聞是語已，白世尊言：「四大王天、忉利天依須彌山王住，夜摩天等當依何住？」

佛告阿難：「夜摩、兜率乃至色、無色界一切諸天，皆依空界而住。」

阿難白言：「空界無礙，云何依住？業因果報不可思議。」

佛告阿難：「汝身果報亦不可思議，眾生業報亦不可思議，諸佛聖力不可思議。彼佛國土雖無大海，而有泉河處處交流；其水或闊十由旬、二十由旬、三十由旬乃至百千由旬，深十二由旬。其水清淨，具八功德，出微妙聲，譬如百千萬種音樂之聲，遍諸佛剎一切眾生；聞者適悅，得大快樂。又水兩岸復有無數栴檀香樹、吉祥菓樹，花卉恒芳，光明照耀。若彼衆生過此水時，要至足者、要至膝者乃至要至項者，或要冷者、溫者，急流者、慢流者，其水一一隨衆生意，令受快樂。又於水中出種種聲：佛聲、法聲、僧聲、止息聲、無性聲、波羅蜜聲、力聲、無畏聲、通達聲、無行聲、無生聲、無滅聲、寂靜聲、大慈聲、大悲聲、喜捨聲、灌頂聲，出如是種種微妙音聲；衆生聞已，發清淨心，無諸分別，正直平等，成熟善根，永不退於阿耨多羅三藐三菩提心。又彼佛剎其中生者，不聞地獄聲、餓鬼聲、畜生聲、夜叉聲、鬪諍聲、惡口聲、兩舌聲、殺生聲、偷盜聲、一切惡聲。而彼衆生色相端嚴，福德無量，智慧明了，神通自在。宮殿樓閣、園林池沼、衣服臥具，如他化自在天最上快樂之具，一切豐足。

「復次，阿難！彼土衆生思香花等，欲供諸佛；作是念時，花香、瓔珞、塗香、末香、幢幡、傘蓋及諸伎樂，隨意即至，滿佛剎中。若思飲食、湯藥、衣服、臥具、頭冠、耳環、真珠、羅網等，隨念即至，亦遍佛剎。又復思念摩尼寶等莊嚴宮殿樓閣、堂宇房閣，或大或小，或高或下；如是念時，隨意現前，無不具足。

「復次，阿難！譬如有人少有財寶，對受灌頂位剎帝利王，所有威勢悉皆不現；又剎帝利對天帝釋前，所有威勢悉皆不現；又天帝釋對他化自在天，所有威勢悉皆不現；又他化自在天等及色、無色界一切威勢，對無量壽如來極樂國土悉皆不現。如是彼土，功德莊嚴不可思議。

「復次，阿難！彼佛國土每於食時，香風自起吹動寶樹，樹相振觸出微妙音，演說苦、空、無常、無我、諸波羅蜜。復吹樹花，落於地上，周遍佛剎，高七人量，平正莊嚴，柔軟光潔；行人往來，足躡其地，深四指量，如迦隣那觸身安樂。過食時後，是諸寶花隱地不現。經須臾間復有風生，吹樹落花布地面上，如前無異。初夜、後夜，亦復如是。

「復次，阿難！彼佛國土無其黑闇，無其星曜，無其日月，無其晝夜，無其取捨，無其分別，純一無雜，唯受清淨最上快樂。若有善男子、善女人，若已生、若當生，是人決定證於阿耨多羅三藐三菩提。於意云何？彼佛剎中無三種失：

一、心無虛妄，二、位無退轉，三、善無唐捐。

「復次，阿難！東方有恒河沙數世界，諸佛如來出廣長舌相，放無量光，說誠實言，稱讚無量壽佛不可思議功德。南方亦有恒河沙數世界，諸佛如來出廣長舌相，放無量光，說誠實言，稱讚無量壽佛不可思議功德。西方亦有恒河沙數世界，諸佛如來出廣長舌相，放無量光，說誠實言，稱讚無量壽佛不可思議功德。北方亦有恒河沙數世界，諸佛如來出廣長舌相，放無量光，說誠實言，稱讚無量壽佛不可思議功德。如是四維上下恒河沙數世界，諸佛如來出廣長舌相，放無量光，說誠實言，稱讚無量壽佛不可思議功德。阿難！於意云何？欲令衆生聞彼佛名，發清淨心，憶念受持，歸依供養求生彼土。是人命終，皆得往生極樂世界，不退轉於阿耨多羅三藐三菩提。

「復次，阿難！若有善男子、善女人聞此經典，受持讀誦、書寫供養，晝夜相續，求生彼刹。是人臨終，無量壽如來與諸聖衆現在其前，經須臾間，即得往生極樂世界，不退轉於阿耨多羅三藐三菩提。

「復次，阿難！若有善男子、善女人發菩提心已，持諸禁戒，堅守不犯；饒益有情，所作善根悉施與之，令得安樂，憶念西方無量壽如來及彼國土。是人命終，如佛色相種種莊嚴，生寶剎中，賢聖圍繞，速得聞法，永不退轉於阿耨多羅三藐三菩提。

「復次，阿難！若有善男子、善女人發十種心，所謂：一、不偷盜，二、不殺生，三、不婬欲，四、不妄言，五、不綺語，六、不惡口，七、不兩舌，八、不貪，九、不瞋，十、不癡；如是晝夜思惟極樂世界無量壽佛種種功德、種種莊嚴，志心歸依，頂禮供養。是人臨終，不驚不怖，心不顛倒，即得往生彼佛國土；有無量無數諸佛世尊，稱讚無量壽佛功德名號，聞是法已，永不退於阿耨多羅三藐三菩提。」

佛說大乘無量壽莊嚴經卷中

佛說大乘無量壽莊嚴經卷下

西天譯經三藏朝散大夫試光祿
卿明教大師臣法賢奉　詔譯

「復次，阿難！東方恒河沙數佛刹，一一刹中，有無量無數菩薩摩訶薩，及無量無數聲聞之衆，以諸香花、幢幡、寶蓋持用供養極樂世界無量壽佛。南方恒河沙數佛刹，一一刹中，亦有無量無數菩薩摩訶薩，及無量無數聲聞之衆，以諸香花、幢幡、寶蓋持用供養極樂世界無量壽佛。西方恒河沙數世界，一一佛刹，亦有無量無數菩薩摩訶薩，及無量無數聲聞之衆，以諸香花、幢幡、寶蓋持用供養極樂世界無量壽佛。北方恒河沙數佛刹，一一佛刹，亦有無量無數菩薩摩訶薩，及無量無數聲聞之衆，以諸香花、幢幡、寶蓋持用供養極樂世界無量壽佛。四維上下，亦復如是，各禮佛足，稱讚佛土功德莊嚴。」

爾時，世尊即說頌曰：

東方世界恒河沙，一一刹中無數量，菩薩聲聞發勝心，各以香花寶蓋等，

持至莊嚴佛刹中，供養如來無量壽，供已禮足而稱讚，最上希有大福田。

如是西南及北方，四維上下恒沙界，聲聞菩薩數亦然，皆以香花伸供養，

禮足旋繞懷敬愛，復讚如來宿願深，積集功德普莊嚴，無量無邊極樂國。

諸佛國界雖嚴飾，難比如來寶刹中，復以天花供養佛，花散虛空為傘蓋，

縱廣量等百由旬，色相莊嚴無有比，遍覆如來寶刹中，互相慶慰生歡喜。

曾於過去百千劫，積集無量衆善根，捨彼輪迴三有身，令至解脫清淨刹。

爾時彼佛無量壽，化導他方菩薩心，密用神通化大光，其光從彼面門出，

三十六億那由他，普照俱胝千佛刹，如是人天普照已，即入如來頂髻中。

時會一切諸衆生，敬歎佛光未曾有，各各俱發菩提心，願出塵勞登彼岸。

爾時，世尊說此偈已，會中有觀自在菩薩，即從座起合掌向佛而作是言：「

世尊！以何因緣，無量壽佛於其面門放無量光，照諸佛剎？唯願世尊方便解說，令諸眾生及他方菩薩聞是語已，生希有心，於佛菩提志樂趣求，入不退位。」

爾時，世尊告觀自在菩薩言：「汝今諦聽！吾為汝說。彼佛如來於過去無量無邊阿僧祇劫前為菩薩時，發大誓言：『我於未來成正覺時，若有十方世界無量眾生，聞我名號，或頂禮憶念，或稱讚歸依，或香花供養等；如是眾生速生我剎，見此光明，即得解脫。若諸菩薩見此光明，即得受記，證不退位，手持香花及諸供具，往十方界無邊淨剎，供養諸佛而作佛事，增益功德；經須臾間，復還本土，受諸快樂。』是故光明而入佛頂。

「復次，阿難！無量壽佛、應、正等覺所有菩提之樹，高一千六百由旬，四布枝葉八百由旬，根入土際五百由旬；花菓敷榮，作無量百千珍寶之色，於其樹上復以月光摩尼寶、帝釋摩尼寶、如意摩尼寶、持海摩尼寶、大綠寶、莎悉帝迦寶、愛寶瓔珞、大綠寶瓔珞、紅真珠瓔珞、青真珠瓔珞及金銀寶網等種種莊嚴。

「復次，阿難！每於辰時，香風自起，吹此寶樹；樹相敦觸，出微妙音，其聲普聞無量世界，衆生聞者，無其耳病，乃至成就阿耨多羅三藐三菩提。若有衆生見此樹者，乃至成佛，於其中間不生眼病；若有衆生聞樹香者，乃至成佛，於其中間不生鼻病；若有衆生食樹菓者，乃至成佛，於其中間舌亦無病；若有衆生樹光照者，乃至成佛，於其中間身亦無病；若有衆生觀想樹者，乃至成佛，於其中間心得清淨，遠離貪等煩惱之病。」

佛告阿難：「如是佛刹花菓樹木，與諸衆生而作佛事，皆是彼佛過去大願之所攝受。

「復次，阿難！彼佛刹中所有現在及未來生一切菩薩摩訶薩，一生令得阿耨多羅三藐三菩提。若有菩薩以宿願故入生死界，作師子吼，利益有情，我令隨意而作佛事。

「復次，阿難！彼佛刹中一切菩薩及諸聲聞，身相端嚴，圓光熾盛，周迴照耀百千由旬。有二菩薩，身光遠照三千大千世界。」

阿難白言：「此二菩薩有大身光，其名云何？」

佛告阿難：「二菩薩者：一名觀自在，二名大精進。現居此界作大利樂，命終之後當生彼國。

「復次，阿難！彼佛剎中一切菩薩，容貌柔和相好具足，禪定、智慧通達無礙，神通威德無不圓滿。深入法門得無生忍，諸佛祕藏究竟明了，調伏諸根身心柔軟，安住寂靜大乘涅*槃。深入正慧無復餘習，依佛所行七覺聖道，修行五眼照真達俗，辯才總持自在無礙。善解世間無邊方便，所言誠諦深入義味，度諸有情演說正法，三界平等離諸分別，無相無為，無因無果，無取無捨，無縛無脫。遠離顛倒堅固不動如須彌山，智慧明了如日月朗，廣大如海出功德寶，熾盛如火燒煩惱薪，忍辱如地一切平等，清淨如水洗諸塵垢。如虛空無邊，不障一切故；如蓮花出水，離一切染故；如雷震響，出法音故；如雲霔霔，降法雨故；如風動樹，發菩提芽故；如牛王聲，異衆牛故；如龍象威，難可測故；如良馬行，乘無失故；如師子坐，離怖畏故；如尼拘樹，覆蔭大故；如須彌山，八風不動故；如金剛杵，破邪山故；如梵王身，生梵衆故；如金翅鳥，食毒龍故；如空中禽，無住處故；如慈氏觀，法界等故。

「如是菩薩遍滿佛剎，吹法螺，豎法幢，擊法鼓，然法燈，離過清淨，無迷無失。手中出生花鬘、瓔珞、塗香、粖香一切供具，持往百千俱胝那由他佛剎，供養諸佛。復於手中別出寶花，散虛空中化成寶蓋，廣十由旬或二十由旬，乃至百千由旬，遍諸佛剎，經須臾間還來本國，無愛無著，無取無捨，身心寂靜。」

佛告阿難：「此諸菩薩，我土五濁之所無有，經百千俱胝劫說不能盡。」

佛告阿難：「吾今此土所有菩薩摩訶薩已曾供養無量諸佛，植衆德本；命終之後，皆得生於極樂世界。阿難！汝起合掌，面西頂禮。」

爾時，阿難即從坐起，合掌面西；頂禮之間，忽然得見極樂世界無量壽佛，容顏廣大，色相端嚴如黃金山；又聞十方世界諸佛如來，稱揚讚歎無量壽佛種種功德。

阿難白言：「彼佛淨剎得未曾有，我亦願樂生於彼土！」

世尊告言：「其中生者菩薩摩訶薩，已曾親近無量諸佛，植衆德本。汝欲生彼，應當一心歸依瞻仰。」

作是語時，無量壽佛於手掌中放無量光，照于東方百千俱胝那由他佛剎。於此世界所有黑山、雪山、金山、寶山、目真隣陀山、摩訶目真隣陀山、須彌山、鐵圍山、大鐵圍山、大海、江河、叢林、樹木及天人宮殿，一切境界無不照見；譬如日出明照世間，亦復如是。爾時會中，苾芻、苾芻尼、優婆塞、優婆夷，天、龍、藥叉、乾闥婆、阿修羅、迦樓羅、緊那羅、摩睺羅伽、人非人等，皆見極樂世界種種莊嚴，及見無量壽如來聲聞、菩薩圍繞恭敬，譬如須彌山王出于大海。爾時極樂世界，過於西方百千俱胝那由他國，以佛威力如對目前。又見彼土清淨平正，譬如海面無有丘陵、山嶮、草木、雜穢，唯是衆寶莊嚴，聖賢共住。

「復次，阿難！又彼無量壽佛與諸菩薩聲聞之衆，亦皆得見我身，及娑婆世界菩薩、聲聞、人天之衆。」

爾時，世尊告慈氏菩薩言：「汝見極樂世界功德莊嚴宮殿、樓閣、園林、臺觀、流泉、浴池不？慈氏！汝見欲界諸天，上至色究竟天，雨種種香花遍滿佛剎，作莊嚴不？汝見菩薩、聲聞淨行之衆，而作佛聲演說妙法，一切佛刹皆得聞聲，獲利樂不？汝見百千俱胝衆生游處虛空，宮殿隨身不？」

慈氏菩薩白佛言：「世尊！如佛所說，一一皆見。」

慈氏白言：「云何此界一類衆生，雖亦修善而不求生？」

佛告慈氏：「此等衆生智慧微淺，分別西方不及天界，是以非樂不求生彼。」

慈氏白言：「此等衆生虛妄分別，不求佛刹，何免輪迴？」

佛言：「慈氏！極樂國中有胎生不？」

慈氏白言：「不也，世尊！其中生者，譬如欲界諸天，居五百由旬宮殿，自在遊戲，何有胎生？世尊！此界衆生何因何緣，而處胎生？」

佛言：「慈氏！此等衆生所種善根不能離相，不求佛慧，妄生分別，深著世樂人間福報，是故胎生。若有衆生以無相智慧植衆德本，身心清淨，遠離分別，求生淨刹，趣佛菩提，是人命終，刹那之間於佛淨土坐寶蓮花，身相具足，何有胎生？慈氏，汝見愚癡之人不種善根，但以世智聰辯妄生分別，增益邪心，云何出離生死大難？復有衆生雖種善根，供養三寶作大福田，取相分別，情執深重，求出輪迴終不能得。」

佛告慈氏：「譬如受灌頂位刹帝利王置一大獄，於其獄內安置殿堂樓閣、鉤欄窓牖、床榻座具，皆以珍寶嚴飾，所須衣服飲食無不豐足。爾時，灌頂王驅逐太子，禁閉獄中，復與錢財珍寶、羅紈匹帛，恣意受用。」

佛告慈氏：「於意云何，彼太子得快樂不？」

慈氏白言：「不也，世尊！彼中雖有堂殿樓閣、飲食衣服、錢帛金寶隨意受用，身閉牢獄心不自在，唯求出離。」

佛告慈氏：「若灌頂王不捨其過，彼諸大臣、長者、居士等，可令太子免禁獄不？」

慈氏白言：「王既不捨，云何得出？」

佛言：「如是！如是！彼諸衆生雖復修福，供養三寶，虛妄分別，求人天果，得報之時，所居器界宮殿樓閣、衣服臥具、飲食湯藥，一切所須悉皆豐足，而未能出三界獄中，常處輪迴而不自在。假使父母、妻子、男女眷屬欲相救免，終不能出邪見業，王無能捨離。若諸眾生斷妄分別，植諸善本，無相無著，當生佛剎，永得解脫。」

慈氏菩薩白佛言：「世尊！今此娑婆世界及諸佛剎，有幾多菩薩摩訶薩得生極樂世界，見無量壽佛，成就阿耨多羅三藐三菩提？」

佛言：「慈氏！我此娑婆世界，有七十二俱胝那由他菩薩摩訶薩，已曾供養無量諸佛，植眾德本，當生彼國親近供養無量壽佛，成就阿耨多羅三藐三菩提。

「復次，阿難！難忍佛剎，有十八俱胝那由他菩薩摩訶薩，生彼國土；寶藏佛剎，有九十俱胝那由他菩薩摩訶薩，生彼國土；火光佛剎，有二十二俱胝那由他菩薩摩訶薩，生彼國土；無量光佛剎，有二十五俱胝那由他菩薩摩訶薩，生彼國土；世燈佛剎，有六十俱胝那由他菩薩摩訶薩，生彼國土；龍樹佛剎，有一千四百菩薩摩訶薩，生彼國土；無垢光佛剎，有二十五俱胝那由他菩薩摩訶薩，生彼國土；師子佛剎，有一千八百菩薩摩訶薩，生彼國土；吉祥峯佛剎，有二千一百俱胝那由他菩薩摩訶薩，生彼國土；仁王佛剎，有一千俱胝那由他菩薩摩訶薩，生彼國土；花幢佛剎，有一俱胝菩薩摩訶薩，生彼國土；光明王佛剎，有十二俱胝菩薩摩訶薩，生彼國土；得無畏佛剎，有六十九俱胝那由他菩薩摩訶薩，生彼國土。悉皆親近供養無量壽佛，不久當成阿耨多羅三藐三菩提。」

佛言：「慈氏！如是功德莊嚴極樂國土，滿彼算數無量之劫，說不能盡。若有善男子、善女人得聞無量壽佛名號，發一念信心，歸依瞻禮，當知此人非是小乘，於我法中得名第一弟子。」

佛告慈氏：「若有苾芻、苾芻尼、優婆塞、優婆夷，天、龍、藥叉、乾闥婆、阿修羅、迦樓羅、緊那羅、摩睺羅伽、人非人等，於此經典書寫供養、受持讀誦，為他演說，乃至於一晝夜思惟彼剎及佛身功德；此人命終，速得生彼，成就阿耨多羅三藐三菩提。

「復次，慈氏！今此經典甚深微妙廣利眾生，若有眾生於此正法，受持讀誦、書寫供養，彼人臨終，假使三千大千世界滿中大火，亦能超過，生彼國土。是人已曾值過去佛受菩提記，一切如來同所稱讚，無上菩提隨意成就。」

佛言：「慈氏！佛世難值，正法難聞，如來所行亦應隨行；於此經典作大守護，為諸有情長夜利益，莫令眾生墮在五趣莊嚴獄中，令諸有情種修福善求生淨剎。」

爾時，世尊而說頌曰：

若不往昔修福慧，於此正法不能聞，已曾供養諸如來，是故汝等聞斯義。
聞已受持及書寫，讀誦讚演并供養，如是一心求淨方，決定往生極樂國。
假使大火滿三千，及彼莊嚴諸牢獄，如是諸難悉能超，皆是如來威德力。
彼佛利樂諸功德，唯佛與佛乃能知，聲聞緣覺滿世間，盡其神力莫能測。
假使長壽諸有情，命住無數俱胝劫，稱讚如來功德身，盡其形壽讚無盡。
大聖法王所說法，利益一切諸群生，若有受持恭敬者，佛說此人真善友。

爾時，世尊說此法時，有十二俱胝那由他人，遠塵離垢，得法眼淨；八百苾芻，漏盡意解，心得解脫。天人眾中，有二十二俱胝那由他人，證阿那含果；復有二十五俱胝人，得法忍不退，復有四十俱胝百千那由他人，發阿耨多羅三藐三菩提心，種諸善根，皆願往生極樂世界見無量壽佛。復有十方佛剎若現在生及未來生，見無量壽佛者，各有八萬俱胝那由他人得然燈佛記，名妙音如來，當得阿耨多羅三藐三菩提。彼諸有情，皆是無量壽佛宿願因緣，俱得往生極樂世界。

佛說是語時，三千大千世界六種震動，雨諸香花積至于膝，復有諸天於虛空中作妙音樂，出隨喜聲，乃至色界諸天悉皆得聞，歎未曾有。

爾時，尊者阿難及慈氏菩薩等，并天龍八部一切大眾，聞佛所說皆大歡喜，信受奉行。

佛說大乘無量壽莊嚴經卷下

佛說大阿彌陀經

大阿彌陀佛經序

大藏經中，有十餘經言阿彌陀佛濟度眾生。其間四經本為一種，譯者不同，故有四名：一名、無量清淨平等覺經，乃後漢月支三藏支婁加讖譯；二曰、無量壽經，乃曹魏康僧鎧譯；三曰、阿彌陀過度人道經，乃吳月支支謙譯；四曰、無量壽莊嚴經，乃本朝西天三藏法賢譯。其大略雖同，然其中甚有差互，若不觀省者。又其文或失於太繁，而使人厭觀；或失於太嚴，而喪其本真；或其文適中而其意則失之。由是釋迦文佛所以説經、阿彌陀佛所以度人之旨，紊而無序，欝而不章。予深惜之，故熟讀而精考，叙為一經，蓋欲復其本也。

其校正之法，若言一事，扭此本為安，彼本為杌隉，則取其安者；或此本為要，彼本為泛濫，則取其要者；或此本為近，彼本為迂，則取其近者；或彼本有之，而此本闕，則取其所有；或彼本彰明，而此本隱晦，則取其明者。大概乃取其所優，去其所劣。又有其文碎雜而失統、錯亂而不倫者，則用其意，以修其辭，刪其重，以暢其義。其或可疑者，則闕焉而不敢取。若此之類，皆欲訂正聖言，發明本旨，使不惑於四種之異，而知其指歸也。又各從其事類析為五十六分，欲觀者易見而喜於讀誦，庶幾流傳之廣而一切眾生皆受濟度也。

予每校正必禱於觀音菩薩求冥助，以開悟識性，使無舛誤，始末三年而後畢。既畢，乃拜而自喜，目之曰大阿彌陀經。蓋佛與舍利弗說者，亦阿彌陀經，彼則其文少，故此言大以別之。然佛說經，非若吾聖人所說也。吾聖人所說，或深其文而叢其意，使人索之而愈見其多；或簡其文而晦其意，使人思而後得。佛則不然，必欲詳陳曲布，使人人可曉，雖至愚下者亦知其意焉。然而有辭直而意愈深者，經所謂須信佛語深是也，切不可以輕其辭而忽其意。

紹興壬午秋　國學進士龍舒王日休謹序

禮祝儀式

誦淨口業真言：

唵修利修利摩訶修利修修利娑婆訶

次誦五淨真言：

唵尾鼠提娑婆訶

淨身器神呪：

唵秫殿都戍陀那耶娑婆訶

次向西頂禮祝云：

弟子某甲謹為盡虛空界一切眾生，歸依盡虛空界一切諸佛、一切正法、一切聖僧，西方極樂世界阿彌陀佛、觀世音菩薩、大勢至菩薩，一切菩薩、聲聞諸上善人。某甲今為盡虛空界一切眾生持誦大阿彌陀經，及讚佛懺罪迴向發願：願如此等眾生各各自誦經，讚佛懺罪迴向發願，願盡拔濟生於極樂世界。乃念大慈菩薩讚佛懺罪迴向發願偈云：

十方三世佛，　阿彌陀第一，　九品度衆生，　威德無窮極。

我今大歸依，　懺悔三業罪，　凡有諸善福，　至心用迴向。

願同念佛人，　盡生極樂國，　見佛了生死，　如佛度一切。

如為薦亡，或禳災或保安，則隨意祝願，不須如前祈禱；亦須誦真言，先歸依三寶及西方四聖，然後祝願。若為自身往生，則宜一一如前，其功德甚大矣！

佛說大阿彌陀經卷上

國學進士龍舒王日休校輯

法會大眾分第一

如是我聞：一時佛在王舍國靈鷲山中，與大弟子眾千二百五十人俱，一切大聖神通已達，其名曰：尊者了本際、尊者正願、尊者正語、尊者大號、尊者仁賢、尊者離垢、尊者名聞、尊者善實、尊者具足、尊者阿難，若此皆上首者；又大乘眾菩薩：普賢菩薩、妙德菩薩、慈氏菩薩等，此賢劫中一切菩薩；又賢護等十六正士，善思議菩薩、信慧菩薩、空無菩薩、神通華菩薩，皆尊普賢大士之德，具諸菩薩無量行願，安住一切功德之法，如是等菩薩大士，一時來會。

阿難發問分第二

爾時，世尊容色光麗異於他日，尊者阿難即從座起，偏袒右肩，長跪合掌而白佛言：「今日世尊諸根悅豫，姿色清淨，光顯巍巍，如鏡明瑩，暢徹表裏；自我侍佛以來，未嘗獲覩威容有如今日，豈非念過去諸佛或現在、未來諸佛，故致然耶？」

佛言：「善哉！阿難！有諸天教汝來問？汝自問耶？」

阿難言：「我自以所見而發此問。」

佛言：「汝所問者，勝於供養一天下聲聞、緣覺，及布施諸天人民，下至蜎飛蠕動之類，雖至累劫，尚百千萬億倍，不可以及。所以者何？蓋諸天、帝王、人民，下至蜎飛蠕動之類，皆因汝所問而得度脫之道。阿難！如世間有優曇鉢華，雖有其實不見其華，有佛出世，華然後有，佛難值遇亦如此華。今我出世，汝善知吾意，特為發問，誠不妄侍佛矣！汝當諦聽！吾為汝說。」

對言：「誠欲聞之！」

五十三佛分第三

佛言：「前已過去劫，大衆多不可計，無邊幅不可議，爾時有佛出世，名定光如來，教化度脫無量衆生，皆令得道乃取滅度。次有佛名光遠，次有佛名月光，次有佛名栴檀香，次有佛名善山王，次有佛名須彌天冠，次有佛名須彌等曜，次有佛名月色，次有佛名正念，次有佛名離垢，次有佛名無著，次有佛名龍天，次有佛名夜光，次有佛名安明頂，次有佛名不動地，次有佛名瑠璃妙花，次有佛名瑠璃金色，次有佛名金藏，次有佛名炎光，次有佛名炎根，次有佛名地種，次有佛名月像，次有佛名日音，次有佛名解脫華，次有佛名莊嚴光明，次有佛名海覺神通，次有佛名水光，次有佛名大香，次有佛名離塵垢，次有佛名捨厭意，次有佛名寶炎，次有佛名妙頂，次有佛名勇力，次有佛名功德持慧，次有佛名蔽日月光，次有佛名日月瑠璃光，次有佛名無上瑠璃光，次有佛名最上首，次有佛名菩提華，次有佛名月明，次有佛名日光，次有佛名華色王，次有佛名水月光，次有佛名除癡冥，次有佛名度蓋行，次有佛名淨信，次有佛名善宿，次有佛名威神，次有佛名法慧，次有佛名鸞音，次有佛名師子音，次有佛名龍音，次有佛名處世，如此諸佛皆已過去。」

法藏本因分第四

佛言：「次有佛名世自在王如來、應供、等正覺、明行足、善逝、世間解、無上士、調御丈夫、天人師、佛、世尊，十號具足，在世教化四十二劫。爾時有大國王聞佛說法，喜悅開悟，即棄王位往作沙門，號法藏比丘，高才智慧勇猛無能及者。詣彼佛所稽首禮足，右繞三匝，長跪合掌，以偈讚佛：

如來妙色相，　世間無等倫，　遠勝日摩尼，　火月清淨水。
威神無有極，　名聲震十方，　皆由三昧力，　精進成智慧。
持覺若溟海，　深廣無涯底，　無明與貪恚，　冰釋已無餘。

從是超世間，歎仰不能已，端如好樹華，莫不愛樂者。
處處人民見，一切皆歡喜，布施及淨戒，忍辱并精進。
禪定大智慧，吾誓得此事，一切諸恐懼，普為獲大安。
過度諸生死，無不解脫者，我至作佛時，種種如法王。
假使恒沙數，諸佛悉供養，不如求正覺，堅勇必成就。
能使無量剎，光明普照耀，濟度越恒沙，威德誰可量？
我剎及莊嚴，華好獨超卓，凡欲求生者，清淨安以樂，
度脫永無窮，幸佛作明證。發願既如是，力行無懈怠，
雖居苦毒中，忍之終不悔。」

大願問佛分第五

佛言：「爾時，法藏比丘說此偈已，復白世自在王佛言：『世尊！我發無上菩提之心，願作佛時，於十方無央數佛中為最；智慧勇猛，頂中光明照耀十方，

無有窮極，所居剎土自然七寶極明麗溫柔；我化度名號，皆聞於十方無央數世界，莫有不聞知者；諸無央數諸天人民，以至蜎飛蠕動之類，來生我剎者，悉皆菩薩、聲聞，其數不可窮盡，比諸佛世界悉皆勝之，如是者寧可得否？』

「時，世自在王佛知其智識高明、心願廣大，即為說言：『譬如大海，一人斗量，歷劫不止，尚可見底，況人至心求道，精進不止，何求不得？何願不遂？』

「時，法藏比丘聞佛所說則大歡喜，佛乃選擇二千一百萬佛剎中，諸天人民之善惡、國土之麁妙，隨其心願，悉令顯現。法藏即一其心，遂得天眼，莫不徹見。」

四十八願分第六

佛言：「爾時，法藏比丘乃往一靜處，其心寂然，俱無所著，默坐思惟，攝取彼佛剎清淨之行，如彼修持。復詣佛所而白佛言：『世尊！我已攝取二千一百萬佛剎所以莊嚴國土清淨之行，願有敷陳，惟佛聽察！』

「彼佛告言：『善哉！汝可具說。諸菩薩衆聞汝志願因以警策，亦能於諸佛剎修習莊嚴。』法藏白言：

第一、願我作佛時，我剎中無地獄、餓鬼、禽畜以至蜎飛蠕動之類。不得是願，終不作佛！

第二、願我作佛時，我剎中無婦女；無央數世界諸天、人民以至蜎飛蠕動之類，來生我剎者，皆於七寶水池蓮華中化生。不得是願，終不作佛！

第三、願我作佛時，我剎中人欲食時，七寶鉢中，百味飲食化現在前，食已，器用自然化去。不得是願，終不作佛！

第四、願我作佛時，我剎中人所欲衣服，隨念即至，不假裁縫、擣染、浣濯。不得是願，終不作佛！

第五、願我作佛時，我剎中自地以上至於虛空，皆有宅宇、宮殿、樓閣、池流、花樹，悉以無量雜寶、百千種香而共合成，嚴飾奇妙，殊勝超絕，其香普熏十方世界，衆生聞是香者皆修佛行。不得是願，終不作佛！

第六、願我作佛時，我剎中人皆心相愛敬，無相憎嫉。不得是願，終不作佛！

第七、願我作佛時，我剎中人盡無淫泆、瞋怒、愚癡之心。不得是願，終不作佛！

第八、願我作佛時，我剎中人皆同一善心，無惑他念；其所欲言，皆豫相知意。不得是願，終不作佛！

第九、願我作佛時，我剎中人皆不聞不善之名，況有其實！不得是願，終不作佛！

第十、願我作佛時，我剎中人知身如幻，無貪著心。不得是願，終不作佛！

第十一、願我作佛時，我剎中雖有諸天與世人之異，而其形容皆一類金色，面目端正淨好，無復醜異。不得是願，終不作佛！

第十二、願我作佛時，假令十方無央數世界諸天人民以至蜎飛蠕動之類，皆得為人，皆作緣覺、聲聞，皆坐禪一心，共欲計數我年壽，幾千億萬劫無有能知者。不得是願，終不作佛！

第十三、願我作佛時，假令十方各千億世界，有諸天人民以至蜎飛蠕動之類，皆得為人，皆作緣覺、聲聞，皆坐禪一心，共欲計數我剎中人數有幾千億萬，無有能知者。不得是願，終不作佛！

第十四、願我作佛時，我剎中人壽命皆無央數劫，無有能計知其數者。不得是願，終不作佛！

第十五、願我作佛時，我剎中人所受快樂，一如漏盡比丘。不得是願，終不作佛！

第十六、願我作佛時，我剎中人住正信位，離顛倒想，遠離分別，諸根寂靜，所止盡般泥洹。不得是願，終不作佛！

第十七、願我作佛時，說經行道十倍於諸佛。不得是願，終不作佛！

第十八、願我作佛時，我剎中人盡通宿命，知百千億那由他劫事。不得是願，終不作佛！

第十九、願我作佛時，我剎中人盡得天眼，見百千億那由他世界。不得是願，終不作佛！

第二十、願我作佛時，我剎中人盡得天耳，聞百千億那由他諸佛說法，悉能受持。不得是願，終不作佛！

第二十一、願我作佛時，我剎中人得他心智，知百千億那由他世界眾生心念。不得是願，終不作佛！

第二十二、願我作佛時，我剎中人盡得神足，於一念頃，能超過百千億那由他世界。不得是願，終不作佛！

第二十三、願我作佛時，我名號聞於十方無央數世界；諸佛各於大眾中，稱我功德及國土之勝；諸天人民以至蜎飛蠕動之類，聞我名號乃慈心喜悅者，皆令來生我剎。不得是願，終不作佛！

第二十四、願我作佛時，我頂中光明絕妙，勝如日月之明百千億萬倍。不得是願，終不作佛！

第二十五、願我作佛時，光明照諸無央數天下幽冥之處，皆當大明；諸天、人民以至蜎飛蠕動之類，見我光明莫不慈心作善，皆令來生我國。不得是願，終不作佛！

第二十六、願我作佛時，十方無央數世界諸天人民以至蜎飛蠕動之類，蒙我光明觸其身者，身心慈和過諸天人。不得是願，終不作佛！

第二十七、願我作佛時，十方無央數世界諸天人民，有發菩提心，奉持齋戒，行六波羅蜜，修諸功德，至心發願欲生我剎，臨壽終時，我與大衆現其人前，引至來生，作不退轉地菩薩。不得是願，終不作佛！

第二十八、願我作佛時，十方無央數世界諸天人民，聞我名號，燒香、散花、然燈、懸繒，飯食沙門，起立塔寺，齋戒清淨，益作諸善，一心繫念於我，雖止於一晝夜不絕，亦必生我剎。不得是願，終不作佛！

第二十九、願我作佛時，十方無央數世界諸天人民，至心信樂欲生我剎，十聲念我名號，必遂來生，惟除五逆、誹謗正法。不得是願，終不作佛！

第三十、願我作佛時，十方無央數世界諸天人民以至蜎飛蠕動之類，前世作惡，聞我名號，即懺悔為善，奉持經戒，願生我剎，壽終皆不經三惡道徑遂來生，一切所欲無不如意。不得是願，終不作佛！

第三十一、願我作佛時，十方無央數世界諸天人民，聞我名號，五體投地稽首作禮，喜悅信樂，修菩薩行，諸天世人莫不致敬。不得是願，終不作佛！

第三十二、願我作佛時，十方無央數世界有女人聞我名號，喜悅信樂，發菩提心，厭惡女身，壽終之後其身不復為女。不得是願，終不作佛！

第三十三、願我作佛時，凡生我剎者，一生遂補佛處；惟除本願欲往他方設化眾生、修菩薩行、供養諸佛，即自在往生。我以威神之力，令彼教化一切眾生皆發信心，修菩提行、普賢行、寂滅行、淨梵行、最勝行及一切善行。不得是願，終不作佛！

第三十四、願我作佛時，我剎中人欲生他方者，如其所願，不復墜於三惡道。不得是願，終不作佛！

第三十五、願我作佛時，剎中菩薩以香華、旛蓋、真珠、瓔珞、種種供具，欲往無量世界供養諸佛，一食之頃即可遍至。不得是願，終不作佛！

第三十六、願我作佛時，剎中菩薩欲萬種之物，供養十方無央數佛，即自在前供養既遍，是日未午即還我剎。不得是願，終不作佛！

第三十七、願我作佛時，剎中菩薩受持經法，諷誦宣說，必得辯才智慧。不得是願，終不作佛！

第三十八、願我作佛時，剎中菩薩能演說一切法，其智慧辯才不可限量。不得是願，終不作佛！

第三十九、願我作佛時，剎中菩薩得金剛那羅延力，其身皆紫磨金色，具三十二相、八十種好，說經行道無異於諸佛。不得是願，終不作佛！

第四十、願我作佛時，剎中清淨，照見十方無量世界，菩薩欲於寶樹中，見十方一切嚴淨佛剎，即時應現，猶如明鏡覩其面相。不得是願，終不作佛！

第四十一、願我作佛時，剎中菩薩雖少功德者，亦能知見我道場樹高四千由旬。不得是願，終不作佛！

第四十二、願我作佛時，剎中諸天世人及一切萬物，皆嚴淨光麗，形色殊特，窮微極妙，無能稱量者；衆生雖得天眼，不能辯其名數。不得是願，終不作佛！

第四十三、願我作佛時，我剎中人隨其志願，所欲聞法皆自然得聞。不得是願，終不作佛！

第四十四、願我作佛時，剎中菩薩、聲聞皆智慧成神，頂中皆有光明，語音鴻暢，說經行道無異於諸佛。不得是願，終不作佛！

第四十五、願我作佛時，他方世界諸菩薩聞我名號，歸依精進，皆逮得清淨解脫三昧；住是三昧一發意頃，供養不可思議諸佛，而不失定意。不得是願，終不作佛！

第四十六、願我作佛時，他方世界諸菩薩聞我名號，歸依精進，皆逮得普等三昧，至于成佛，常見無量不可思議一切諸佛。不得是願，終不作佛！

第四十七、願我作佛時，他方世界諸菩薩聞我名號，歸依精進，即得至不退轉地。不得是願，終不作佛！

第四十八、願我作佛時，他方世界諸菩薩聞我名號，歸依精進，即得至第一忍、第二忍、第三法忍，於諸佛法永不退轉。不得是願，終不作佛！」

願後說偈分第七

佛言：「爾時，法藏比丘發此願已，復說偈言：

我今對佛前，特發誠實願，如獲十力身，威德無能勝。
復為大國王，富豪而自在，常施諸財寶，利樂於貧苦。
盡令諸衆生，長夜無憂惱，發生衆善根，長養菩提果。
我至成佛時，名聲超十方，人天欣得聞，俱來生我剎。
我以智慧光，廣照無央界，除滅諸有情，貪瞋煩惱暗。
地獄鬼畜生，亦生我剎中，一切來生者，修習清淨行。
如佛金色身，妙相悉圓滿，還以大慈心，普濟諸沈溺。
我於未來世，當作天人師，百億世界中，說法師子吼，

一切聞音者，　解悟復圓明。　又如過去佛，　所生慈愍行，
度脫諸有情，　已無量無邊，　我行亦如斯，　咸使登覺岸。
此願若剋果，　大千應震動，　虛空諸天神，　必雨珍妙華。」

初修善行分第八

佛言：「爾時，法藏比丘於彼佛所，諸天、魔、梵、龍神八部大眾之中，發斯弘誓，應時大地震動，天雨妙華以散其上，空中讚言：『決定成佛！』於是法藏住真實慧，勇猛精進，修習無量功德，以莊嚴其國。是故入三摩地，歷大阿僧祇劫，修菩薩行，不生慾想、瞋想、癡想，不生慾覺、瞋覺、癡覺，不著色、聲、香、味諸法，忍力成就，不計眾苦，但樂憶念過去諸佛所修善根，行寂靜行，遠離虛妄，堅守誠正，常以和顏愛語饒益眾生；於佛、法、僧信重恭敬，依真諦門植眾德本；善護口業不譏他過，善護身業不失律儀，善護意業清淨無染；恒以布施、持戒、忍辱、精進、禪定、智慧利樂眾生，令諸眾生功德成就，遠離麁言

，免自害害彼，免彼此俱害；修習善語自利利人，致人我兼利；復教化衆生修行六度，於一切法而得自在，了空、無相、無願、無為、無生、無滅，軌範具足，善根圓滿；*隨其生處，在意所欲，有無量寶藏自然發現，以此施惠衆生令生歡喜，以行教化，致無量無數衆生發無上菩提之心。如是善行無量無邊說不能盡。」

親近諸佛分第九

佛言：「法藏比丘行菩薩行時，於諸佛所尊重恭敬，承事供養未嘗間斷。為四大天王詣佛所，恭敬禮拜承事供養；為忉利天王詣佛所，恭敬禮拜承事供養；為夜摩天王、兜率天王、化樂天王、他化自在天王乃至大梵天王等詣佛所，恭敬禮拜承事供養。其次，處閻浮提為轉輪王受灌頂位，及大臣官族等詣佛所，恭敬禮拜承事供養；為剎帝利、婆羅門等詣佛所，恭敬禮拜承事供養。如是無量無數百千萬億劫，親近諸佛，植衆德本，以成就所願。」

願成作佛分第十

佛言：「法藏比丘行菩薩行時，容體端嚴，三十二相、八十種好悉皆具足。口中常出栴檀之香，身諸毛孔出優鉢羅華香；其香普熏無量無邊不可思議那由他由旬，衆生聞此香者，皆發無上菩提之心。又手中恒出一切衣服、一切飲食、一切幢旛寶蓋、一切音樂及一切最上所須之物，利樂一切衆生令歸佛道。如是積功累德，無量無數百千萬億劫，功德圓滿，威神熾盛，方得成就所願而入佛位。」

蜎蠕亦度分第十一

阿難白言：「法藏比丘為已成佛而取滅度？為未成佛？為今現在？」

佛言：「彼佛如來，來無所來，去無所去，無生無滅，非過去、現在、未來，但以酬其志願度一切衆生；現在西方，去此百萬世界，其世界名曰極樂，其佛號阿彌陀，成佛以來于今十劫。又在十方世界，教化無央數諸天、人民以至蜎飛蠕動之類，莫不得過度解脫者。」

光明獨勝分第十二

佛言：「阿彌陀佛光明最為遠著，諸佛光明皆所不及。十方無央數佛，其頂中光明有照一里者，有照二里者，有照三里者，如是展轉漸遠，有至於照千二百萬里；復有佛頂中光明照一世界者，有照二世界者，有照三世界者，如是展轉漸遠，有至於照二百萬世界者；惟阿彌陀佛頂中光明，照千萬世界無有窮極。諸佛光明所以有遠近者，何以故？初為菩薩時，願力功德各有大小，至期作佛皆隨所得，是故光明亦從而異，若威神自在隨意所作，不必豫計則無不同。阿彌陀佛願力無邊、功德超絕故，比諸佛光明特為殊勝！」

十三佛號分第十三

佛言：「阿彌陀佛光明，明麗快甚、絕殊無極，勝於日月之明千萬億倍，而為諸佛光明之王，故號無量壽佛，亦號無量光佛、無邊光佛、無礙光佛、無對光佛、炎王光佛、清淨光佛、歡喜光佛、智慧光佛、不斷光佛、難思光佛、難稱光佛、超日月光佛，其光明所照無央數天下，幽冥之處皆常大明。諸天、人民、禽獸、蜎飛蠕動之類，見此光明莫不喜悅而生慈心，其淫泆、瞋怒、愚癡者，見此光明莫不遷善；地獄、餓鬼、畜生、考掠痛苦之處，見此光明無復苦惱，命終之後皆得解脫。不獨我今稱讚阿彌陀佛光明，十方無央數佛、菩薩、緣覺、聲聞之衆，悉皆稱讚亦復如是。若有衆生聞此光明威神功德，日夜歸命稱讚不已，隨其志願必生其剎；復為諸菩薩、聲聞所共稱讚，當亦如是。我說阿彌陀佛光明威神，巍巍殊妙，晝夜一劫尚未能盡，今為汝等略言之耳！」

阿闍世王分第十四

爾時，阿闍世王太子與五百長者子，各持一金華蓋，前以獻佛，卻坐一面，聞說阿彌陀佛功德光明皆大歡喜，其心願言：「我等後作佛時，皆如阿彌陀佛。」

佛即知之，告諸比丘言：「阿闍世王太子與五百長者子，後無央數劫皆當作佛，如阿彌陀佛。此等行菩薩道已，無央數劫，皆各供養四百億佛，今復供養於我；往昔迦葉佛時，皆常為我弟子，今又至此，是復會遇也。」

時，諸比丘聞是語已，莫不喜悅恭敬讚歎。

地平氣和分第十五

佛言：「阿彌陀佛剎中皆自然七寶，所謂：黃金、白銀、水晶、瑠璃、珊瑚、琥珀、硨磲，其體性溫柔，以是七寶相間為地，或純以一寶為地，光色照耀奇妙清淨，超越十方一切世界。其國恢廓曠蕩不可窮盡，地皆平正，無須彌山及金剛圍一切諸山，亦無大海、小海及坑坎井谷，亦無幽暗之所，無地獄、餓鬼、眾生、禽虫以至蜎飛蠕動之類，無阿須倫及諸龍鬼神，亦無雨露，惟有自然流泉，亦無寒暑氣象，常春清快，明麗不可具言。有萬種自然之物，如百味飲食，意有所欲悉現在前，意若不用，自然化去，隨其所念無不得之。此娑婆世界有他化自在天，其中天人一切所須，自然化現，以比於此佛剎中自然之物，猶萬億倍不可以及！」

講堂宅宇分第十六

佛言：「阿彌陀佛講堂精舍，皆自然七寶相間而成，復有七寶以為樓觀欄楯，復以七寶為之纓絡，懸飾其側，復以白珠、明月珠、摩尼珠，為之交絡遍覆其上，殊特妙好、清淨光輝不可勝言，其餘菩薩、聲聞所居宮宇亦復如是。彼諸天及世人，衣服、飲食、華香、纓絡、傘蓋、幢旛、微妙音樂，隨意而現。所居宮宇樓閣，稱其形色高下大小，或以一寶、二寶乃至無量眾寶，悉化現而成。然宮宇有隨意高大，浮於空中若雲氣者；有不能隨意高大，止在地上如世間者。其故非他，能隨意者，乃前世求道時慈心精進，益作諸善德厚所致；不能隨意者，乃前世求道時，不慈心精進，作善微尠德薄所致。若衣服、飲食則皆平等，惟宮宇不同，所以別，進有勤墮、德有大小，示眾見之。此講堂宮宇，初無作者，亦無所從來，以此佛願大德重，自然化生。」

寶池大小分第十七

佛言：「阿彌陀佛剎中講堂宮宇，勝於此世界中第六天上天帝所居，百千萬倍終不可及。其內外復有自然流泉及諸池沼，與自然七寶俱生。有純一寶池者，其底沙亦以一寶：若黃金池者底白銀沙，水晶池者底瑠璃沙，珊瑚池者底琥珀沙。有二寶為一池者，其底沙亦以二寶：若黃金白銀池者，底沙則以水晶瑠璃；若水晶瑠璃池者，底沙則以珊瑚琥珀；若珊瑚琥珀池者，底沙則以硨磲瑪瑙。若三寶四寶以至七寶共為一池，則底沙亦如是。此諸寶池有方四十里者，有方五十里者，有方六十里者，如是展轉漸大，以至於方二萬四百八十里若大海。然是諸池者，皆菩薩、聲聞諸上善人生長之所，有時浴於其間。若彼佛池，其方倍此，皆七寶相間而成，白珠、明月珠、摩尼珠為之底沙。是諸池者，皆八功德水湛然盈滿，清淨香潔，味如甘露；其間復有百種異華，枝皆千葉，光色既異，香氣亦異，芬芳馥郁不可勝言！」

蓮華化生分第十八

佛言：「十方無央數世界諸天人民以至蜎飛蠕動之類，往生阿彌陀佛剎者，皆於七寶池蓮華中化生，自然長大，亦無乳養之者，皆食自然之食。其容貌形色端正淨好，固非世人可比，亦非天人可比，皆受自然清虛之身、無極之壽。」

匃者比類分第十九

佛言：「譬如匃者在帝王之側，相容儀寧可類否？」

阿難答言：「匃者在帝王之側，羸陋醜惡無以為喻，百千萬倍不可以及。所以然者，皆坐前世不植德本，積財不施，富有益慳，但欲唐得，貪求無厭，不信修善得福，益作諸惡；如是壽終墮於惡趣，受諸長苦，得出為人，下賤醜弊示衆見之。所以帝王人中尊貴，皆由宿世積德所致，慈惠溫良，博施兼濟，損已利物，無所違爭，是以壽終應生天上享其福樂，餘慶猶存，遂生王家，自然尊貴，儀容端正，衆所敬事，美衣珍饍隨心服御，自非宿福何以能然？」

佛言：「汝言是矣。若言形相威光，帝王雖人中尊貴，比轉輪聖王，猶如鄙陋若彼匃者在帝王之側。轉輪聖王天下第一，比忉利天王，又百千萬倍不可以及；忉利天王比第六天王，又百千萬倍不可以及；第六天王比阿彌陀佛剎中諸菩薩、聲聞諸上善人，又百千萬倍不可以及。」

澡雪形體分第二十

佛言：「阿彌陀佛剎中諸菩薩、聲聞諸上善人，若入七寶池中澡雪形體，意欲令水沒足，水即沒足；欲令至膝，水即至膝；欲令至腰、至腋以至于頸，水亦如是；欲淋灌其身，悉如其意；欲令其水如初，即亦如初；調和冷暖，無不順適，開神悅體，滌蕩情慮，清明澄潔，瑩若無形。既出浴已，各坐於一蓮華之上，自然微風徐動吹諸寶樹，或作音樂，或作法音，吹諸寶華皆成異香，散諸菩薩、聲聞大衆之上，華墮地者積厚四寸，極目明麗，芳香無比，及至小萎自然亂風吹去。諸菩薩、聲聞大衆，有欲聞法音者，有欲聞音樂者，有欲聞華香者，有皆不欲聞者；其欲聞者輒獨聞之，不欲聞者寂無所聞，各適其意無所違忤，其為快樂常得自然。」

澡畢進業分第二十一

佛言：「饒皆浴已，各往修進，有在地講經者，有在地誦經者，有在地自說經者，有在地口授經者，有在地聽經者，有在地念經者，有在地思道者，有在地坐禪一心者，有在地經行者。仍有在虛空中講經者，在虛空中誦經者，在虛空中自說經者，在虛空中口授經者，在虛空中聽經者，在虛空中念經者，在虛空中思道者，在虛空中坐禪一心者，在虛空中經行者。其間有未得須陀洹者，因是得須陀洹；未得斯陀含者，因是得斯陀含；未得阿那含者，得阿那含；未得阿羅漢者，得阿羅漢；有未得不退轉地菩薩者，乃得不退轉地菩薩，各隨其質而有所得，莫不欣然適意而悅。」

佛說大阿彌陀經卷上

佛說大阿彌陀經卷下

國學進士龍舒王日休校輯

池流法音分第二十二

佛言：「諸寶池中其水轉相灌注，不遲不疾，波揚無量，自然妙聲，或作說佛聲，或作說法聲，或作說僧聲，或說寂靜聲，說空無我聲，說大慈悲聲，說波羅蜜聲，說十力、無畏、不共法聲，說諸通慧聲，說無所作聲，說不起滅聲，說無上忍聲，乃至說甘露灌頂一切妙法如是等聲，稱其所欲，莫不聞者，喜悅無量，發清淨心，無諸分別，正直平等，成熟善根，永不退於無上菩提。於彼世界，不復聞於地獄、餓鬼、畜生、夜叉，殺生、偷盜、鬬諍、惡口、兩舌，如是等一切惡聲，聞且絕無，況有其實！但有自然清淨之音，自然快樂之事，是故其剎名曰極樂。」

池岸花樹分第二十三

佛言：「諸寶池岸上，有無數栴檀香樹、吉祥果樹，花果恒芳，香氣流布。又有天優鉢羅華、鉢曇摩華、拘牟頭華、分陀利華，雜色光茂，彌覆水上。復有七種寶樹，其純一寶樹者，根莖枝葉花果皆以一寶；二寶為一樹者，根莖枝葉花果間以二寶；三寶為一樹者，根莖枝葉花果間以三寶；四寶為一樹者，根莖枝葉各以一寶，其華與果同於根莖；五寶為一樹者，根莖枝葉花各以一寶，果則同於其根；六寶為一樹者，根莖枝葉花果各以一寶；七寶為一樹者，亦復如是，惟加其節益用一寶。如是諸樹種種各自異行，行行相植，莖莖相望，枝枝相准，葉葉相向，花花相順，果果相當，如是行列數百千里，間以寶池又復如是，乃至周遍世界，榮色光耀不可勝視，清風時發自成微妙音聲，無可比者。」

樹音妙樂分第二十四

佛言：「如世間帝王有萬種音樂，不如轉輪聖王諸音樂中一音之美百千萬倍；如轉輪聖王萬種音樂，不如忉利天王諸音樂中一音之美百千萬倍；如忉利天王萬種音樂，不如第六天王諸音樂中一音之美百千萬倍；如第六天王萬種音聲，不如阿彌陀佛剎中諸七寶樹一音之美百千萬倍。復有自然種種妙樂，而其音聲無非妙法，清暢嘹喨，微妙和雅，十方世界音聲之中最為第一。」

自然飲食分第二十五

佛言：「阿彌陀佛剎中諸往生者，其飲食時有欲銀鉢者，有欲金鉢者，有欲水晶琉璃鉢者，有欲珊瑚、琥珀、硨磲、瑪瑙鉢者，或欲明月珠、摩尼珠、白玉紫金等鉢，皆隨其意化現在前，百味飲食充滿其中，酸鹹辛淡各如所欲，多亦不餘、少亦不缺，亦不以美故過量而食，惟以資益氣力，食已自然消散而無遺滓。

或但見色聞香，意以為食，自然化去，再欲食時復現如前。極彼剎中清淨安穩，微妙快樂，次於無為泥洹之道。」

景象殊勝分第二十六

佛言：「阿彌陀佛剎中皆諸菩薩、聲聞諸上善人，無有婦女，皆壽命無央數劫；皆洞視徹聽，遙相瞻見，遙相聞語聲；皆求善道者，無復異人。其面目皆端正淨好，無復醜陋；其體性皆智慧勇健，無復庸愚；其所欲言皆豫相知意，心所存念無非道德，形於談說無非正事。皆相愛敬，無或憎嫉；皆相順序，或無差池。動合禮義，穆若弟兄；言語誠實，轉相教令；欽若承受，不相違戾；意皆潔清，無所貪染。婬泆、瞋怒、愚癡之態，盡絕無餘；邪心、妄念，消釋無有。神氣和靜，體力輕清；樂從經道，啟迪慧性。通其宿命，雖歷萬劫，己所從來靡不知之。復知十方世界去、來、現在之事，復知無央數天上地下人民以至蜎飛蠕動之類，心意所念，口所欲言。復知此等衆生，當於何劫、何歲盡度脫為人，得生極樂世界，或作菩薩，或作聲聞，皆豫知之；其有神智洞達威力自在者，能於掌中擎一切世界。」

道場寶樹分第二十七

佛言：「阿彌陀佛刹中其道場樹高一千六百由旬，四布枝樹八百由旬，根入寶地五百由旬，及一切衆寶自然合成。花果敷榮，作無量百千殊麗之色。於其樹上，復以月光摩尼寶、帝網摩尼寶、持海輪寶，如是等衆寶莊嚴周匝其間；復垂愛寶瓔珞、大緣寶瓔珞、青真珠瓔珞，如是等衆瓔珞綴飾；復有真妙寶網羅覆其上，成百千萬色種種異變，無量光艷照耀無極。或時微風徐動，演出無量妙法音聲，其聲流布，遍諸佛刹，衆生聞者得深法忍，住不退轉地，無其耳病，以至成就無上菩提。

「若有衆生見此樹者乃至成佛，於其中間不生眼病；若有衆生聞樹香者乃至成佛，於其中間不生鼻病；若有衆生食樹果者乃至成佛，於其中間舌亦無病；若有眾生樹光照者乃至成佛，於其中間身亦無病；若有眾生觀想樹者乃至成佛，於其中間心得清涼，遠離貪等煩惱之病，皆得甚深法忍，住不退轉地。彼剎諸天人、世人見此樹者得三法忍：一者、音響忍，二者、柔順忍，三者、無生法忍。如是樹木花果與諸眾生而作佛事，皆以此佛本願力故、堅固願故、精進力故、威神力故。」

寶網音香分第二十八

佛言：「阿彌陀佛剎中復有無量寶網彌覆其上，皆以金、銀、真珠百千雜寶，奇妙珍異莊嚴校飾；周匝四面垂以寶網，光色晃曜盡極嚴麗。又有自然德風徐動，不寒不暑，溫和柔軟，不遲不疾，吹諸寶網及諸寶樹，演發無量微妙法音，流布萬種清雅德香。其有聞者，塵勞垢習自然不生；風觸其身，皆得快樂，譬如比丘得滅盡定三昧。或時風吹散花遍滿其剎，隨色次第而不雜亂，柔軟光澤，馨香芬烈，足履其上，陷下四寸，隨舉足已，還復如故，花用已訖，自然化沒。」

蓮花現佛分第二十九

佛言：「阿彌陀佛剎中衆寶蓮華周遍世界，一一寶花百千萬葉，其華光明無量雜色，青色青光、白色白光，玄、黃、朱、紫之色，其光亦然，煒燁煥爛明耀日月。一一華中，出三十六百千億光；一一光中，出三十六百千億佛，其身皆紫金色，相好殊特；一一諸佛，又放百千光明，普為十方衆生說微妙法，如是諸佛各各安立無量衆生於佛正道。」

大會說法分第三十

佛言：「阿彌陀佛為諸菩薩、聲聞及諸天、世人，廣宣大教、敷演妙法之時，皆以次序大會於七寶講堂。佛初為諸菩薩、聲聞及諸天世人說法，莫不欣然悅適心得解悟，各隨其資而有所得。即時四方自然微風，吹諸寶樹作五百音聲，復吹諸寶花停結空中，枝葉下向以成供養，既而墜地則自然亂風吹去。於是第一四天王天諸天人，持百千花香、百千音樂，自空而降，以供養佛及菩薩、聲聞之衆，聽聞說法，散諸香花、奏諸音樂。於是第二忉利天上至欲界諸天以至第七梵天，及三十六天，如是等天諸天人，各持百千香華、百千音樂轉相倍勝，自空而降，皆以前後次序更相開避，供養佛及菩薩、聲聞之衆，聽佛說法，散諸香花、奏諸音樂。諸天人中有未得須陀洹道者，有未得斯陀含道者，有未得阿那含道者，有未得阿羅漢道者，有未得不退轉地菩薩者，聞佛說法即心開意解，隨所未得而自得之。當此之時，熙然歡喜不可勝言！」

十方聽法分第三十一

佛言：「其次東方恒河沙數諸佛，各遣無量無數菩薩及無量無數聲聞之衆，持諸香華、幢幡、寶蓋，種種供具前以獻佛，各禮足已，稱讚寶刹功德莊嚴，聽說妙法皆大喜悅，作禮而去。其次南方世界恒河沙數諸佛，各遣無量無數菩薩及無量無數聲聞之衆，持諸香華、幢幡、寶蓋，種種供具前以獻佛，各禮足已，稱讚寶剎功德莊嚴，聽說妙法皆大喜悅，作禮而去。其次西方、北方、曰隅㊟上下亦復如是。」

爾時，世尊復說偈言：

東方諸世界，數若恒河沙，一一世界中，聲聞與菩薩。
無量復無數，各發最勝心，持諸妙供養，往獻阿彌陀。
南西北四隅，上下亦如是，悉皆供獻已，旋繞懷愛敬。
讚歎大福田，最上復希有，皆由宿願弘，精進無窮極。
究達神通慧，遊入勝法門，具足功德寶，妙智無等倫。
慧日朗世間，消除生死雲，莊嚴極樂剎，威神叵思議。
曠蕩已無邊，佛剎絕無比，稱讚既如是，欽慕不能已。
復以天妙花，散空成寶蓋，縱廣百由旬，色相愈新麗。
假茲伸供養，自喜還自慶，願我積眾善，致我剎亦然。
先了諸法性，夢幻本來空，次度諸眾生，遠大無窮極，如是寶剎者，何憂不可成？
爾時佛慈悲，開導一切心。
神通化大光，從佛面門出，
四散數無窮，普照億佛剎，
人天咸覩已，還歸佛髻中。
時會諸有情，敬歎未曾有，
願與沈淪者，盡證菩提道。

觀音發問分第三十二

爾時，佛說此偈已，會中有觀自在菩薩，即從座起，合掌向佛而作是言：「世尊！以何因緣阿彌陀佛於其面門，放無量光照諸佛剎？惟願世尊方便解說，令諸眾生及他方菩薩，聞是語已，心生解悟，於佛菩提志樂趣求，永無退轉。」

佛言：「汝當諦聽，吾為汝說。彼佛如來於過去無量無邊阿僧祇劫前為菩薩時，發大誓言：我於未來世成佛時，若有十方世界無央數諸天人民以至蜎飛蠕動之類，聞我名號，或頂禮憶念，或稱讚歸依，或香花供養，如是眾生速生我剎，見此光明即得解脫；若諸菩薩見此光明，即得授記證不退位，手持香華及諸供具，往十方無邊佛剎，供養諸佛而作佛事，增益功德，經須臾頃復還本剎，是故光明而入佛頂。」

菩薩出供分第三十三

佛言：「阿彌陀佛剎中諸菩薩承佛威神，一食之頃，遍至十方無量世界供養諸佛，隨心所欲，花香妓樂，衣蓋幢幡，無數供養之具，自然化現在前，珍妙殊特非世所有，輒以奉佛及諸菩薩、聲聞之衆。或欲獻花者，即於空中化成花蓋，小者周圓四十里，或五十里，或六十里，如是展轉漸大，有至於六百萬里，名隨其小大停於空中，以成圓象，勢皆下向，以成供養，光色照耀，香氣普薰，不可勝言，既已用已，隨其前後以次化沒。諸菩薩復於空中共奏天樂，以微妙音歌歎佛德，聽受經法喜悅無量，既供養已忽然輕舉，還至本剎，猶為未食之前。」

菩薩功德分第三十四

佛言：「阿彌陀佛刹中諸菩薩衆，容貌柔和相好具足，禪定智慧通達無礙，神通威德無不滿足，深入法門得無生忍，諸菩薩道究竟明了。調伏諸根，身心柔軟，安住寂靜，盡般涅槃，深入正慧，無復餘習。依佛所行七覺聖道，修行五眼照真達俗，辯才總持自在無礙，善解世間無邊方便，所言誠諦深入義味，敷演正法廣度有情，除彼一切煩惱之患。等觀三界空無所有，知一切法悉皆寂滅，無相無為無因無果，無取無捨無縛無脫，去諸分別，遠離顛倒，堅固不動如須彌山，智慧明了如日月朗，廣大如海出功德寶，熾盛如火燒煩惱薪，忍辱如地一切平等，清淨如水洗諸塵垢。如虛空無邊不障一切故，如蓮華出水離一切染故，如雷音震響出法音故，如雲霔霳降法雨故，如風動樹長菩提芽故，如牛王聲異衆牛故，如龍象威難可測故，如良馬行乘無失故，如師子座離怖畏故，如尼拘陀樹覆蔭大衆故，如優曇鉢華難值遇故，如金剛杵破邪山故，如梵王身生梵衆故，如金翅鳥勝毒龍故，如空中禽無住跡故，如雪山照功德淨故，如慈氏觀法界等故。專樂求法心無厭足，常欲廣說志無疲倦，擊法鼓建法幢，曜慧日除癡暗。修六和敬，常為師導，為世燈明最勝福田，拔諸欲刺以安群生，功德殊勝莫不尊重。恭敬供養無量諸佛，常為諸佛所共讚歎。究竟菩薩諸波羅蜜，修空、無相、無願三昧及不生不滅諸三昧門，遠離聲聞、緣覺之地。阿難！彼諸菩薩成就如是無量功德，我但為汝舉要言之，若廣說者雖歷一劫不能窮盡。」

泥洹去者分第三十五

爾時，座中有阿逸多菩薩，即從座起，合掌問佛：「阿彌陀佛刹中諸聲聞，有般泥洹者否？」

佛言：「此四天下星，汝見之否？」

答云：「皆已見之。」

佛言：「如大目犍連飛行四天下，一日一夜可盡知其星數；彼刹聲聞之衆，尚百千億倍於四天下星，不可盡知其數。其一聲聞般泥洹者，猶如大海減去一渧不覺其少；其般泥洹者數雖衆多，猶如大海減去一溪之水亦不覺其少。雖般泥洹者及無央數，其現在者與新得聲聞者，其數亦無量無極，猶如大海減一恒河之水而不覺其少，使天下諸水皆入於海，亦不能覺海水增多。所以者何？以海為天下諸水之王，容納無窮，彼佛剎中亦復如是。使十方無央數佛剎諸天人民以至蜎飛蠕動之類，皆往生其中，亦不能覺彼剎人數增多。所以者何？以彼剎獨冠於十方無央數佛剎，而至廣至大曠若無邊。所以者何？本其為菩薩時，志願廣大，精進不懈，積德無窮，故能如是。」

光明大小分第三十六

佛言：「阿彌陀佛與其剎中諸菩薩聲聞，頂中光明各有大小，諸聲聞頂中光明各照七丈，諸菩薩頂中光明各照千億萬里。有二菩薩尊為第一：其一名觀世音，一名大勢至，常在佛側坐侍政論，佛與二菩薩對議十方世界未來、現在之事；佛欲使二菩薩往他方佛所，神足而往駛疾如佛，分身生此世界助佛揚化，於彼剎中不失現在，其智慧威神最為第一，頂中光明各照千佛世界。世間人民善男子、善女人，若有急難恐怖，或值官事，一心歸命觀世音菩薩，無不得解脫者。其佛頂中光明極大極明，彼世界中日月星辰，以佛光勝故亦無光耀，皆住空中亦不運轉，故無一日、二日、一月、二月，亦無歲數亦無劫數。以此間計之，彼佛光明，後無數劫無數劫，重復無數劫無數劫，不可復計劫，終無冥晦之時，其世界無壞亦復如是。」

恩德無窮分第三十七

佛言：「阿彌陀佛於世間教化，意欲度脫十方無央數佛剎中諸天、人民，以至蜎飛蠕動之類，皆往生其剎，悉令得泥洹之道。其間欲作佛者，即令修菩薩行以至成佛，既成佛已轉相教化，度脫十方無央數世界中諸天人民以至蜎飛蠕動之類，往生其剎者不可勝數；作菩薩以至成佛者，亦不可勝數。是此佛恩德，及於十方世界，無窮無極不可思議。」

佛壽人數分第三十八

佛言：「汝欲知阿彌陀佛壽命無極否？」

阿逸多對言：「誠欲聞知。」

佛言：「明聽！悉十方無央數世界諸天人民以至蜎飛蠕動之類，皆得為人，又皆作緣覺、聲聞，共坐禪一心，合其智慧為一智慧，以計數彼佛壽命，幾千億萬劫，無有能知者。其諸菩薩、聲聞及彼刹諸天世人壽命，亦復如是。復令十方各千世界中諸天人民以至蜎飛蠕動之類，皆得為人，又皆作緣覺、聲聞，共坐禪一心，合其智慧為一智慧，以計數彼刹中諸菩薩、聲聞幾千億萬人，莫有能盡知者。彼佛壽命浩浩淼淼無窮無極，誰能信知，惟佛知耳！」

遞次作佛分第三十九

阿逸多復白佛言：「阿彌陀佛功德壽命，威神光明乃如是耶？」

佛言：「彼佛至般泥洹時，觀世音菩薩乃當作佛掌握化權，教化度脫十方世界諸天人民以至蜎飛蠕動之類，皆令得泥洹之道，欲作佛者則至作佛；既作佛已，轉相教化，轉相度脫，如一大師阿彌陀佛，無有窮極；其恩德所及一無有異，復住無央數劫無央數劫不可復計劫，一一皆法阿彌陀佛乃般泥洹。其次大勢至菩薩作佛掌握化權，教化度脫，一如阿彌陀佛，經歷劫數永無般泥洹時。」

佛智無極分第四十

阿難復從座起，長跪合掌而白佛言：「他方世界皆有須彌山，阿彌陀佛剎中獨無此山，何耶？」

佛言：「汝有疑於佛耶？十方世界無窮無極，不可思議，佛智亦如是；其中諸大海水，欲以一人斗量而盡，汝智亦如是。往昔過去世億萬億劫，有億萬億佛，各各自有名號，無有同我名號釋迦文者；復經億萬億劫間，有同我名號，如是積劫不已，其同我名號者，乃如恒河水邊流沙，一沙一佛。此屬過去，我盡見之。今現在面南正坐，見南方億萬億世界，其中有佛，各各自有名號，無有同我名號釋迦文者，又復過億萬億世界間，有同我名號，如是過世界不已，其有同我名號者，乃如恒河水邊流沙，一沙一佛；東西北方四隅上下，亦復如是，此屬現在我盡見之。將來億萬劫中，有億萬億佛，各各自有名號，無有同我名號釋迦文者；復經億萬億劫間，有同我名號，如是積劫不已，其同我名號者，如恒河水邊流沙，一沙一佛，此屬未來，我盡見之。是知佛之智慧，能通十方世界去、來、現在無窮無極，不可思議，豈可以斗量之智而妄窺測？」

獨無須彌分第四十一

阿難聞佛所言，則大恐怖，毛髮聳然，復白佛言：「非敢有疑於佛。所以問者，以他方世界四天王天及忉利天，皆依須彌山而住，彼獨無此山，恐佛般泥洹後，有來問者無以告之，故以問佛。」

佛言：「他方世界第三炎摩天，上至第七梵天，皆何所依而住？」

對言：「自然在於空中。」

佛言：「彼刹中無須彌山，其四天王與忉利二天，亦復如是。天人行業果報不可思議，其諸眾生住行業之地，亦不可思議，況彼佛威神浩大，凡有作為，無施不可，無須彌山，無復何疑！」

十方稱讚分第四十二

佛告阿難：「東方有恒河沙世界，諸佛出廣長舌相，放無量光，說誠實言，稱讚阿彌陀佛功德不可思議。南方亦有恒河沙數世界，諸佛出廣長舌相，放無量光，說誠實言，稱讚阿彌陀佛功德不可思議。西方北方四隅上下，亦復如是。所以者何？欲令諸天、帝王、人民盡聞阿彌陀佛名號，憶念受持，歸依供養，求生其刹，是人命終必得往生。若有眾生聞其名號，信心喜悅，乃至一念至誠迴向，願生其刹，必得往生，惟除五逆、誹謗正法。」

三輩往生分第四十三

佛言：「十方世界諸天人民，有志心欲生阿彌陀佛剎者，別為三輩。其上輩者，捨家棄欲而作沙門，心無貪慕，持守經戒，行六波羅蜜修菩薩業，一向專念阿彌陀佛，修諸功德，是人則於夢中見佛及諸菩薩、聲聞。其命欲終時，佛與聖衆悉來迎致，即於七寶水池蓮華中化生，為不退轉地菩薩，智慧威力神通自在，所居七寶宮宇在於空中，去佛所為近，是為上輩生者。

「其中等者，雖不能往作沙門大修功德，常信受佛語，深發無上菩提之心，一向專念此佛，隨方修善，奉持齋戒，起立塔像，飯食沙門，懸繒然燈，散華燒香，以此迴向願生其剎，命欲終時，佛亦現其身光明相好，與諸大衆在其人前，即隨往生，亦住不退轉地，功德智慧，次於上等生者。

「其下輩生者，不能作諸功德，不發無上菩提之心，一向專念，每日十聲念佛，願生其剎，命欲終時，亦夢見此佛，遂得往生，所居七寶宮宇，惟在於地，去佛所為遠，功德智慧，又次於中輩生者。」

必修十善分第四十四

佛言：「行菩薩道生阿彌陀佛剎者，即得不退轉地菩薩，具三十二相紫磨金色、八十種好，漸次以入佛位，欲於何方世界作佛，皆如所願。若不能大精進禪定、盡持經戒，必修十善：一、不殺生，二、不偷盜，三、不邪婬，四、不調欺，五、不飲酒，六、不兩舌，七、不惡口，八、不妄言，九、不嫉妬，十、不貪欲、不慳吝、不瞋恨、不邪見。篤於孝順，謹於誠信，信受佛語，深信作善得福。奉持如是善法，晝夜思惟阿彌陀佛及彼剎種種功德莊嚴，志心歸依頂禮供養，是人命終心不顛倒，即得往生，聞無量無數諸佛，稱讚此佛功德，永不退轉無上菩提。」

復有三等分第四十五

佛言：「其次齋戒清淨，一心常念阿彌陀佛，欲生其剎，十晝夜不斷絕者，命終必得往生。縱不得晝夜，當絕慮去憂，勿與家事，勿近婦人，端身正心，斷除愛欲，齋戒清淨，志心憶念彼佛，持誦名號欲生其剎，止一晝夜不絕斷者，命終亦得往生。若有善男子、善女人發菩提心，持諸禁戒，堅守不犯，饒益衆生所作善緣，悉以施與，令得安樂，當憶此佛及彼剎境界，是人命絕往生，即如佛色相種種莊嚴，賢聖圍繞，速聞無上妙法。」

一生補佛分第四十六

佛言：「諸往生者，皆具足三十二相，究竟深入妙法要義，諸根明利。其初鈍根者成就二忍，利根者得不可計無生法忍，皆當一生遂補佛處。所以者何？彼佛剎中，皆住於正定之聚，無諸邪聚及不定之聚。復無三種過失：一者、心無虛妄，二者、住不退轉，三者、善無唐捐。所以生於彼者，有進無退直至成佛。惟有宿願速度衆生，則以弘誓功德而自莊嚴，入他方生死界中，作師子吼，說法度脫。爾時，阿彌陀佛以威神力，令彼教化一切衆生，皆發信心乃至成佛，於其中間不受惡趣，神通自在常識宿命，雖生五濁惡世，形跡與同，其清淨快樂，無異本刹。」

大會寶池分第四十七

佛言：「十方無央數世界諸天人民、比丘僧、比丘尼、優婆塞、優婆夷，往生阿彌陀佛刹者，群衆大會於七寶池中。人人各坐一大蓮華之上，自陳前世所持經戒，所作善法，所從來生本末，其所好法及所得淺深，與智慧多寡，從上次下轉相言之。其人若不豫作諸善，不明經理，於此應對，自然促迫，其心慚悔，悔亦無及；但慷慨發憤，慕及等夷。」

世人極苦分第四十八

佛言：「世人於劇惡極苦之中，勤身營務以自給濟，無貴賤貧富，無少長男女，皆憂財物，累念積慮，為心走使，無時安息，若有田憂田，有宅憂宅，有牛馬六畜、奴婢、衣食什物，悉共憂之；尊貴豪富既有斯患，嬰結于心不能自適。若貧窮下劣常苦困乏，無田亦憂，欲有其田，無宅亦憂，欲有其宅；無牛馬六畜、奴婢、衣食、什物，無不愛之，欲其皆有；適有一物復缺一物，適有是事復缺是事。勤苦若此，休息無時，不達於道德，迷沒於瞋怒，貪恨於貨色，坐斯不得道，當入苦惡趣展轉其中，雖數千億劫無有出期，痛不可言，極可哀愍！今語汝等，世間之事，擇其善者勤而行之，愛欲榮華不可常保，皆當別離，無可樂者，乘佛在世當勤精進，願生極樂世界。」

五道昭明分第四十九

佛言：「苦心與語令得解脫，若不信悟無益其人，大命將至，悔亦何及？天地之間五道昭明，恢廓浩渺，窈窈冥冥，業報相生轉相承受，美惡慘毒皆自當之，孰使如是？理之自然。善人行善，從樂入樂，從明入明；惡人行惡，從苦入苦，從暗入暗。世人昧此惡道不絕，故有自然地獄、餓鬼、禽獸、蜎飛蠕動之類，展轉其中，世世累劫，無由出離。是為大患，痛不可言，惟修淨土直得超去！」

壽數隨意分第五十

彌勒復白佛言：「今聞佛所說莫不喜悅，諸天人民以至蜎飛蠕動之類，皆蒙慈恩授解脫法，佛語教誡甚善甚深！」

佛言：「汝從無數劫來修菩薩行，欲度諸天人民以至蜎飛蠕動之類，從汝得道者無央數，至得泥洹之道者亦無央數。汝及十方世界諸天、帝王、人民，若比丘僧、比丘尼、優婆塞、優婆夷等，從無數劫來流轉五道，憂畏勤苦不可具言，至于今世生死不絕，與佛相值聽受經法，又復得聞阿彌陀佛。快哉！甚善！吾助汝喜！汝今可厭生老病死痛苦，惡露不淨，無可樂者，宜自決斷。端身正行，益作諸善修己潔體，洗除心垢，言行忠信，表裏相應。人能自度轉相拯濟，精明求願積累善本，雖一切勤苦亦須臾之間，後生阿彌陀佛剎，快樂無極，長與道德合明，永拔生死根本，無復貪、恚、愚癡苦惱之患。欲壽一劫、百劫、千劫、萬億劫、無央數劫、不可復計劫，皆隨意所欲無不得之。欲衣得衣，欲食得食，皆如其意，次於泥洹之道。汝等各宜精進，無得狐疑，無得中悔自為過咎，以至生於彼剎邊地；雖在七寶城中，經五百歲，受其困讁。」

八端檢束分第五十一

佛言：「汝等當自端身，當自端心，耳、目、鼻、口、手、足皆當自端，束檢中外，無隨嗜欲。益作諸善，當布恩施德，不犯道禁，忍辱、精進、一心、智慧，展轉復相教化，使彼為德立善，慈心正意，齋戒清淨；如是一晝夜，勝於阿彌陀佛剎中為善百歲。所以者何？以彼剎中無修營為，物皆自有，人悉為善，無毛髮之惡。於此修善十晝夜，勝於他方佛剎為善千歲。所以者何？他方佛剎悉皆為善，無造惡之所，故其福德亦皆自然。其次有世界，為善者多，為惡者少，亦有自然之物，不待修營。若此世界中，為惡極多，為善極少，不自修治，物無自有，或轉相欺詒，勞心苦形，如是怱務未嘗寧息，吾哀世人，教誨切至，令超彼岸，永脫苦趣！」

眾見佛相分第五十二

佛告阿難：「汝起整衣，合掌恭敬，面西為阿彌陀佛作禮。」

阿難如教作禮，白佛言：「願見阿彌陀佛及極樂世界，與諸菩薩、聲聞大眾！」

說是語已，阿彌陀佛即放大光明，普照一切世界。其中所有悉皆不現，惟見佛光，猶如劫水彌滿世界。爾時，阿難見阿彌陀佛容體巍巍如黃金山，高出一切諸世界上，相好光明無不照耀，會中四眾悉皆覩見。

佛言：「我說阿彌陀佛及諸菩薩、聲聞，及彼剎中自然七寶，及一切所有，與此相見有無異否？」

對言：「今此所見，與佛所言一無有異。」

爾時，諸天人民以至蜎飛蠕動之類，皆覩見阿彌陀佛光明，莫不慈心喜悅。

諸地獄、畜生、餓鬼有拷治痛苦者，即皆解脫；諸盲者悉皆能視，聾者即皆能聽，瘖者即皆能言，僂者即皆能伸，跛蹇者即皆能趨，凡病者即皆痊愈；諸狂愚者即皆黠慧，婬泆者皆修梵行，瞋恨者皆慈和為善，有被毒者毒皆不行。鐘鼓、琴瑟、箜篌樂器，諸伎不鼓，自成五音之聲；婦女珠瓔，亦皆自然震響，百鳥、畜獸皆自然歡鳴。當此之時莫不喜悅，咸得過度。

疑城胎生分第五十三

佛告彌勒：「汝見彼剎有胎生否？」

對云：「見！胎生者所處宮殿，或百由旬，或五百由旬，各於其中受諸快樂，如忉利天人。何因緣故彼剎而有胎生？」

佛言：「若有衆生修諸功德，願生彼剎，後有悔心，亦復疑惑，不信有彼佛剎，不信有往生者，亦不信布施作善後世得福。其人雖爾續有念心，暫信暫不信，志意猶豫，無所專據，臨命終時，佛乃化現其身，令彼目見，口雖不能言，其心即喜乃悔，不免作諸善以悔過。故其過差少，亦生彼刹，惟不能前至佛所。方入邊地見七寶城，即入其中，於蓮華中生，受身自然長大，飲食亦皆自然，其快樂如忉利天人。惟於城中經五百歲，不得見佛、不聞經法，不見菩薩、聲聞聖衆，無由供養於佛，修習菩薩功德，以此為苦，示其小謫，是故彼刹名為胎生。當知生疑惑者失大利益，若有衆生信受經法，奉持齋戒作諸功德，至心迴向，命終即於七寶池中蓮華中生，跏趺而坐，須臾之間，身相光明、智慧威神如諸菩薩，安得名為胎生？他方諸大菩薩發心欲見阿彌陀佛及諸菩薩、聲聞，恭敬供養，命終徑於極樂世界七寶蓮華中化生，自然即時見佛，安得名為胎生？」

菩薩往生分第五十四

彌勒復白佛言：「世尊！於此世界有幾何不退轉地菩薩，往生阿彌陀佛刹？」

佛言：「此世界有七百二十億不退轉地菩薩往生彼刹，一一菩薩已曾供養無央數佛。以此如彌勒者，皆當作佛，及諸小菩薩，及修習少功德者不可勝計，皆當往生。不但我剎諸菩薩等往生於彼，他方佛剎亦復如是。其第一佛名光遠照，有八十億菩薩皆當往生；第二佛名寶藏，有九十億菩薩皆當往生；第三佛名無量音，有二百二十億菩薩皆當往生；第四佛名無極光明，有二百五十億菩薩皆當往生；第五佛名龍勝，有六百億菩薩皆當往生；第六佛名勇光，有萬四千菩薩皆當往生；第七佛名具足交絡，有十四億菩薩皆當往生；第八佛名離垢光，有八十億菩薩皆當往生；第九佛名德首，有八百一十億菩薩皆當往生；第十佛名妙德山，有萬億菩薩皆當往生；第十一佛名慧辯，有十億菩薩皆當往生；第十二佛名無上華，有無數不可稱計菩薩，其地皆不退轉，智慧勇猛，已曾供養無量諸佛，於七日中，即能攝取百千億劫大士所修堅固之法，斯等菩薩皆當往生；第十三佛名樂大妙音，有七百九十億大菩薩，諸小菩薩及比丘等不可稱計，皆當往生。不特此十四剎中諸菩薩眾皆當往生，十方無量佛剎中，其往生者甚多，無數不可復計。我但說十方無央數佛名號，晝夜一劫尚未能盡，況其菩薩當往生者！今為汝等，乃略言之。」

聞法因緣分第五十五

佛言：「世間人民前世為善，乃得聞阿彌陀佛名號功德。若慈心喜悅，志意清淨，毛髮聳然，淚即出者，皆前世嘗行佛道，或他方佛所嘗為菩薩，固非凡人。若不信心，亦不信佛語者，乃惡道中來，餘殃未盡，愚癡不解，未當解脫。多有菩薩欲聞此經而不得聞，若得聞者，於無上道永不退轉，故當信受讀誦，如說修行。吾今為汝等說此經典，令見阿彌陀佛及其國土，與一切所有所當為者，必勉為之。當來之世經道滅盡，我以慈悲哀愍，特留此經百歲，衆生值遇無不得度。若有衆生於此經典書寫供養、受持讀誦、為人演說，乃至晝夜思惟佛刹及佛身功德，臨壽終時，佛與聖衆現其人前，經須臾間，即生彼刹。」

正法難聞分第五十六

佛言：「佛世難值，正法難聞，如來所言必應從順，於此經典作大守護，為諸衆生長夜利益，超生淨剎，永離五趣。」

爾時，世尊復說偈言：

若不往昔修福慧，於此正法不能聞，已曾欽奉諸如來，故有因緣聞此義。

聞已受持及書寫，讀誦讚演并供養，如是一心求往生，決定徑歸極樂剎。

上品上生復何疑？皆賴平時修積力，彼佛剎樂無邊際，惟佛與佛乃能知。

聲聞緣覺滿世間，盡其神智莫能測，假使長壽諸衆生，命住無數俱胝劫。

稱讚如來功德身，究竟淺智不能盡，大聖法王宣妙法，濟度一切脫沈淪，

若有受持揚說者，真是菩提殊勝友。

佛說是經已時，彌勒菩薩、長老阿難、諸菩薩、聲聞及十方來諸大衆，靡不喜悅，信受奉行。

佛說大阿彌陀經卷下

㊟大正藏之校勘認為「曰隅」恐為「四隅」之誤。

拔一切業障根本得生淨土神咒

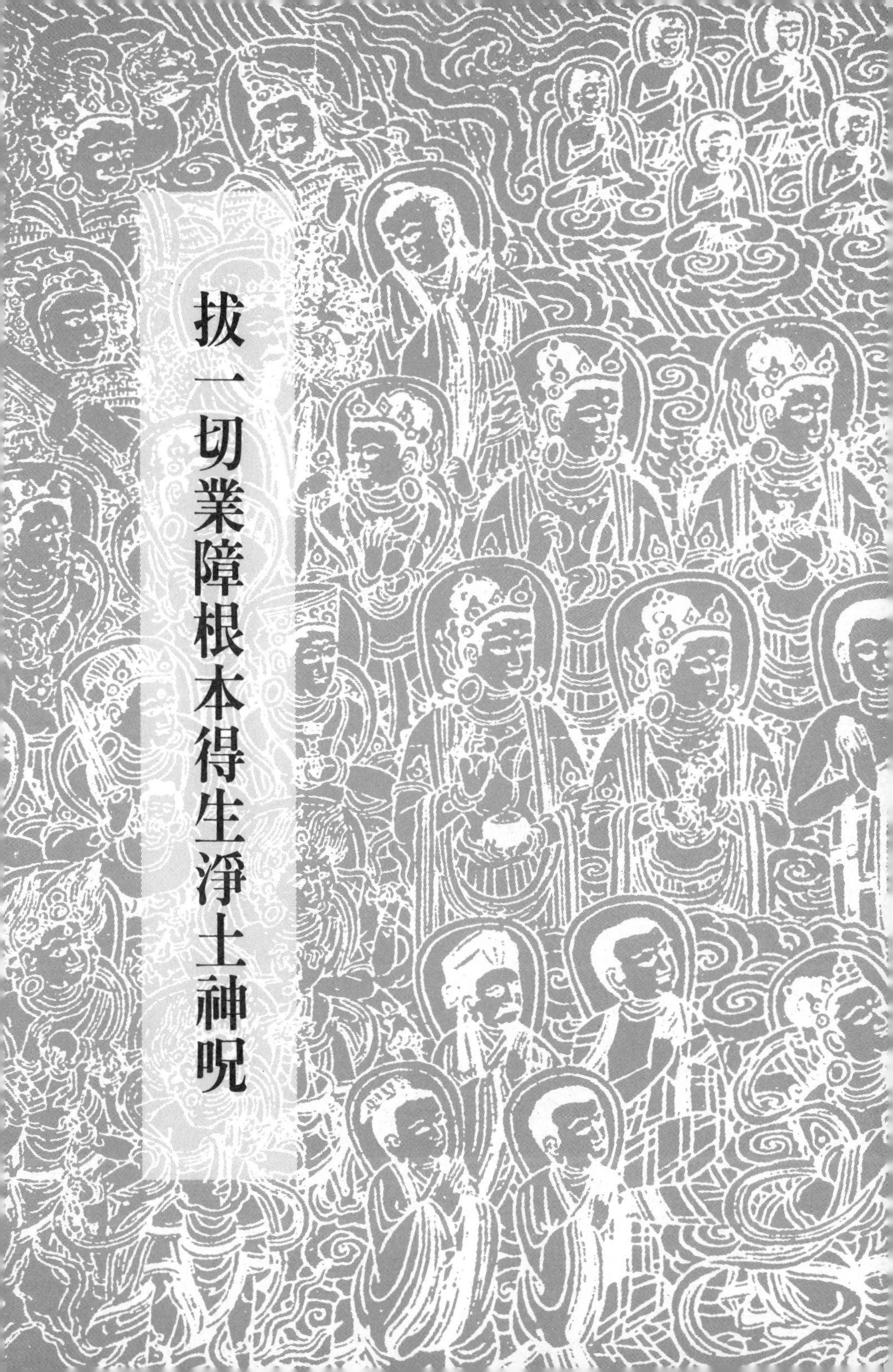

拔一切業障根本得生淨土神呪

出小無量壽經

劉宋天竺三藏求那跋陀羅奉　詔重譯

南無阿彌多婆夜　哆他伽哆夜　哆地夜他　阿彌利都婆毘　阿彌利哆
悉眈婆毘　阿彌利哆　毘迦蘭諦　阿彌利哆　毘迦蘭哆　伽彌膩　伽伽那　枳多
迦隸　莎婆訶㊟

若有善男子、善女人能誦此呪者，阿彌陀佛常住其頂，日夜擁護，無令怨家而得其便·，現世常得安隱，臨命終時，任運往生。

阿彌陀經不思議神力傳

附　隋錄
未詳作者

昔長安僧叡法師、慧崇、僧顯、慧通，近至後周實禪師、景禪師、西河鸞法師等數百餘人，並生西方。西河綽禪師等，因見鸞法師得生淨土，各率有緣，專修淨土之業。綽師又撰西方記驗，名安樂集流行。

又晉朝遠法師，入廬山三十年不出，乃命同志白黑有一百二十三人，立誓期於西方，鑿山銘願。至陳天嘉年廬山珍禪師，於坐時見有數百餘人，共乘七寶華舫往西方，珍禪師遂求附載。其船上人報云：「法師雖講得涅槃經，亦大不可思議；緣法師未誦得阿彌陀經及呪，所以不得同去。」法師遂廢講業，日夜專誦彌陀經及呪，計應滿二萬遍。未終四七日前，夜向四更，有神人從西方送一白銀臺來空中，明過於日，告云：「法師壽終，當乘此臺往生阿彌陀國，故來相示，令知定生。」終時白黑咸聞空中如奏音樂，并聞異香，數月聞香氣不歇。其夜峯頂寺僧衆，咸見一谷內有數十炬火大如車輪。

尋驗古今，得生安樂世界者非一，多見化佛徒衆來迎靈瑞，如傳廣明不可繁錄。因珍禪師於此經有驗故，略述此一條以悟來哲，助成往生之志。

拔一切業障根本得生淨土神呪者，乃宋元嘉末年，求那跋陀重奉制譯，合計五十九字一十五句。龍樹菩薩願生安養，夢感此呪。耶舍三藏誦此呪，天平寺銹法師，從耶舍三藏口受此呪。其人云：「經本外國不來，若欲受持呪法，嚼楊枝澡豆，漱口然香，於佛像前胡跪合掌，日夜六時各誦三七遍，即滅四重、五逆、十惡、謗方等罪，悉得滅除；現世所求皆得，不為惡鬼神所惑亂。若數滿二十萬遍，即感得菩提牙生；若至三十萬遍，即面見阿彌陀佛。」

註此呪前四句斷句有誤，依大正藏《阿彌陀經》卷末所附敦煌本往生咒改之。而全咒之音釋及斷句序號則全略之。

阿彌陀佛說呪

阿彌陀佛說呪

那上謨菩上陀夜藥可反下同那謨馱囉上摩夜那謨僧伽夜那摩上阿上弭多婆上夜路丁可反下同他伽上多夜阿上囉上訶上羝三藐三菩上陀夜路姪地也反下同他阿上弭唎上羝阿上弭唎都婆上鞞菩繼反下同阿上弭唎路三婆上鞞阿上弭唎路鼻菩弭反迦上蘭羝伽弭儞伽上伽上那上稽居移反唎底都儞反迦上嚟婆上囉上皤波路叉楚我反焰迦嚟一切惡業娑上婆訶若能如法受持決定得生彌陀佛國

甘露陀羅尼呪

甘露陀羅尼咒

于闐三藏實叉難陀佛授記寺譯

那謨皤哦嚩帝一　阿彌哆婆耶二　怛他羯哆耶三　阿羅訶帝四　三藐三勃陀耶五　怛儞也他六　唵七　阿彌哩帝八　阿彌哩覩皤吠九　阿彌哩哆參皤吠十　阿彌哩哆羯陛十一　阿彌哩哆徙悌十二　阿彌哩哆帝藝十三　阿彌哩哆尾羯囕帝十四　阿彌哩哆尾迦哆哦彌泥十五　阿彌哩哆伽哦曩十六　枳栗底迦隸十七　阿彌哩哆訥努吠十八　薩嚩隸十九　薩婆怛他二十　薩陀彌二十一　薩婆枳隸捨羯叉炎迦隸薩嚩訶二十二

佛說甘露陀羅尼經

阿彌陀鼓音聲王陀羅尼經

阿彌陀鼓音聲王陀羅尼經

失譯人名今附梁錄

如是我聞：一時，佛在瞻波大城伽伽靈池，與大比丘衆五百人俱。

爾時，世尊告諸比丘：「今當為汝演說西方安樂世界，今現有佛，號阿彌陀。若有四衆能正受持彼佛名號，以此功德，臨欲終時，阿彌陀即與大衆往此人所，令其得見，見已尋生慶悅，倍增功德。以是因緣，所生之處，永離胞胎穢欲之形，純處鮮妙寶蓮花中，自然化生，具大神通，光明赫弈。爾時，十方恒沙諸佛皆共讚彼安樂世界，所有佛法不可思議，神通現化種種方便不可思議。若有能信如是之事，當知是人不可思議，所得業報亦不可思議。

「阿彌陀佛與聲聞俱，如來、應、正遍知，其國號曰清泰，聖王所住，其城縱廣十千由旬，於中充滿刹利之種。阿彌陀佛、如來、應、正遍知，父名月上轉輪聖王，其母名曰殊勝妙顏，子名月明，奉事弟子名無垢稱，智慧弟子名曰賢光，神足精勤名曰大化。爾時，魔王名曰無勝，有提婆達多名曰寂靜。

「阿彌陀佛與大比丘六萬人俱，若有受持彼佛名號，堅固其心，憶念不忘，十日十夜，除捨散亂，精勤修集念佛三昧，知彼如來常恒住於安樂世界，憶念相續，勿令斷絕。受持讀誦此鼓音聲王大陀羅尼，十日十夜，六時專念，五體投地，禮敬彼佛，堅固正念，悉除散亂。若能令心念念不絕，十日之中必得見彼阿彌陀佛，并見十方世界如來及所住處；唯除重障鈍根之人，於今少時所不能覩。一切諸善皆悉迴向，願得往生安樂世界。垂終之日，阿彌陀佛與諸大衆現其人前，安慰稱善，是人即時甚生慶悅；以是因緣，如其所願，尋得往生。」

佛告諸比丘：「何等名為鼓音聲王大陀羅尼？吾今當說，汝等善聽，唯然受教。」於時，世尊即說呪曰：

多狄他一　婆離二　阿婆離三　娑摩婆羅四　尼地奢五　昵闍多禰六　昵茂邸七

呢茂企八　闍羅婆羅車馱禰九　宿佉波啼呢地奢十　阿彌多由婆離十一　阿彌多蛇伽婆呢呵隸十二　阿彌多蛇波羅娑陀禰十三　涅浮提十四・阿迦舍呢浮陀十五　阿迦舍呢提奢十六　阿迦舍呢闍啼十七　阿迦舍久舍離十八　阿迦舍達奢尼十九　阿迦舍提咃禰二十　留波呢提奢二十一　嚕跛坦泥勢二十二　遮埵唎達摩波羅娑阿禰二十三　遮唾唎阿利蛇娑帝蛇波羅娑陀禰二十四　遮埵唎末伽婆那波羅娑陀禰二十五　婆羅毘梨耶波羅娑陀禰二十六　達摩呻他禰二十七　久舍離二十八　久舍羅呢提奢二十九　久奢羅波羅啼咃禰三十　佛陀久奢離三十一　毘佛陀波羅波斯三十二　達摩迦羅禰三十三　呢專啼三十四　呢浮提三十五　毘摩離三十六　毘羅闍三十七　羅闍三十八　羅斯三十九　羅娑岐四十　羅娑伽羅婆離四十一　羅娑伽羅阿地咃禰四十二　久舍離四十三　波羅啼久舍離四十四　毘久舍離四十五　咃啼四十六　修陀多至啼四十七　修波羅舍多至啼四十八　修波羅啼癡啼四十九　修離五十　修目企五十一　達咩五十二　達達啼五十三　離婆五十四　遮婆離五十五　阿嵬舍婆離五十六　佛陀迦舍呢袠禰佛陀迦舍袠禰五十七　娑婆呵五十八

「此是阿彌陀鼓音聲王大陀羅尼。若有比丘、比丘尼、清信士女，常應至誠受持讀誦，如說修行。行此持法當處閑寂，洗浴其身，著新淨衣，飲食白素，不噉酒肉及以五辛，常修梵行。以好香花供養阿彌陀如來及佛道場、大菩薩衆，常應如是專心繫念，發願求生安樂世界，精勤不怠如其所願，以得往生於彼佛世界。

「時，阿彌陀佛與諸大衆坐寶蓮花，其土叢林花果鮮敷，間錯嚴飾；復有樹王，香風馥扇，出和雅音，純說無上不思議法；復有妙香名曰光明，若干塗香亦是寶香。阿彌陀佛於大寶花結加趺坐，有二菩薩：一名觀世音，二名大勢至，是二菩薩侍立左右，無數菩薩周匝圍遶。於此衆中，若能深信無狐疑者，必得往生阿彌陀國。其地真金，七寶蓮花自然踊出。若有四衆受持讀誦彼佛名號，乃至無有水火、毒藥、刀杖之怖，亦復無有夜叉等怖，除有過去重罪業障，極至七生必果所願。」

佛說是阿彌陀鼓音聲王陀羅尼時，無量衆生皆悉發願，志求生彼極樂世界。於時，世尊讚言：「善哉！善哉！如汝所願，必得生彼。」

聞佛說已，天龍八部歡喜踊躍，作禮奉行。

阿彌陀鼓音聲王陀羅尼經

後出阿彌陀佛偈

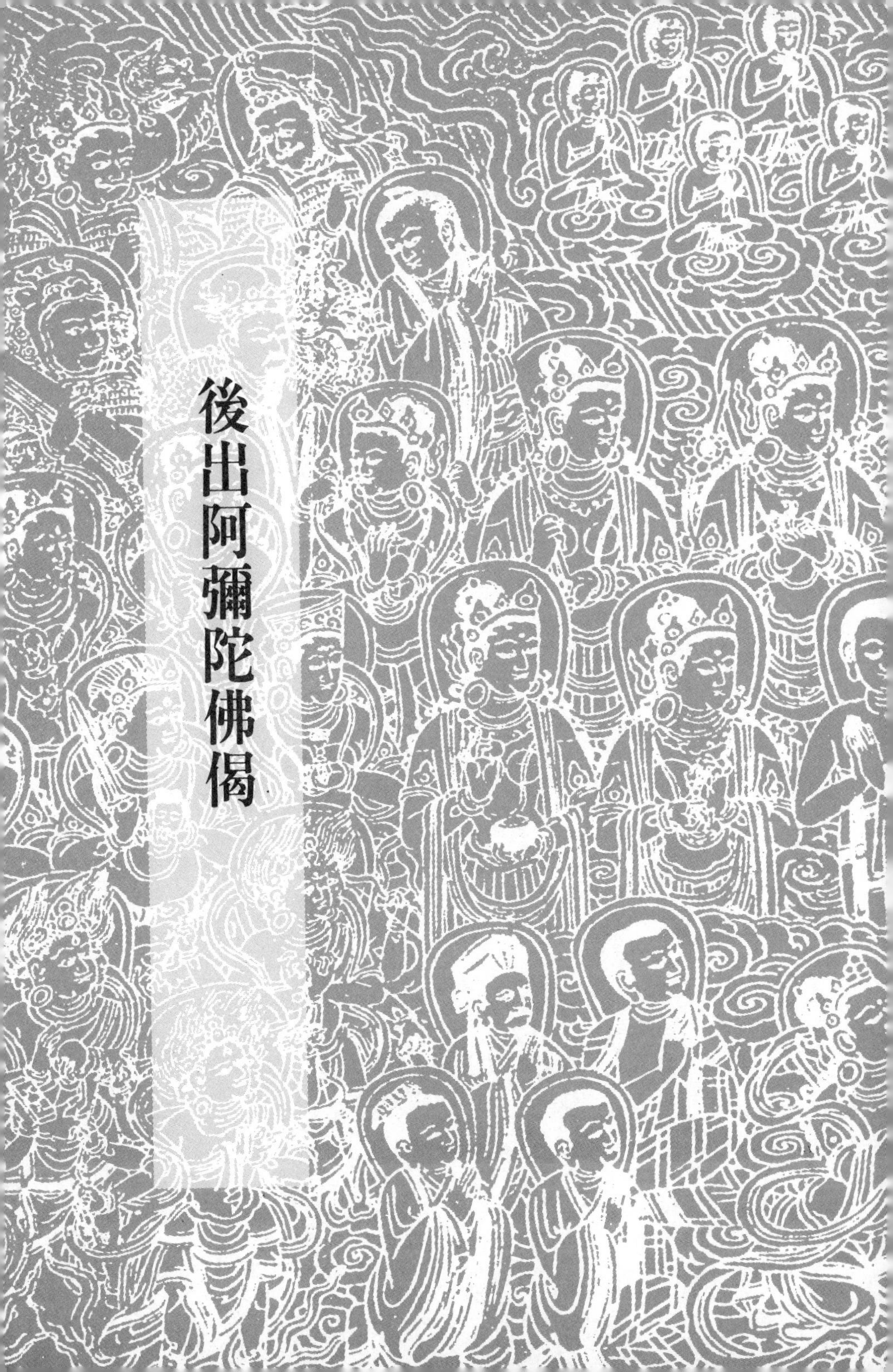

後出阿彌陀佛偈

古舊錄云闕譯人名今紀後漢錄

惟念法比丘，乃從世饒王，發願喻諸佛，誓二十四章。
世世見諸佛，姟數無有量，不廢宿命行，功德遂具成。
世界名清淨，得佛號無量，國界平夷易，豐樂多上人。
寶樹若干種，羅列叢相生，本莖枝葉花，種種各異香。
順風日三動，翕習如花生，墮地如手布，雜廁上普平。
一切無諸山，海水及諸源，但有河水流，音響如說經。
天人入水戲，在意所欲望，令水齊胳肩，意願隨念得。
佛壽十方沙，光明普無邊，菩薩及弟子，不可算稱量。

若欲見彼佛，莫疑亦莫忘，有疑在胎中，不合五百年。
不疑生基坐，叉手無量前，願欲遍十方，須臾則旋還。
惟念彼菩薩，姟劫作功勤，本行如此致，得號*懀世尊。
佛興難得值，須臾會難聞，講說士難遇，受學人難得。
若後遭末世，法欲衰微時，當共建擁護，行佛無欲法。
佛能說此要，各各勤思行，受此無量福，世世稽首行。

後出阿彌陀佛偈

南無護法韋馱尊天菩薩

全佛文化圖書出版目錄

佛教小百科系列

□ 佛菩薩的圖像解說1-總論•佛部	320	□ 佛教的塔婆	290
□ 佛菩薩的圖像解說2-菩薩部•觀音部•明王部	280	□ 中國的佛塔-上	240
□ 密教曼荼羅圖典1-總論•別尊•西藏	240	□ 中國的佛塔-下	240
□ 密教曼荼羅圖典2-胎藏界上	300	□ 西藏著名的寺院與佛塔	330
□ 密教曼荼羅圖典2-胎藏界中	350	□ 佛教的動物-上	220
□ 密教曼荼羅圖典2-胎藏界下	420	□ 佛教的動物-下	220
□ 密教曼荼羅圖典3-金剛界上	260	□ 佛教的植物-上	220
□ 密教曼荼羅圖典3-金剛界下	260	□ 佛教的植物-下	220
□ 佛教的真言咒語	330	□ 佛教的蓮花	260
□ 天龍八部	350	□ 佛教的香與香器	280
□ 觀音寶典	320	□ 佛教的神通	290
□ 財寶本尊與財神	350	□ 神通的原理與修持	280
□ 消災增福本尊	320	□ 神通感應錄	250
□ 長壽延命本尊	280	□ 佛教的念珠	220
□ 智慧才辯本尊	290	□ 佛教的宗派	295
□ 令具威德懷愛本尊	280	□ 佛教的重要經典	290
□ 佛教的手印	290	□ 佛教的重要名詞解說	380
□ 密教的修法手印-上	350	□ 佛教的節慶	260
□ 密教的修法手印-下	390	□ 佛教的護法神	320
□ 簡易學梵字(基礎篇)-附CD	250	□ 佛教的宇宙觀	260
□ 簡易學梵字(進階篇)-附CD	300	□ 佛教的精靈鬼怪	280
□ 佛教的法器	290	□ 密宗重要名詞解說	290
□ 佛教的持物	330	□ 禪宗的重要名詞解說-上	360
		□ 禪宗的重要名詞解說-下	290
		□ 佛教的聖地-印度篇	200

佛經修持法系列

□ 如何修持心經	200	□ 如何修持阿閦佛國經	200
□ 如何修持金剛經	260	□ 如何修持華嚴經	290
□ 如何修持阿彌陀經	200	□ 如何修持圓覺經	220
□ 如何修持藥師經-附CD	280	□ 如何修持法華經	220
□ 如何修持大悲心陀羅尼經	220	□ 如何修持楞嚴經	220

光明導引系列

□ 阿彌陀經臨終光明導引-臨終救度法	350	□ 送行者之歌(附國台語雙CD)	480

洪老師禪座教室系列

- ☐ 靜坐-長春.長樂.長效的人生 200
- ☐ 放鬆(附CD) 250
- ☐ 妙定功-超越身心最佳功法(附CD) 260
- ☐ 妙定功VCD 295
- ☐ 睡夢-輕鬆入眠•夢中自在(附CD) 240
- ☐ 沒有敵者-強化身心免疫力的修鍊法(附CD) 280
- ☐ 夢瑜伽-夢中作主.夢中變身 260
- ☐ 如何培養定力-集中心靈的能量 200

禪生活系列

- ☐ 坐禪的原理與方法-坐禪之道 280
- ☐ 以禪養生-呼吸健康法 200
- ☐ 內觀禪法-生活中的禪道 290
- ☐ 禪宗的傳承與參禪方法-禪的世界 260
- ☐ 禪的開悟境界-禪心與禪機 240
- ☐ 禪宗奇才的千古絕唱-永嘉禪師的頓悟 260
- ☐ 禪師的生死藝術-生死禪 240
- ☐ 禪師的開悟故事-開悟禪 260
- ☐ 女禪師的開悟故事(上)-女人禪 220
- ☐ 女禪師的開悟故事(下)-女人禪 260
- ☐ 以禪療心-十六種禪心療法 260

佛家經論導讀叢書系列

- ☐ 雜阿含經導讀-修訂版 450
- ☐ 異部宗論導讀 240
- ☐ 大乘成業論導讀 240
- ☐ 解深密經導讀 320
- ☐ 阿彌陀經導讀 320
- ☐ 唯識三十頌導讀-修訂版 520
- ☐ 唯識二十論導讀 300
- ☐ 小品般若經論對讀-上 400
- ☐ 小品般若經論對讀-下 420
- ☐ 金剛經導讀 220
- ☐ 心經導讀 160
- ☐ 中論導讀-上 420
- ☐ 中論導讀-下 380
- ☐ 楞伽經導讀 400
- ☐ 法華經導讀-上 220
- ☐ 法華經導讀-下 240
- ☐ 十地經導讀 350
- ☐ 大般涅槃經導讀-上 280
- ☐ 大般涅槃經導讀-下 280
- ☐ 維摩詰經導讀 220
- ☐ 菩提道次第略論導讀 450
- ☐ 密續部總建立廣釋 280
- ☐ 四法寶鬘導讀 200
- ☐ 因明入正理論導讀-上 240
- ☐ 因明入正理論導讀-下 200

談錫永作品系列

- ☐ 閒話密宗 200
- ☐ 西藏密宗占卜法-妙吉祥占卜法(組合) 580
- ☐ 細說輪迴生死書-上 200
- ☐ 細說輪迴生死書-下 200
- ☐ 西藏密宗百問 250
- ☐ 觀世音與大悲咒-修訂版 190
- ☐ 佛家名相 220
- ☐ 密宗名相 220
- ☐ 佛家宗派 220
- ☐ 佛家經論-見修法鬘 180
- ☐ 生與死的禪法 260
- ☐ 細說如來藏 280
- ☐ 如來藏三談 300

大中觀系列

- ☐ 四重緣起深般若-增訂版 420
- ☐ 心經內義與究竟義-印度四大論師釋《心經》 350
- ☐ 聖入無分別總持經對堪及研究 390
- ☐ 《入楞伽經》梵本新譯 320
- ☐ 《寶性論》梵本新譯 320
- ☐ 如來藏論集 330
- ☐ 如來藏經論研究 950 (4、5、6冊三本一套，盒裝)
- ☐ 如來藏二諦見 360
- ☐ 《聖妙吉祥真實名經》梵本校譯 390
- ☐ 《聖妙吉祥真實名經》釋論三種 390

甯瑪派叢書-見部系列

- ☐ 九乘次第論集-佛家各部見修差別 380
- ☐ 甯瑪派四部宗義釋 480
- ☐ 辨法法性論及釋論兩種 480
- ☐ 決定寶燈 480
- ☐ 無修佛道-現證自性大圓滿本來面目教授 360
- ☐ 幻化網秘密藏續釋-光明藏 560
- ☐ 善說顯現喜宴-甯瑪派大圓滿教法 650

甯瑪派叢書-修部系列

- ☐ 大圓滿心性休息導引 395
- ☐ 大圓滿前行及讚頌 380
- ☐ 幻化網秘密藏續 480
- ☐ 六中有自解脫導引 520

李潤生作品系列

- ☐ 佛家輪迴理論-上 360
- ☐ 佛家輪迴理論-下 390
- ☐ 生活中的佛法-山齋絮語 390
- ☐ 百論析義-上 450
- ☐ 百論析義-下 480
- ☐ 唯識.因明.禪偈的深層探究-上 350
- ☐ 唯識.因明.禪偈的深層探究-下 390

蓮花生大士全傳系列

- ☐ 蓮花王 320
- ☐ 師子吼聲 320
- ☐ 桑耶大師 320
- ☐ 廣大圓滿 320
- ☐ 無死虹身 320
- ☐ 蓮花生大士祈請文集 280

密乘寶海系列

- ☐ 現觀中脈實相成就-開啟中脈實修秘法 290
- ☐ 智慧成就拙火瑜伽 330
- ☐ 蓮師大圓滿教授講記-藏密寧瑪派最高解脫法門 220
- ☐ 密宗修行要旨-總攝密法的根本要義 430
- ☐ 密宗成佛心要-今生即身成佛的必備書 240
- ☐ 無死-超越生與死的無死瑜伽 200

- ☐ 密宗的源流-密法內在傳承的密意 240
- ☐ 恒河大手印-傾瓶之灌的帝洛巴恒河大手印 240
- ☐ 岡波巴大手印-大手印導引顯明本體四瑜伽 390
- ☐ 大白傘蓋佛母-息災護佑行法(附CD) 295
- ☐ 孔雀明王行法-摧伏毒害煩惱 260
- ☐ 月輪觀•阿字觀-密教觀想法的重要基礎 350
- ☐ 穢積金剛-滅除一切不淨障礙 290
- ☐ 五輪塔觀-密教建立佛身的根本大法 290
- ☐ 密法總持-密意成就金法總集 650

高階禪觀系列

- ☐ 通明禪禪觀-迅速開啟六種神通的禪法 200
- ☐ 十種遍一切處禪觀-調練心念出生廣大威力的禪法 280
- ☐ 四諦十六行禪觀-佛陀初轉法輪的殊勝法門 350
- ☐ 三三昧禪觀-證入空、無相、無願三解脫門的禪法 260
- ☐ 大悲如幻三昧禪觀-修行一切菩薩三昧的根本 380
- ☐ 圓覺經二十五輪三昧禪觀-二十五種如來圓覺境界的禪法 400

禪觀寶海系列

- ☐ 禪觀秘要 1200

白話佛經系列

- ☐ 白話華嚴經(第一冊) 680
- ☐ 白話華嚴經(第二冊) 680
- ☐ 白話華嚴經(第三冊) 680
- ☐ 白話華嚴經(第四冊) 680

其他系列

- ☐ 入佛之門-佛法在現代的應用智慧 350
- ☐ 如觀自在-千手觀音與大悲咒的實修心要 650
- ☐ 神通-佛教神通學大觀 590
- ☐ 仁波切我有問題-一本關於空的見地、禪修與問答集 240
- ☐ 認識日本佛教 360
- ☐ 普賢法身之旅-2004美東弘法紀行 450

離言叢書系列

- ☐ 解深密經密意 390
- ☐ 無邊莊嚴會密意 190

全套購書85折、單冊購書9折

（郵購請加掛號郵資60元）

全佛文化事業有限公司

新北市新店區民權路95號4樓之1

Buddhall Cultural Enterprise Co.,Ltd.

購書專線:886-2-2913-2199

購書傳真:886-2-2913-3693

郵政劃撥帳號：19203747

戶名：全佛文化事業有限公司

佛菩薩經典系列 1

《阿彌陀佛經典》

主　編　全佛編輯部
出　版　全佛文化事業有限公司
永久信箱：台北郵政26-341號信箱
訂購專線：(02)2913-2199
傳真專線：(02)2913-3693
發行專線：(02)2219-0898
郵政劃撥：19203747
戶名：全佛文化事業有限公司
E-mail：buddhall@ms7.hinet.net
http://www.buddhall.com
門　市　心茶堂
新北市新店區民權路95號4樓之1（江陵金融大樓）
門市專線：(02)2219-8189
行銷代理　紅螞蟻圖書有限公司
台北市內湖區舊宗路二段121巷28之32號4樓（富頂科技大樓）
電話：(02)2795-3656
傳真：(02)2795-4100
初　版　一九九五年十二月
初版三刷　二〇一二年九月
定價新台幣　三五〇元
ISBN　978-957-9462-16-7（平裝）

國家圖書館出版品預行編目資料

阿彌陀佛經典 / 全佛編輯部主編- - 初版.
-- 臺北市：全佛文化出版,
1995[民84] 面； 公分. -
(佛菩薩經典系列；1)
ISBN 978-957-9462-16-7(平裝)

1.方等部
221.34　　84012601